国学经典

史记

[汉]司马迁 撰

郭灿金 魏明云 注译

中州古籍出版社

史 记

前 言

已故的日本著名学者、中国文学和历史研究家吉川幸次郎曾说过一句话："希罗多德是西方历史之父，汉代司马迁在公元前1世纪写的《史记》，则是我们东方的历史之父。"也许是翻译的原因，吉川的这句话似乎有些语病，但这并不妨碍他要表达的意思，那就是，他将司马迁和希罗多德并举，认定他们一东一西，双峰对峙，二水分流。无疑，吉川先生盛意可感，誉司马迁为"我们东方的历史之父"也自有深意在焉，但这一"谥号"却容易将人导入歧途，因为"父"的文化意义在于"权力"和"生殖"，容易让人忽视《史记》本身的力量，忽视了《史记》和司马迁之间的双重"救赎"。

对于《史记》，毛泽东说过这样的话："中国有两部大书，一曰《史记》，一曰《资治通鉴》，都是有才气的人在政治上不得意的境遇中编写的。"相对于吉川幸次郎的话，毛泽东的话堪称微言大义。毛泽东看重的是"发生学"意义，这显示了他的"独到"和史家"眼界"。换言之，即他指出了《史记》的力量，传达了《史记》和作者司马迁之间的双重"救赎"关系。

"政治上不得意的境遇"是一种显性力量，这样的境遇包含了一种巨大张力，而司马迁恰恰就站在这个张力的入口之处。

对于司马迁来说，这个入口的名字叫"宫刑"。这个入口暗含诡异，它的意义是复杂的，不进此门，意味着生命的终结；进入此门，则意味着告别男性之躯。相对于后人所面对"为人进出的门紧闭着，为狗进出的门敞开着"的二元对立的困境，司马迁的处境显然更为复杂，更为无可选择。是"引刀一快"抑或是"忍辱偷生"，同样成了"千古艰难"。存在还是毁灭，突然成了一个真真切切的问题。此时，死了一了百了，得"大欢喜"；生存则忍羞含垢，得"大苦难"。

然而，司马迁选择了生存，于是他走向"蚕室"。

走进"蚕室"，他已经超越了生死；走出"蚕室"，他已经走向了圣人。"圣人无名"，岂能以"父"名之？

后来，司马迁说："知死必勇，非死者难也，处死者难。"对这句话，后人理解各不相同，但揣摩司马迁的本意，他似乎表达的是这样一层意思：一个人如果感觉到已是非死不可，那他必定会勇敢起来。因为去死并非难事，处理好要不要去死、怎么去死才是难事。我想"蚕室"之中，"宫刑"之后，是这句话在激励他。他还说过另外一句被人广为传颂的话："人固有一死，或重于泰山，或轻于鸿毛。"

宫刑之后，他已是"刑余之人"，没有了性别，更没有了尊严。此时，现实已经不再是他的对手，他的对手是他自己，他的对手来自形而上。他独自代表着时代和人类，迎接着扑面而来的人类的根本问题——如何对抗人类自身的悲剧性命运，如何抵抗无所不在的虚无，如何超越命定的死亡。

中国文化史上，很少有人遭逢过如此重大的命题：他们要么面对的是困顿，要么面对的是死亡，只有他被推到了如此的风口浪尖之上。他不怕死亡，但他要超越死亡；他无意苟活，但他必须偷生。因此，是命运、是现实、是历史、是巧合成全了司马迁。他们借李陵之身，假汉武帝之手，靠刀锯之功，完成了司马迁的成圣礼。在这个意义上，汉武帝恰似司马迁的同党。若非经李陵之祸，司马迁就缺乏了力透纸背的气质和风范。因此，司马迁的经历首先不是一个史家和作家的成长故事，而是一个英雄和圣人的成长故事。无法想象，不经此变，司马迁会给我们留下一部什么样的《史记》。

此时，所谓的"究天人之际，通古今之变，成一家之言"，已经是最低层次的行动纲领，这仅仅是司马迁写作的直观目的，却不是司马迁意义的全部。至于后人言之凿凿地断定，说司马迁要用自己的伤残之躯战胜汉武帝，此话显然不着边际。一个和人类悖论相抗衡的人，不会如此自降身价，自取其辱。命运都不能成为他的对手，一个庸俗的皇帝，所谓的"今上"，岂会被他放在眼内？显然，说司马迁意在汉武帝，这是后人因"小器"而生出的"小气"。

所以说，是《史记》"救赎"了司马迁。若不是心里存了著述之念，他不会如此"就极刑而无愠色"。然而，"救赎"是双向的。走出"蚕室"的司马迁已无法归类，非男非女，非官非"宦"，富贵功名已是过眼云烟，声色犬马已是恍若隔世，他被命运和现实"赶上"了神坛，回首望去，高处不胜寒。神坛之上，一己之悲了无意义。刀笔之下，青简之上，他随意点染，便已满纸烟霞。因此，在自己被救赎之时，他也救赎了《史记》——那个时候，他为它取名《太史公书》。

有了这样的双重救赎，让《史记》有了重量，有了力量；有了质感，有了质量，它将古人和来者之作衬托得寡淡如水。

有一个细节大可玩味。中国人有托圣的传统，譬如《黄帝内经》，譬如《周易》……都假托了圣人之名。甚至有人考证，连大气磅礴的"还我河山"，亦是"托圣"之作。那些在历史上没有留下名字的"托圣者"，为了让自己的智慧、自己的念想长存天地之间，他们假托圣人之名，而不计较自己声名湮灭。很明显，这是智慧之举，但也是无奈之举。他们无法推测，若不借了圣人的名号，他们的思想，是否会有人留意；他们的智慧，是否会依旧闪光。因此，他们果断地选择"托圣"，自己则隐藏在了圣人之后。从此之后，山高水长，但他们的名字已和他们自己的思想、智慧了无干系。但是，我们却记住了司马迁，记住了他的《太史公书》。他没有走"托圣"的旧路，我们无由得知是什么驱使他做出如此的决定，但有一点是明确的，他本身的经历，已具备足够的传奇，他不需要托圣，他不需要假托一个无关的圣人来完成自己，因为他本身已是圣人。

唯有圣人之作，我们才可以读到其"神性"。

《史记》的"神性"在于它的"全息"。

所谓的"全息"，不是指它内容的无所不包，而是指它平实的语言背后有丰满的生活元素、历史元素。《史记》是"立体"的，每一个人物、事件，皆"横看成岭侧成峰"。譬如"项伯乃夜驰之沛公军"一事，有人斥项伯"卖主"，有人赞项伯"有大局观"，也有人从中发现了楚汉媾和的蛛丝马迹。又如蔺相如之"完璧归赵"，有人盛赞其大智大勇，也有人直斥其匹夫之勇……完全对立的观点，居然都能在《史记》里找到自圆其说的证据，此之谓"全息"。我们无法推知司马迁写作之时的状态，但他的刀笔在竹简上游走之时，一定是充满神性的，否则，怎么能写出如此可以自我"解构"的文字？

是否"全息"，其实恰恰是衡量一部作品是否伟大，是否具备"神性"的关键。在这个意义上，我们也就可以理解《红楼梦》等经典作品的伟大。为什么有一千个读者，就会有一千个哈姆雷特？就是因为莎士比亚的文字是全息的。而司马迁的不同之处在于，他描摹的对象是古人，他叙述的事件是旧事，他不能"创造"一个古人出来，更不能"构想"一件旧事出来，他只能让古人在他的笔下"复活"，只能让旧事在他的笔下"重现"。历史和现实留给他的创造空间相当狭窄。他可以追慕《春秋》之"微言大义"，将万千悲喜褒贬不动声色嵌入只言片语之中。然而，《春秋》的文字本身不是自足的，要弄清它的只言片语，我们需要借助外力。其实，不要说我们，不借助《左传》、《公羊传》、《穀梁传》这所谓的"春秋三传"，古人也已经很难将《春秋》读得明白。《史记》则不是这样，它本身是"自足"的，全书合在一起是部百科全书，而每篇单列，照样是自成一体。更重要的是，《史记》的文字本身具备了极强的"自足"、"自立"能力，似乎司马迁赋予他的文字以生命，那些文字不依赖司马迁独立活在那里。于是，别人给的是平面，司马迁给的是立体；别人给的是单色，司马迁给的是多彩；别人给的是正面，司马迁给的是正面、侧面加倒影。一个城堡，他留出了一千条进出的门径，加了一千把锁，也给了一千套钥匙。

因此，我们将司马迁的文字视为"全息"的。若无如椽之笔，岂有"全息"之文？他的厚重，在于他不经意创造出来的"全息"。他提供的不是"报道"，而是"钻石"，无论从哪个角度，皆可见其璀璨光彩。他的全能，岂是一句"其文直、其事核，不虚美、不隐恶"所能概括？千百年后，展读《史记》，我们不禁会问，一个人怎么会有如此的力量？一个人的文字怎么会有如此的力量？写作过程中，他是否神灵附体？否则，他怎么会如此全知全能？也许，此时我们会想到一个词——天纵，是啊，若非"天纵"，他的文字为什么总是处处具有"灵性"，具有"神性"？

当他"成一家之言"后，我们就失去了所有关于他的消息。突然之间，他就成了一个谜。他去了哪里？在他生命的最后一刻，他是什么状态？所有这些都变得扑朔迷离。也许，他是把所有的生命都投射进了《史记》之中，因而，《史记》既成，他就懒得再多说一句。生死早已被他参破,荣辱已激不起半点漪沦。生已了无意义,死亦不值一提,他岂能还纠缠于生死?

斯人已逝,《史记》长存。好在,今日我们依然能通过《史记》,想见司马迁之为人;我们依然能透过《史记》,感受司马迁与自己作品之间的双向救赎,从而,让我们看到司马迁的力量,《史记》的力量。因而,有了这本白话《史记》。

但是,应该对读者诸君说明的是,本书是个选本。既然是个选本,就一定有编选者本人的趣味在。只要是个人趣味,就难免顾此失彼,而顾此失彼,则是对读者的不负责任。因此,对于编选者,在编选的过程之中,两难几乎无法避免。既想让自己所喜欢的篇目进入选本,又要时时提醒自己保持相对的公正;既要向自己妥协,也要向那个假想的标准妥协。相互妥协的结果,就是本书目前的样态。目前的样态,不会是理想的样态,只能是稳妥的样态、现实的样态。

理想的样态,追求的是编选者个人的口味;稳妥的样态,在意的是常识意义上的价值;现实的样态,重视的是古今、彼此、物我等等之间的"和谐"。

基于以上考虑,故选以下篇目:

《项羽本纪》:本篇概述项羽短暂一生的光荣与梦想,悲剧与豪情,读之不时让人废书而叹。

作为秦末汉初之间最重要的过渡性人物,项羽不仅仅是不世出的英雄,更是一个没有长大的男孩儿;他不仅代表了一段可歌可泣的历史,更寄寓了太史公的复杂情感。

《留侯世家》:本篇讲述的是千古"帝王之师"张良的奋斗史。

在波诡云谲的秦汉之交,张良以其半人半神的形象深入人心,他的成功是智商的成功,更是情商的成功。读懂了张良,就读懂了刘邦,就读懂了项羽,就读懂了韩信和萧何,就读懂了楚何以亡而汉何以兴。

《廉颇蔺相如列传》：本篇为赵国四位文臣武将的合传。

举重若轻，四两千斤，本篇自是大家风范。长期以来，出自本篇的"将相和"、"完璧归赵"，乃至"廉颇老矣，尚能饭否"皆为人熟知，但更多的人只是读到了表面的五光十色，却对其中的"大国外交"、君臣斗智等更为精彩的内容视而不见，悲夫！

《鲁仲连邹阳列传》：本篇记述了两位奇人的事迹。

有人为此篇作的推荐语曰"功成不居，不屈权贵"，此言大致不差。但本篇更吸引我的是其中的一句话："白头如新，倾盖如故。"呜呼，"白头如新"常有，"倾盖如故"难觅！

《吕不韦列传》：本篇既状吕不韦波澜起伏的一生，亦不乏情色与阴谋。

借助大手笔的策划，吕不韦华丽转身，立主定国，由商而政，位极人臣。但人在江湖，便身不由己，任你纵横捭阖，总难逃命定的失败。即使如此，我们依然无法不叹服吕不韦早年开阔的眼界，娴熟的手段。

本篇之中有"限制级"的古代新闻，但相信不是太史公在"八卦"。

《刺客列传》：本篇状刺客群像。

自古以来，衮衮诸公皆曰此篇为"第一激烈文字"，但是，切莫为此类大言所吓倒，夜深人静，慢品荆轲，努力感受文字背后主人公的形象，你会感到，"激烈"之后有"无奈"。

《淮阴侯列传》：本篇叙韩信一生之跌宕起伏。

人无远虑，必有近忧，很多人宁愿相信错觉和直觉，也不愿相信逻辑和常识，譬如韩信。因此，失败也就无可避免。

《魏其武安侯列传》：本篇为特定场合之特定人物魏其的传记。

但是，此篇又不仅仅是传记，其中有官场文化，有政治斗争；

有失势政客，有得意佞臣。本篇堪称微言大义，皮里阳秋，太史公胸中自有丘壑。

《李将军列传》：本篇是将军李广的传记。

"卫青不败由天幸，李广无功缘数奇。"这是王维一句很著名的诗，他将李广终其一生难以封侯的原因归结为命运，此话诚然不错，但却是无用的真理。认真分析李广早年的经历和失误，相信诸位自会找到李广无封的具体原因。

《货殖列传》：本篇堪称中国古代商业史。

本篇无疑乃今人之所谓"宏大叙事"，但在五彩斑斓的山川风物之后，太史公依然写商业巨子，写商业智慧，贯注其中的商业精神，也许可以看做中国式"商道"。

于此十篇之外，选编者特意选录《太史公自序》，其意在于让诸君听到太史公本人的声音，以印证各自的阅读体验。

最后需要说明的是，选编者强作解人，率尔操刀，不揣浅陋，将太史公之古雅转为村言，其间时有捉襟见肘之感，常生羞惭无地之叹。

长夜似尽，纸短情长，谨以此向太史公致敬！

郭灿金
2010年5月

目 录

卷七
 项羽本纪 ———————————————————— 13

卷五十五
 留侯世家 ———————————————————— 63

卷八十一
 廉颇蔺相如列传 ————————————————— 87

卷八十三
 鲁仲连邹阳列传 ————————————————— 109

卷八十五
 吕不韦列传 —————————————————— 132

卷八十六
 刺客列传 ———————————————————— 144

卷九十二
 淮阴侯列传 —————————————————— 175

卷一百七
 魏其武安侯列传 ————————————————— 209

卷一百九
 李将军列传 —————————————————— 233

卷一百二十九
　　货殖列传 ———————————————————— 250
卷一百三十
　　太史公自序 ———————————————————— 282

卷七

项羽本纪

项籍者,下相人也,字羽。初起时,年二十四。其季父项梁,梁父即楚将项燕,为秦将王翦所戮者也。项氏世世为楚将,封于项,故姓项氏。

[译文]

项籍是下相人氏,字羽。起兵反秦时,年满二十四岁。他有个小叔父名叫项梁,项梁的父亲名叫项燕,项燕就是惨遭秦将王翦杀害的那位楚国将军。项家世世代代都身佩楚国将印,因为有功被封在项地,所以他们就以"项"为自家姓氏。

项籍少时,学书不成,去①,学剑,又不成。项梁怒之。籍曰:"书足以记名姓而已。剑一人敌,不足学,学万人敌。"于是项梁乃教籍兵法,籍大喜,略知其意,又不肯竟学。项梁尝有栎阳逮②,乃请蕲狱掾曹咎书抵栎阳狱掾司马欣,以故事得已。

项梁杀人,与籍避仇于吴中。吴中贤士大夫皆出项梁下。每吴中有大繇役及丧,项梁常为主办,阴以兵法部勒宾客及子弟,以是知其能。秦始皇帝游会稽,渡浙江,梁与籍俱观。籍曰:"彼可取而代也。"梁掩其口,曰:"毋妄言,族矣!"梁以此奇籍。籍长八尺余,力能扛鼎,才气过人,虽吴中子弟皆已惮③籍矣。

[注释]

①去:放弃,丢下。②逮:及,指有罪相连及。③惮:害怕。

[译文]

项羽年少时曾开蒙识字,由于没有任何长进就弃而不学;半道改攻剑术,同样毫无成就。项梁曾为此对项羽大发雷霆。项羽却说:"读书识字这玩意儿,能用来记记姓名就已足够;剑术再高超,也只能抵挡一个人,不具备太大的学习价值。我要学就学能抵挡万人的大本事。"因此,项梁就开始传授项羽兵法,这让项羽十分高兴,谁知刚刚懂得了一点儿兵法大意,项羽就不肯再下工夫了。项梁曾因他人牵连而被栎阳县衙拘捕,他就恳请蕲县狱掾曹咎给栎阳狱掾司马欣写了封说情信,这才让自己的案件画上了句号。后来,项梁身犯命案,为了躲避仇家,他就和项羽逃匿到了吴中。即使是当地有才能的士大夫,也感到自己的能力无法和项梁相提并论。因而,每逢吴中有规模较大的徭役或丧葬事务时,当地人士总是会请求项梁来主持,在办理这类事情的时候,项梁常常暗中用兵法的原则安排来宾、部署年轻人,借此来观察、了解他们的实际才能。有一天,秦始皇巡游会稽郡,在始皇帝的车马仪仗渡钱塘江的时候,项梁和项羽一块儿前去围观。只听项羽说道:"这个人,我完全可以取代他!"吓得项梁急忙捂住了项羽的嘴巴,告诫他说:"休得胡言乱语,这是株连九族的大罪!"但项梁却因此更加看重项羽。项羽身高八尺有余,双手能轻松举起大鼎,力气明显超过常人,即使是当地的年轻人也都对他惧怕三分。

秦二世元年①七月，陈涉等起大泽中。其九月，会稽守通谓梁曰："江西皆反，此亦天亡秦之时也。吾闻先即制人，后则为人所制。吾欲发兵，使公及桓楚将。"是时桓楚亡在泽中。梁曰："桓楚亡，人莫知其处，独籍知之耳。"梁乃出，诫籍持剑居外待。梁复入，与守坐，曰："请召籍，使受命召桓楚。"守曰："诺。"梁召籍入。须臾，梁眴②籍曰："可行矣！"于是籍遂拔剑斩守头。项梁持守头，佩其印绶。门下大惊，扰乱，籍所击杀数十百人。一府中皆慑伏③，莫敢起。梁乃召故所知豪吏，谕以所为起大事，遂举吴中兵。使人收下县，得精兵八千人。梁部署吴中豪杰为校尉、候、司马。有一人不得用，自言于梁。梁曰："前时某丧使公主某事，不能办，以此不任用公。"众乃皆伏。于是梁为会稽守，籍为裨将，徇下县。

[注释]

①秦二世元年：即公元前209年。②眴：目动，眨巴眼，使眼色。③慑伏：因惧怕而趴在地上不敢动。慑，恐惧。

[译文]

秦二世元年七月，陈胜吴广等在大泽乡起义。这年九月，会稽郡守殷通对项梁说："现在长江以西的地区全都揭竿而起了，这是上天要灭亡秦朝啊。我常听人说，做事占据先机就能控制别人，慢了一拍则要受制于人。因此，我决计反秦，想让您和桓楚帮我统领军队。"当时桓楚正因有罪在身逃亡在外。项梁答道："桓楚正在逃亡，除了我侄子项羽之外，无人知道他的去向。"项梁就以此为借口抽身出来，暗中叮嘱项羽持剑等候在门外。之后，项梁再次回到堂上，和殷通一起坐下议事，说道："请让我把项羽喊来，让他奉命去寻找桓楚。"殷通当即应允。于是，项梁就喊项羽入内。片刻之后，项梁给项羽递了个眼神："可以动手了！"于是项羽挥剑斩下了殷通的脑袋。项梁手提殷通人头，身佩郡守大印。郡守部下一见大惊，场面混乱不堪，项羽趁势斩杀一百余人。郡府上下都吓得匍匐在地，没有一人敢扬起脑袋。项梁召集自己所熟悉的豪强和官吏，向他们解释，之所以采取这样的行动，目的就在于起兵反秦，之后就在吴中起兵了。项梁派人去接收郡下所属各县，共集结精兵八千。项梁分别任命吴中的豪杰为校尉、候、司马等职，有一个人没有得到任用，满腹委屈来找项梁讨要说法。项梁说："前些日子，在我帮某家办理丧事时，曾分派您主持一件事，结果您无功而返，因此对您我不能委以重任。"众人了解之后都很佩服。于是，项梁做了会稽郡守，项羽担任副将，占领了下属各县。

广陵人召平于是①为陈王徇广陵，未能下②。闻陈王败走，秦兵又且至，乃渡江矫③陈王命，拜梁为楚王上柱国。曰："江东已定，急引兵西击秦。"项梁乃以八千人渡江而西。闻陈婴已下东阳，使使④欲与连和俱西。陈婴者，故东阳令史，居县中，素信谨，称为长者⑤。东阳少年杀其令，相聚数千人，欲置长⑥，无适用，乃请陈婴。婴谢不能，遂强立婴为长，县中从者得二万人。少年欲立婴便为王，异军⑦苍头⑧特起。陈婴母谓婴曰："自我为汝家妇，未尝闻汝先古之有贵者。今暴⑨得大名⑩，不祥。不如有所属，事成犹得封侯，事败易以亡，非世所指名也。"婴乃不敢为王。谓其军吏曰："项氏世世将家，有名于楚。今欲举大事，将非其人，不可。我倚名族，亡秦必矣。"于是众从其言，以兵属项梁。项梁渡淮，黥布、蒲将军亦以兵属焉。凡六七万人，军下邳。

[注释]

①于是：在此时。②下：用兵力威服，降服。③矫：假托。④使使：派使者。后一"使"字旧读去声，是使者的意思。⑤长者：忠厚老实的人。

⑥置长：推举首领。置，设立。⑦异军：与众不同的军队。⑧苍头：指以青色包头巾裹头。⑨暴：突然。⑩大名：指称王之名。

[译文]

　　此时，广陵人召平正奉陈胜之命招抚广陵，没能成功。当闻听陈胜兵败而退，秦军又将卷土重来之时，召平就渡过长江，假托陈胜的号令，任命项梁为上柱国，并说："江东大局已定，请迅速带兵西进攻秦。"于是，项梁就带领八千精兵西渡。项梁听说陈婴已经攻下了东阳，就委派使者前去接触，想和陈婴联合西进。陈婴乃是东阳县的令史，在县中一向诚信严谨，是当地人心目中的忠厚之人。东阳县的年轻人斩杀县令，聚集起数千响应者，他们想推举出一位首领，却苦于找不到合适人选，于是就前去拜请陈婴。陈婴借口自己能力不足推辞不就，但那些年轻人还是强迫陈婴担当他们的首领，这时当地自愿追随陈婴的已达两万多人。这些年轻人商议索性拥立陈婴称王，他们用玄青色头巾裹头，以表示他们是一支异军突起的力量。然而，陈婴的母亲却告诫陈婴说："自从我嫁到你们陈家以来，就没听说你们祖上出过达官显贵，如今你突然称孤道寡，恐怕不是什么好兆头。你还不如找个靠山，这样的话，成功了就可以封侯，失败了也会因为你不是千夫所指而便于逃脱。"陈婴认为母亲言之有理，就没敢称王。他对手下人说："项家乃将军世家，在楚国大名鼎鼎。我们要想成就大业，还要仰仗他们。如果我们依托名门望族，灭亡秦朝当在情理之中！"大家服膺此话，于是全军就投靠了项梁。项梁渡过淮河向北进军，黥布、蒲将军也率部队前来归附。这样，项梁的军队达到了六七万人的规模，驻扎在下邳。

　　当是时，秦嘉已立景驹为楚王，军彭城东，欲距①项梁。项梁谓军吏曰："陈王先首事②，战不利，未闻所在。今秦嘉倍③陈王而立景驹，逆无道。"乃进兵击秦嘉。秦嘉军败走④，追之至胡陵。嘉还战一日，嘉死，军降。景驹走死梁地。项梁已并秦嘉军，军胡陵，将引军而西。章邯军至栗，项梁使别将⑤朱鸡石、馀樊君与战。馀樊君死。朱鸡石军败，亡走胡陵。项梁乃引兵入薛，诛鸡石。项梁前使项羽别攻襄城，襄城坚守不下。已拔⑥，皆坑⑦之。还报项梁。项梁闻陈王定⑧死，召诸别将会⑨薛计事。此时，沛公亦起沛往焉。

[注释]

①距：同"拒"。②先首事：最先领头起事。③倍：同"背"，背叛。④败走：战败而逃。走，逃跑。⑤别将：其他的将领。⑥拔：攻下。⑦坑：活埋，坑埋。⑧定：确实。⑨会：会聚，集合。

[译文]

那个时候，秦嘉已经另立景驹做了楚王，他们驻扎在彭城东边，想要阻挡西进的项梁。项梁对手下将士说："陈胜最先起义，但因作战失利，现在已无从知道他到底在哪里了。如今秦嘉背叛陈胜而另立景驹为王，堪称大逆不道。"于是，项梁向秦嘉发起进攻。秦嘉战败而逃，项梁率兵一直追击到胡陵。秦嘉仓皇回战，打了一天，秦嘉就命丧阵前，部队也全部投降。景驹逃跑到梁地，不久就在此殒命。项梁收编了秦嘉的部队，驻扎在胡陵，准备西进攻秦。秦朝大将章邯的部队抵达栗县，项梁指派部将朱鸡石、馀樊君前去迎战。结果馀樊君战败身死，朱鸡石的部队被击败，逃回了胡陵。项梁于是率领部队进入薛县，斩杀朱鸡石。项梁不久前曾派项羽分兵攻打襄城，襄城坚守难以攻下。等项羽攻下了襄城，就把那里的军民全部活埋，然后回来向项梁复命。项梁听到陈胜已经死亡的确切消息，就召集各路将领前来薛县聚会，商议大事。此时，沛公刘邦已在沛县起兵，闻讯也前来薛县。

居鄛人范增,年七十,素居家,好奇计,往说①项梁曰:"陈胜败固当②。夫秦灭六国,楚最无罪。自怀王入秦不反③,楚人怜之至今,故楚南公④曰'楚虽三户⑤,亡秦必楚'也。今陈胜首事,不立楚后而自立,其势不长。今君起江东,楚蜂午⑥之将皆争附君者,以君世世楚将,为能复立楚之后也。"于是项梁然其言,乃求楚怀王孙心⑦民间,为人牧羊,立以为楚怀王,从民所望也。陈婴为楚上柱国,封五县,与怀王都盱台。项梁自号为武信君。

[注释]

①说:游说,劝说。②固当:本来应该。③反:同"返"。④南公:战国时一位善预言的老人,属阴阳家。⑤虽三户:即使只剩三户人家。三户是极言其少。⑥午:纵横交错的样子。⑦心:熊心,楚怀王之孙名心。

[译文]

居鄛人范增,年已七十,平素隐居不出,酷爱琢磨奇计,他前去游说项梁说:"陈胜的失败,势在必然。在被秦所灭掉的六国之中,楚国堪称是最无辜的。楚怀王当年被骗入秦一去不返,这让楚国人至今依然对他怀有哀怜之情,所以楚南公说'即使只剩下了三户楚人,灭亡秦国的也一定是他们'。如今陈胜起义,不立楚王的后人却自立为王,当然他难以持久。现在您起兵江东,之所以有那么多的楚国将士争相归附,就是因为项氏为楚将世家,大家料定您一定能重新拥立楚王后人为王。"项梁认为范增言之有理,就派人到民间寻找楚怀王的后人,最终找到了楚怀王的孙子熊心,此时,他正给人家牧羊,项梁当即把他立为王,并让他袭用他祖父的谥号——楚怀王,这就是为了顺应楚国民众的凤愿。项梁封陈婴做楚国的上柱国,给了他五个县的封地。项梁辅佐楚怀王建都盱台。项梁自封为武信君。

居数月，引兵攻亢父，与齐田荣、司马龙且军救东阿，大破秦军于东阿。田荣即引兵归，逐其王假。假亡走楚。假相田角亡走赵。角弟田间故齐将，居赵不敢归。田荣立田儋子市为齐王。项梁已破东阿下①军，遂追秦军。数使使趣②齐兵，欲与俱西。田荣曰："楚杀田假，赵杀田角、田间，乃发兵。"项梁曰："田假为与国③之王，穷④来从我，不忍杀之。"赵亦不杀田角、田间以市于齐⑤。齐遂不肯发兵助楚。项梁使沛公及项羽别攻城阳，屠之。西破秦军濮阳东，秦兵收入濮阳。沛公、项羽乃攻定陶。定陶未下，去，西略⑥地至雍丘，大破秦军，斩李由。还攻外黄，外黄未下。

[注释]

①下：表示属于某一范围。②趣：同"促"，催促。③与国：互相联合的国家，即盟国。④穷：困窘，走投无路。⑤市于齐：跟齐国做交易。市，交易。⑥略：夺取。

[译文]

几个月之后，项梁率兵进攻亢父，又联合齐将田荣、楚将司马龙且前去援救东阿，大败东阿的秦军。然后，田荣迅即率兵返回齐国，赶跑了齐王田假。田假逃到了楚国，他的宰相田角逃到了赵国。田角的弟弟田间原本是齐国的大将，此时滞留赵国不敢返回。于是，田荣就拥立田儋的儿子田市作齐王。项梁击垮东阿的秦军以后，就乘胜追击秦的残兵。他多次派人催促齐国发兵，合力西进攻秦。田荣却说："只有楚国杀掉田假，赵国杀掉田角、田间，我才出兵。"项梁说："田假是我们同盟国的王，走投无路来投奔我，我岂能忍心杀他。"赵国也没接收齐国的要求，以杀掉田角、田间为前提换取齐国出兵。齐国最终也不肯出兵帮助楚军。项梁指令刘邦和项羽另外去攻打城阳，攻下之后，就屠戮了整个城池。项梁继续西进，在濮阳城东打败了秦军，秦军收拾残兵败卒退守濮阳城内。

刘邦、项羽就去攻打定陶，没能攻克，就弃定陶一路西去，攻城略地，直到雍丘，大败秦军，斩杀了秦将李由。之后掉转方向，回头攻打外黄，却没能攻下。

项梁起东阿，西，比①至定陶，再破秦军，项羽等又斩李由，益轻秦，有骄色。宋义乃谏项梁曰："战胜而将骄卒惰者败。今卒少②惰矣，秦兵日益③，臣为君畏之。"项梁弗听。乃使宋义使于齐。道遇齐使者高陵君显，曰："公将见武信君乎？"曰："然。"曰："臣论④武信君军必败。公徐行即免死，疾行则及祸。"秦果悉起兵益章邯，击楚军，大破之定陶，项梁死。沛公、项羽去外黄攻陈留，陈留坚守不能下。沛公、项羽相与谋曰："今项梁军破，士卒恐。"乃与吕臣军俱引兵而东。吕臣军彭城东，项羽军彭城西，沛公军砀。

[注释]

①比：等到。②少：稍微。③益：增加。④论：推断，认为。

[译文]

项梁从东阿向西进攻，兵至定陶，终于打败秦军，加之项羽他们又斩杀了李由，项梁便有了轻视秦军的心理，脸上也浮现出了骄傲的神色。因此，宋义就劝谏项梁说："因为打了场胜仗，将领就骄傲，士兵就懈怠，这样的军队必定会失败。如今，我们的士兵已经稍有懈怠之情，而秦兵却在一天天增加，我真为您感到担心啊！"项梁不以为意，便让宋义出使齐国。宋义在路上遇到了齐国使者高陵君显，问道："先生您是要去见武信君的吧？"高陵君显回答说："是的。"宋义说："据我预料，武信君的军队很快就会失败。您悠着点儿走就可能躲开杀身之祸，如果走得太快，很可能遭逢灭顶之灾。"秦军果然调集兵力增援章邯，全力攻击楚军，最终在定陶完胜楚军，项梁兵败身死。刘邦、项羽只得放弃外黄去转攻陈留，陈留坚守,没能攻下。刘邦和项羽碰头商量道:"如今项梁兵败,将士都心存恐惧。"于是,他们就和吕臣一起带领部队往东回撤。吕臣的军队驻扎在彭城东边,项羽的军队驻扎在彭城西边,刘邦的军队驻扎在砀县。

章邯已破项梁军,则以为楚地兵不足忧,乃渡河击赵,大破之。当此时,赵歇为王,张耳为相,皆走入钜鹿城。章邯令王离、涉间围钜鹿,章邯军其南,筑甬道①而输之粟。陈馀为将,将卒数万人而军钜鹿之北,此所谓河北之军也。

[注释]

①甬道:两旁筑墙的通道。

[译文]

章邯力克项梁之后,就认为楚军已不值得忧虑,便北渡黄河进攻赵国,击溃了赵军。这时,赵歇是赵国国王,张耳任赵国国相,他们都躲进了钜鹿城中。章邯命令王离、涉间率兵围困钜鹿,自己则率军驻扎在钜鹿城南,修建了一条通道给他们运送粮草。作为赵国大将的陈馀,率领几万名士兵驻扎在钜鹿城北,这就是所说的河北军。

楚兵已破于定陶,怀王恐,从盱台之彭城,并项羽、吕臣军自将之。以吕臣为司徒,以其父吕青为令尹。以沛公为砀郡长,封为武安侯,将砀郡兵。

[译文]

楚军兵败定陶,怀王内心惶恐,于是他就从盱台赶到彭城,把项羽、吕臣的军队合二为一由他亲自统率。任命吕臣为司徒,任命吕臣的父亲吕青为令尹,任命刘邦为砀郡郡长,封为武安侯,统率砀郡的军队。

初，宋义所遇齐使者高陵君显在楚军，见楚王曰："宋义论武信君之军必败，居数日，军果败。兵未战而先见败征，此可谓知兵矣。"王召宋义与计事而大说①之，因置以为上将军；项羽为鲁公，为次将，范增为末将，救赵。诸别将皆属宋义，号为卿子冠军。行至安阳，留四十六日不进。项羽曰："吾闻秦军围赵王钜鹿，疾引兵渡河，楚击其外，赵应其内，破秦军必矣。"宋义曰："不然。夫搏②牛之虻不可以破虮③虱。今秦攻赵，战胜则兵罢④，我承其敝⑤；不胜，则我引兵鼓行⑥而西，必举秦矣。故不如先斗秦、赵。夫被坚⑦执锐，义不如公；坐而运策，公不如义。"因下令军中曰："猛如虎，很⑧如羊，贪如狼，强不可使者，皆斩之。"乃遣其子宋襄相齐，身送之至无盐，饮酒高会⑨。天寒大雨，士卒冻饥。项羽曰："将戮力⑩而攻秦，久留不行。今岁饥民贫，士卒食芋菽，军无见粮，乃饮酒高会，不引兵渡河因赵食，与赵并力攻秦，乃曰'承其敝'。夫以秦之强，攻新造之赵，其势必举赵。赵举而秦强，何敝之承！且国兵新破，王坐不安席，埽⑪境内而专属于将军，国家安危，在此一举。今不恤士卒而徇其私，非社稷之臣。"项羽晨朝上将军宋义，即其帐中斩宋义头，出令军中曰："宋义与齐谋反楚，楚王阴令羽诛之。"当是时，诸将皆慑服，莫敢枝梧⑫。皆曰："首立楚者，将军家也。今将军诛乱。"乃相与共立羽为假上将军。使人追宋义子，及之齐，杀之。使桓楚报命⑬于怀王。怀王因使项羽为上将军，当阳君、蒲将军皆属项羽。

[注释]

①说：同"悦"。②搏：抓取，这里指叮咬。③虮：虱卵。④罢：通"疲"。⑤敝：疲惫。⑥鼓行：敲着鼓行进。⑦被：同"披"。坚：指坚甲。

⑧很：同"狠"，不听从。⑨高会：大会宾客。⑩勠力：合力，并力。"勠"，通"勒"。⑪埽：同"扫"，尽，这里是全部集中的意思。⑫枝梧：本指架屋的小柱与斜柱，枝梧相抵，引申为抵抗、抗拒之意。⑬报命：复命，回朝报告。

[译文]

当初，宋义遇见的那位齐国使者高陵君显现在正待在楚军之中，他求见楚怀王，说："宋义事前曾料定武信君项梁必败，几天之后，项梁果然兵败。在没有开战之前就能看出失败的征兆，这样的人堪称深谙用兵之道。"楚怀王闻言立即召见宋义，和他商议军政大事，对宋义的才能十分欣赏，因而擢升宋义为上将军；任命项羽为鲁公，做次将；任命范增做末将，派他们去援救赵国。其他各路将领都隶属于宋义，宋义自号卿子冠军。宋义所率的大军抵达安阳之后，却止步不前，一拖就是四十六天。项羽对宋义说："我听说秦军把赵王围困在钜鹿城内，我们应快马加鞭，率兵渡河，形成楚军在城外杀敌，赵军在城内接应的格局，打垮秦军当为小菜一碟。"宋义说："不对吧！用来蛰牛的牛虻是不可以用来对付那些不足为道的虱子的。如今秦军攻打赵国，如果秦军取胜呢，他们的士兵一定会精疲力竭，那我们就可以趁他们疲惫之时发动攻击；如果秦军输掉这场战争呢，我们就乘势擂鼓西进，一定能灭掉秦朝。所以呢，眼下还不如先让秦、赵两方相互残杀。若论披挂上阵，疆场搏杀，我宋义可能比不上您；若论运筹帷幄，决战千里，那您就比不上宋义我了。"于是，宋义通令全军上下："凶猛如虎，违拗如羊，贪婪如狼，逞强不听招呼的，一律斩杀。"之后，他又派自己的儿子宋襄去齐国做相，亲自把他送到无盐县境内，在那里山珍海味，大宴宾客。当时天气苦寒，大雨不止，士卒饥寒交迫。项羽对将士说："我们盼的是全力攻秦，宋义却在这里甘当缩头乌龟。如今又遇荒年，百姓贫困，将士们吃糠咽菜，军中已无存粮，而宋义这小子却山珍海味，花天酒地，死活不肯率领部队渡河到赵国求取军粮，跟赵国合力攻秦，却胡说要'利用秦军的疲惫'。强大的秦国攻打刚刚建立的赵国，其结果必定是赵国灭亡。秦国战胜赵国，只会变得更加强大，还会有什么'疲惫'让我们有机可乘？更何况，我们的军队前段刚刚遭遇失败，楚怀王坐卧不安，集结全部兵力财力交给宋义一个人统管，国家的安危，在此一战。可是宋义这小子不体恤士卒，反而以此谋取私利，哪有一点国家忠良之臣的样子？"项羽早晨去拜见上将军宋义，就在军帐之中砍下了宋义的脑袋，出来后通告全军："宋义暗通齐国意欲谋反，楚王密令我当场斩杀宋义。"此时，将领们都被项羽的气势震慑，哪还有人心存不服？大家齐声说道："第一个拥立楚王的，就是您项将军家。如今又是将军您果断出手诛灭了乱臣。"于是大家共同推举项羽代理上将军一职。项羽同时派人追赶宋义之子，追到齐国境内，也结果了他的性命。项羽又派桓楚去向楚怀王汇报此事，怀王只好同意让项羽做上将军，当阳君黥布、蒲将军皆受项羽管辖。

项羽已杀卿子冠军，威震楚国，名闻诸侯。乃遣当阳君、蒲将军将卒二万渡河，救钜鹿。战少利①，陈馀复请兵。项羽乃悉引兵渡河，皆沉船，破釜甑，烧庐舍，持三日粮，以示士卒必死，无一还心。于是至则围王离，与秦军遇，九战，绝其甬道，大破之，杀苏角，虏王离。涉间不降楚，自烧杀。当是时，楚兵冠诸侯②。诸侯军救钜鹿下者十余壁，莫敢纵兵③。及楚击秦，诸将皆从壁上观。楚战士无不一以当十，楚兵呼声动天，诸侯军无不人人惴恐④。于是已破秦军，项羽召见诸侯将，诸侯将入辕门，无不膝行而前，莫敢仰视。项羽由是始为诸侯上将军，诸侯皆属焉。

[注释]

①少利：胜利不多。②冠诸侯：在诸侯军当中居第一。③纵兵：出动军队。纵，放。④慴恐：恐惧。

[译文]

项羽劫杀卿子冠军宋义之后，威震楚国，名动天下。于是，他就派遣当阳君黥布和蒲将军率领两万人即刻渡过黄河，援救钜鹿。援军刚取得小胜，赵国将领陈馀又来请求增援。项羽就率全军渡河，到达对岸，项羽下令凿沉船只，砸碎锅碗，烧掉军营，只带三天的干粮，以此宣示必将决一死战，不抱生还之心。抵达钜鹿之后，项羽的军队就包围了秦将王离的军队，多次交战，终于切断了秦军所筑的后勤保障通道，进而大败秦军，杀死了秦将苏角，俘虏了秦将王离。涉间拒不投降，最后自焚身亡。当此之时，楚军的战斗力为天下之翘楚。前来援救钜鹿的各路大军，筑有十几座营垒，却没有部队敢于出营作战。在楚军浴血奋战之时，各路大军都只缩在营垒中远远观望。楚军战士个个以一当十，喊杀之声响彻寰宇，观望的各路大军无不莫名恐惧。大败秦军之后，项羽召见友军将领，他们甫进军门，无不跪地而行，无人敢抬眼偷瞄项羽。项羽从此成了各路大军名副其实的上将军，各路诸侯皆归项羽节制。

章邯军棘原，项羽军漳南，相持未战。秦军数却，二世使人让①章邯。章邯恐，使长史欣请事。至咸阳，留司马门②三日，赵高不见，有不信之心。长史欣恐，还走其军，不敢出故道③，赵高果使人追之，不及。欣至军，报曰："赵高用事④于中，下无可为者。今战能胜，高必疾妒吾功；战不能胜，不免于死。愿将军孰计⑤之。"陈馀亦遗章邯书曰："白起为秦将，南征鄢郢，北坑马服，攻城略地，不可胜计，而竟赐死。蒙恬为秦将，北逐戎人，开榆中地数千里，竟斩阳周。何者？功多，秦不能尽封，因以法诛之。今将军为秦将三岁矣，所亡失以十万数，而诸侯并起滋益多。彼赵高素谀日久，今事急，亦恐二世诛之，故欲以法诛将军以塞责，使人更代将军以脱其祸。夫将军居外久，多内郤⑥，有功亦诛，无功亦诛。且天之亡秦，无愚智皆知之。今将军内不能直谏，外为亡国将，孤特独立⑦而欲常存，岂不哀哉！将军何不还兵与诸侯为从，约共攻秦，分王其地，南面称孤；此孰与⑧身伏铁质⑨，妻子为僇乎？"章邯狐疑，阴使候始成使项羽，欲约。约未成，项羽使蒲将军日夜引兵度⑩三户，军漳南，与秦战，再破之。项羽悉引兵击秦军汙水上，大破之。

[注释]

①让：责备，责问。②司马门：在宫廷的前门之外，常有武官司马把守。③出故道：走来时所走的路。故道，原路。④用事：掌权，擅权。⑤孰计：仔细考虑。孰，同"熟"。⑥内郤：朝廷中有怨仇的人。郤，裂缝，矛盾。⑦孤特独立：就是孤立。"孤"、"特"、"独"三字同义。⑧孰与：表示……跟……相比怎么样的意思。⑨身伏铁（fū）质：即身遭刑戮。伏，趴。铁，斩人用的刑具。质，同"锧"，斩人时所垫的砧板。⑩度：同"渡"。

[译文]

章邯的军队驻扎在棘原，项羽的军队驻扎在漳河南，两军对垒，尚未交战。由于秦军多次退却，秦二世派人来责问章邯。章邯内心恐惧朝廷怪罪，便派长史司马欣回京请求皇帝旨意。司马欣赶到咸阳，在宫外的司马门徘徊了三天，赵高最终也没有安排时间接见，流露出有不信任之意。司马欣大为恐慌，快速逃回了军中，连原路都不敢走，赵高果然派人追赶，幸好没有追上。司马欣回到军营，向章邯汇报说："赵高独揽朝政，下面的人谁也没什么办法。如今，战争若能取胜，则难免赵高的嫉妒；若不幸战败，则更难免一死。希望将军您对此深思熟虑！"陈馀此时也写信给章邯说："白起曾任秦国大将，向南攻陷了楚都鄢郢，向北打败了马服君赵括，活埋了四十万赵军，攻取的城池、占领的土地，难以数得过来，最后不还是惨遭赐死。蒙恬也曾任秦国大将，在北面赶跑了匈奴，为秦国在榆中开辟了几千里的土地，最终竟然落了个被杀于阳周的下场。原因何在？在于功高，朝廷无法兑现封赏的承诺，只有假借法律把他们杀掉了事。如今将军您做秦将已逾三年，所率的部队伤亡损失以十万计，而全国却群雄并起，造反的人也是越来越多。那赵高向来擅长阿谀奉承，如今形势危急，他必然担心秦二世加害于他，所以他必然会寻找法律上的借口，杀了将军您来推卸他自己的罪责，然后让别人来接替您的职务，好让他远离灾祸。将军您长期征战在外，朝廷内又有很多人和您有矛盾，这就导致您有功难逃被杀，无功更难逃被杀。更何况现在是上天灭秦，不论是智者，还是愚者，大家都看透了这一点。如今将军您在内不能直言进谏，在外已成亡国之将，你已是独撑危局的孤家寡人，却还幻想长存于世，难道不可悲吗？将军您何不认清大势转而与诸侯联合，订立和约一起攻秦，最后共分秦地，割土称王？这和您身受刑诛，妻儿被杀的结局相比，哪个更称心如意呢？"章邯犹疑不定，秘密派军候始成去和项羽接触，想要订立和约。和约没有谈拢，项羽就命蒲将军日夜不停地率兵从三户津渡河，驻扎在漳河之南，与秦军交战，再次击败秦军。项羽率领全部军队在汙水猛攻秦军，把秦军打得片甲不留。

章邯使人见项羽，欲约。项羽召军吏谋曰："粮少，欲听其约。"军吏皆曰："善。"项羽乃与期①洹水南殷虚上。已盟，章邯见项羽而流涕，为言赵高。项羽乃立章邯为雍王，置楚军中，使长使欣为上将军，将秦军为前行。

[注释]

① 期：约定。

[译文]

章邯派人来见项羽，打算订立和约。项羽召集军官们商议说："目前我们的粮草所剩无几，我有意和秦军订约。"军官们全都同意。项羽就和章邯定好日期，在洹水南岸的殷墟上会晤。签完和约，章邯拜见项羽，禁不住热泪长流，在项羽面前大骂赵高。于是项羽就封章邯为雍王，把他安置在自己的军中。任命司马欣为上将军，率领秦军充当先头部队。

到新安。诸侯吏卒异时①故繇使屯戍过秦中，秦中吏卒遇之多无状②。及秦军降诸侯，诸侯吏卒乘胜多奴虏使之，轻折辱③秦吏卒。秦吏卒多窃言曰："章将军等诈吾属降诸侯，今能入关破秦，大善；即不能，诸侯虏吾属而东，秦必尽诛吾父母妻子。"诸将微闻其计，以告项羽。项羽乃召黥布、蒲将军计曰："秦吏卒尚众，其心不服，至关中不听，事必危，不如击杀之，而独与章邯、长史欣、都尉翳入秦。"于是楚军夜击坑秦卒二十余万人新安城南。

[注释]

①异时：从前。②无状：没有样子，不像样子，指无礼。③折辱：屈辱，侮辱。

[译文]

军队抵达新安。各路诸侯军的官兵中，过去有人被征徭役，在他们被派往边塞，途经关中之时，曾经遭受过关中兵卒的粗暴对待。如今关中兵卒投降了过来，诸侯军的官兵就趁机把他们当奴隶一样使唤，随意侮辱更不在话下。秦军官兵悄悄议论道："章将军骗着我们投降了过来，下步如能入关灭秦，倒还侥幸；如果不能灭秦，诸侯军一定掳着我们退到东边，朝廷也必定会把我们的父母妻儿全部杀掉。"诸侯军官兵私下闻知此等言论，即刻上报项羽。项羽召集当阳君黥布、蒲将军等人计议道："秦军降兵人数尚多，内心还没归顺，到了关中，一旦他们不服指挥，那问题就严重了，不如现在就把他们杀掉，只留下章邯、长史司马欣、都尉董翳三人和我们入关。"于是，楚军在月黑风高之时，对二十余万降兵发动袭击，把他们活埋在了新安县城南。

行①略定秦地。函谷关有兵守关，不得入。又闻沛公已破咸阳，项羽大怒，使当阳君等击关。项羽遂入，至于戏西。沛公军霸上，未得与项羽相见。沛公左司马曹无伤使人言于项羽曰："沛公欲王关中，使子婴为相，珍宝尽有之。"项羽大怒，曰："旦日②飨③士卒，为击破沛公军！"当是时，项羽兵四十万，在新丰鸿门，沛公兵十万，在霸上。范增说项羽曰："沛公居山东时，贪于财货，好美姬。今入关，财物无所取，妇女无所幸④，此其志不在小。吾令人望其气，皆为龙虎，成五采，此天子气也。急击勿失。"

[注释]

①行：行将，将要。②旦日：明天。③飨：用酒食款待，这里指犒劳。④幸：宠幸，宠爱。

[译文]

项羽向西挺进，即将攻取秦的大本营。到了函谷关，发现关口有士兵把守，难以进去。项羽此时又听说刘邦已攻下咸阳，大为光火，就命令当阳君黥布等攻打函谷关。这样项羽才得以入关，一直行进到戏水西畔。当时，刘邦的军队驻扎在霸上，没能跟项羽相见。刘邦的左司马曹无伤派人密报项羽："沛公有意在关中称王，要让子婴为相，都城咸阳的珍奇宝物都被沛公占有了。"项羽一听，愤怒无比，下令说："明天让将士们吃好喝好，我要把刘邦的军队打个稀巴烂！"此时，项羽有四十万大军，驻扎在新丰县的鸿门；

刘邦有十万大军，驻扎在霸上。项羽的谋士范增劝项羽说："刘邦这孙子在山东时，那可是一等一的贪财好色。如今入了关，他却变得分文不取，坐怀不乱，这可不是他的性格，由此可见，他大有野心啊！我让人夜里观望他那边的云气，都呈现为龙虎的样子，五色缤纷，这可是天子才会有的祥瑞之气啊！建议对他痛下毒手，切莫犹豫！"

楚左尹项伯者，项羽季父也，素善留侯张良。张良是时从沛公，项伯乃夜驰之沛公军，私见张良，具告以事，欲呼张良与俱去。曰："毋从俱死也。"张良曰："臣为韩王送沛公，沛公今事有急，亡去不义，不可不语。"良乃入，具告沛公。沛公大惊，曰："为之奈何？"张良曰："谁为大王为此计者？"曰："鲰生①说我曰'距关，毋内②诸侯，秦地可尽王也'。故听之。"良曰："料大王士卒足以当项王乎？"沛公默然，曰："固不如也，且为之奈何？"张良曰："请往谓项伯，言沛公不敢背项王也。"沛公曰："君安与项伯有故？"张良曰："秦时与臣游，项伯杀人，臣活之。今事有急，故幸来告良。"沛公曰："孰与君少长？"良曰："长于臣。"沛公曰："君为我呼入，吾得兄事之。"张良出，要项伯。项伯即入见沛公。沛公奉卮酒为寿，约为婚姻，曰："吾入关，秋豪不敢有所近，籍吏民，封府库，而待将军。所以遣将守关者，备他盗之出入与非常③也。日夜望将军至，岂敢反乎！愿伯具言臣之不敢倍德④也。"项伯许诺。谓沛公曰："旦日不可不蚤自来谢项王。"沛公曰："诺。"于是项伯复夜去，至军中，具以沛公言报项王。因言曰："沛公不先破关中，公岂敢入乎？今人有大功而击之，不义也，不如因而善遇之。"项王许诺。

[注释]

①鲰生：浅薄愚陋的小人。鲰，小。②内：同"纳"。③非常：指意外变故。④倍德：就是忘恩负义的意思。倍，同"背"。

[译文]

楚国的左尹项伯，是项羽的叔父，和留侯张良私交甚深。张良此时正跟随刘邦。当夜，项伯催马扬鞭直奔刘邦军营，私下约见张良，把项羽的计划全都告诉了他，想叫张良跟他一起离开。项伯说："千万不要和刘邦一块儿送死啊！"张良说："我是奉韩王之命前来护送沛公的，当此危急之时，我私自逃命似乎太不仗义，不能不告诉一声啊。"于是，张良就进入军帐，向刘邦如实作了汇报。刘邦大惊失色，说："这如何是好？"张良问道："谁人给您想出了这个派兵守关的主意呢？"沛公说："有一个瘪三这样劝我：'守住函谷关，拒绝诸侯军入内，就可占据整个秦地称王了。'所以我采纳了他的建议。"张良再问："估计您的兵力能和项羽抗衡吗？"刘邦无语，半天才答道："真的不行啊，如何是好？"张良说："请让我去告诉项伯，就说您过去现在永远都不敢背叛项王。"刘邦又问："您怎么跟项伯有交情呢？"张良说："以前在秦朝时，我们就有交往，项伯身负杀人死罪，我对他有救命之恩。如今突遇危机，所以他才会跑来告知。"刘邦说："你们两人谁的年龄大？"张良说："他比我大了些。"沛公说："请您替我邀请他进来，我要像对待兄长一样对待他。"张良于是出去邀请项伯，项伯也就进来与刘邦见面。刘邦向项伯敬酒祝寿，并且订下了儿女婚姻。刘邦说："入关以来，我没动过这里的一针一线，将这里的官民登记造册，将这里的仓库全部封存，只等项羽将军大驾光临。我为什么会派兵把守函谷关呢，不就是防备其他盗贼的窜入和意外情况的发生吗？我朝思暮盼将军早日到来，哪里敢存有别的心思啊！希望您能转告项羽将军，我绝非忘恩负义之人。"项伯允诺了，对刘邦说："那您明天可要早早去向项王赔罪啊。"刘邦说："是。"于是项伯连夜离开，回到军营之后，就把刘邦的话如实作了转达。接着又说："如果不是刘邦当了先锋攻破关中，您怎么能这么大大咧咧地进来呢？如今人家明明有大功我们反而要攻打，这有些不合道理啊，还不如就此善待人家。"项王答应了。

沛公旦日从百余骑来见项王，至鸿门，谢曰："臣与将军戮力而攻秦，将军战河北，臣战河南，然不自意①能先入关破秦，得复见将军于此。今者有小人之言，令将军与臣有郤。"项王曰："此沛公左司马曹无伤言之；不然，籍何以至此。"项王即日因留沛公与饮。项王、项伯东向坐，亚父南向坐。亚父者，范增也。沛公北向坐，张良西向侍。范增数目②项王，举所佩玉玦③以示之者三，项王默然不应。范增起，出召项庄，谓曰："君王为人不忍，若入前为寿，寿毕，请以剑舞，因击沛公于坐，杀之。不者④，若属皆且为所虏。"庄则入为寿。寿毕，曰："君王与沛公饮，军中无以为乐，请以剑舞。"项王曰："诺。"项庄拔剑起舞，项伯亦拔剑起舞，常以身翼蔽⑤沛公，庄不得击。于是张良至军门，见樊哙。樊哙曰："今日之事何如？"良曰："甚急。今者项庄拔剑舞，其意常在沛公也。"哙曰："此迫矣，臣请入，与之同命。"哙即带剑拥盾入军门。交戟之卫士欲止不内，樊哙侧其盾以撞，卫士仆地，哙遂入，披帷西向立，瞋目⑥视项王，头发上指，目眦⑦尽裂。项王按剑而跽⑧曰："客何为者？"张良曰："沛公之参乘⑨樊哙者也。"项王曰："壮士，赐之卮酒。"则与斗卮酒。哙拜谢，起，立而饮之。项王曰："赐之彘肩⑩。"则与一生彘肩。樊哙覆其盾于地，加彘肩上，拔剑切而啖⑪之。项王曰："壮士，能复饮乎？"樊哙曰："臣死且不

项羽本纪 33

避，卮酒安足辞！夫秦王有虎狼之心，杀人如不能举，刑人如不恐胜，天下皆叛之。怀王与诸将约曰'先破秦入咸阳者王之'。今沛公先破秦入咸阳，豪毛不敢有所近，封闭宫室，还军霸上，以待大王来。故遣将守关者，备他盗出入与非常也。劳苦功高如此，未有封侯之赏，而听细说⑫，欲诛有功之人。此亡秦之续耳，窃为大王不取也。"项王未有以应，曰："坐。"樊哙从良坐。坐须臾，沛公起如厕⑬，因招樊哙出。

[注释]

①不自意：自己想不到。②目：用眼色示意。③玦：环形而有缺口的佩玉。④不者：不然的话。不，同"否"。⑤翼蔽：遮蔽，掩护。翼，用翼遮盖，保护。⑥瞋目：睁大眼睛。⑦眦：眼眶。⑧跽：长跪，挺直上身跪起来。古人席地而坐，坐时臀部压在小腿上，挺直上身就显得身子长了，叫长跪，就是跽。⑨参乘：即骖乘，古代主将战车上居于右侧担任护卫的武士，又叫车右。⑩彘肩：猪腿。⑪啖：吃。⑫细说：指小人的谗言。⑬如厕：上厕所。如，往。

[译文]

第二天一早，刘邦在一百多名侍从的陪同下来见项羽，一到鸿门，他就当面向项羽谢罪："我和将军您合力攻秦，将军您在黄河之北作战，在下我在黄河之南作战。我哪里会想到我能侥幸先入关破秦，更没想到能和您在此相见。眼下估计是有小人在背后说了在下的什么坏话，才使得将军您和在下之间产生了些许误会。"项羽说："都是您的左司马曹无伤说的，不然，我怎么会这样做事！"因此，当日项羽就挽留沛公一起喝酒。项羽、项伯面朝东坐，亚父面朝南坐。亚父也就是范增。刘邦面朝北坐，张良面朝西陪侍。范增多次给项羽递眼色，还再三举起身上佩戴的玉玦向他示意，项羽只是沉默以对。范增起身外出，找来项庄，对他说道："项王这人有不忍之心，还是你进去敬酒祝寿吧，敬完了酒，你就请求舞剑助兴，然后见机行事击杀刘邦，让他毙命于坐席之上。否则，你们这班人都将成为人家的俘虏。"于是，项庄走上前来敬酒祝寿。敬酒完毕，他对项羽说："君王您和沛公在此饮酒，可惜军营中没有什么可以助兴的，就请让我来舞剑好了。"项羽说："嗯。"项庄拔剑起舞，项伯也随之拔剑起舞，项伯常常伸开双臂来掩护刘邦，这让项庄没办法刺击刘邦。情况紧急，张良于是走到军营门口，找到樊哙。樊哙问道："里面的情形怎样？"张良说："十分危急！项庄眼下明着在舞剑，暗地里却一直在打沛公的主意！"樊哙说："那就太危险了。请让我进去，我要跟他们拼命！"樊哙随即带着宝剑拿着盾牌往军门里闯。军门交叉持戟的卫士试图将他挡在门外，只见樊哙侧过盾牌往前一撞，卫士们便被撞翻在地，樊哙也就闯了进来，他挑开军帐朝西站定，怒眼圆睁盯着项羽，头发根根直立，眼角似乎都要瞪裂。项羽一见，伸手握住宝剑，下意识挺直了身子，问道："来者何人？"张良说："沛公的车上护卫樊哙。"项羽说："是条汉子！赐他一杯酒吃！"手下的人给樊哙递上来一大杯酒。樊哙拜谢，起身站着喝了。项羽说："给他一只猪腿！"手下的人又递过来一整只猪腿。樊哙把盾牌反扣在地，把猪腿放在上面，拔出剑来边切边吃。项羽说："壮士！还能再喝吗？"樊哙说："面对死亡我眼都不眨，一杯水酒怎在话下？想当初，秦王心如虎狼，杀人时唯恐有人逃脱；惩罚人时，唯恐有所遗漏，结果弄得天下人都抛弃了他。楚怀王先前曾和诸将相约，'哪位先击败秦军进入咸阳，哪位就在关中为王'。如今沛公率先击败秦军进入咸阳，一丝一毫的财物都没动用，封闭秦王宫室，把军队撤回到霸上，就是在恭候大王您的到来。将这里的官民登记造册，将这里的仓库全部封存，只等项羽将军大驾光临。特地派兵把守函谷关，为的是防备其他盗贼的窜入和意外情况的发生。沛公如此劳苦功高，却没有得到封侯的赏赐，您反而还听信小人谗言，想要诛杀有功之人，这岂不是在重蹈秦朝的覆辙？我私下认为大王您不该如此行事！"项羽无言以对，只是说："坐！坐！"樊哙就坐在了张良旁边。片刻之后，刘邦起身上厕所，顺便就把樊哙叫了出来。

沛公已出，项王使都尉陈平召沛公。沛公曰："今者出，未辞也，为之奈何？"樊哙曰："大行不顾细谨①，大礼不辞②小让。如今人方为刀俎③，我为鱼肉，何辞为！"于是遂去，乃令张良留谢。良问曰："大王来何操④？"曰："我持白璧一双，欲献项王，玉斗一双，欲与亚父，会⑤其怒，不敢献。公为我献之。"张良曰："谨诺。"当是时，项王军在鸿门下，沛公军在霸上，相去四十里。沛公则置车骑，脱身独骑，与樊哙、夏侯婴、靳强、纪信等四人持剑盾步走，从郦山下，道⑥芷阳间行⑦。沛公谓张良曰："从此道至吾军，不过二十里耳。度我至军中，公乃入。"沛公已去，间至军中，张良入谢，曰："沛公不胜杯杓⑧，不能辞。谨使臣良奉白璧一双，再拜献大王足下；玉斗一双，再拜奉大将军足下。"项王曰："沛公安在？"良曰："闻大王有意督过⑨之，脱身独去，已至军矣。"项王则受璧，置之坐上。亚父受玉斗，置之地，拔剑撞而破之，曰："唉！竖子⑩不足与谋。夺项王天下者，必沛公也，吾属今为之虏矣。"沛公至军，立诛杀曹无伤。

[注释]

①细谨：小的礼节。谨，仪节，礼节。②辞：推辞，这里有避开、回避的意思。③俎：切肉的砧板。④何操：带了什么。操，持，拿。⑤会：正赶上，恰巧。⑥道：取道，经过。⑦间行：抄小道走。⑧不胜杯杓：意思是不能再喝。不胜，禁不起。杯杓，两种酒器，这里借指酒。⑨督过：责备。⑩竖子：小子，奴才。

[译文]

刘邦出来后,项羽派都尉陈平来找刘邦。刘邦对樊哙说:"刚才我们出来,还没来得及告辞,该怎么办?"樊哙说:"干大事不必顾及细小的礼节,讲大节无须躲避细小的责备。如今对方就是菜刀和砧板,而我们就像鱼肉,还有什么可以去告辞的!"刘邦于是就仓皇离去。他让张良留下来向项羽道歉。张良问:"大王您来的时候带了什么礼物吗?"刘邦说:"我带有白璧一双,准备献给项王;玉斗一对,准备献给亚父。刚才碰到他们心情不好,也就没有拿出来。还是您替我献上吧。"张良说:"好的。"此时,项羽的部队驻扎在鸿门一带,刘邦的部队驻扎在霸上,两者相距约四十里。刘邦抛下车马侍从,独自一人骑马脱身而去,樊哙、夏侯婴、靳强、纪信等四人手持剑盾,跟在后面徒步奔走,沿着骊山山脚,顺着芷阳抄小路而行。刘邦临逃前对张良说:"从这条路到我们军营,距离不过二十里。您估算着我们差不多到了军营时,您再进去。"刘邦等一行逃离鸿门,抄小路回到军营,张良这才进去向项羽道歉:"沛公今天喝得有些高了,因此也无法跟您告辞了。临走时他特意留下白璧一双,让在下恭呈大王;还有玉斗一对,让我恭呈大将军。"项王问道:"沛公在什么地方?"张良答道:"沛公听说大王有责怪之意,他就独自脱身去了,估计现在已经回到军营了。"项羽接过白璧,放在座位上;亚父接过玉斗,摔在地上,拔出剑来将其砍得粉碎,他长叹道:"唉!你们这帮小子真不配一起谋划大事!将来夺取项王天下的人,一定就是沛公啊。我们这班人就要成为他的俘虏了!"刘邦一到军营,立即诛杀了曹无伤。

居数日,项羽引兵西屠咸阳,杀秦降王子婴,烧秦宫室,火三月不灭;收其货宝妇女而东。人或说项王曰:"关中阻①山河四塞,地肥饶,可都以②霸。"项王见秦宫室皆以烧残破,又心怀思欲东归，曰："富贵不归故乡，如衣绣③夜行，谁知之者！"说者曰："人言楚人沐猴而冠④耳，果然。"项王闻之，烹说者。

[注释]

①阻：倚仗。②以：而。③衣绣：穿锦绣衣服。④沐猴而冠：猕猴却戴上人的帽子。这是讥讽项羽的话。

[译文]

过了几天，项羽率兵向西屠戮咸阳城，杀掉了投降过来的秦王子婴，纵火焚烧了秦朝的宫室，大火连烧三个多月；劫掠了秦都咸阳的财宝、美女以后，项羽准备带兵东归。有人劝项羽说："关中的周围有山河要塞环绕，土地肥沃，建都此地可成霸业。"但当项羽看到秦朝宫室已被火烧得不成样子，加上有怀乡思归之情，就说："一个人富贵了若不返回故乡，就像穿了锦绣衣裳而在暗夜行走，别人怎么知道呢？"那个劝项王的人说："大家都说楚国人就像是猕猴戴了人的帽子，看来一点不假。"项羽闻言，立即把那个人扔进锅里煮了。

项王使人致命怀王。怀王曰："如约。"乃尊怀王为义帝。项王欲自王，先王诸将相。谓曰："天下初发难时，假立诸侯后以伐秦。然身被坚执锐首事，暴露于野三年，灭秦定天下者，皆将相诸君与籍之力也。义帝虽无功，故当分其地而王之。"诸将皆曰："善。"乃分天下，立诸将为王侯。项王、范增疑沛公之有天下，业已讲解①，又恶负约，恐诸侯叛之，乃阴谋曰："巴、蜀道险，秦之迁人②皆居蜀。"乃曰："巴、蜀亦关中地也。"故立沛公为汉王，王巴、蜀、汉中，都南郑。而三分关中，王秦降将以距塞③汉王。项王乃立章邯为雍王，王咸阳以西，都废丘。长史欣者，故为栎阳狱掾，尝有德于项梁；都尉董翳者，本劝章邯降楚。故立司马欣为塞王，王咸阳以东至河，都栎阳；立董翳为翟王，王上郡，都高奴。徙魏王豹为西魏王，王河东，都平阳。瑕丘申阳者，张耳嬖臣也，先下河南郡，迎楚河上，故立申阳为河南王，都雒阳。韩王成因故都，都阳翟。赵将司马卬定河内，数有功，故立卬为殷王，王河内，都朝歌。徙赵王歇为代王。赵相张耳素贤，又从入关，故立耳为常山王，王赵地，都襄国。当阳君黥布为楚将，常冠军，故立布为九江王，都六。鄱君吴芮率百越佐诸侯，又从入关，故立芮为衡山王，都邾。义帝柱国共敖将兵击南郡，功多，因立敖为临江王，都江陵。徙燕王韩广为辽东王。燕将臧荼从楚救赵，因从入关，故立荼为燕王，都蓟。徙齐王田市为胶东王。齐将田都从共救赵，因从入关，故立都为齐王，都临菑。故秦所灭齐王建孙田安，项羽方渡河救赵，田安下济北数城，引其兵降项羽，故立安为济北王，都博阳。田荣者，数负项梁，又不肯将兵从楚击秦，以故不封。成安君陈馀弃将印去，不从入关，然素闻其贤，有功于赵，闻其在南皮，故因环封三县。番君将梅鋗功多，故封十万户侯。项王自立为西楚霸王，王九郡，都彭城。

[注释]

①讲解：和解。②迁人：被流放的人。③距塞：遮断，堵住。

[译文]

项羽派人向楚怀王禀报破秦的情况。怀王说："按原来的约定办理。"于是，项羽把怀王尊称为义帝。项羽打算自己称王，就先封手下诸将为王，并对他们说："起义之初，大家暂时拥立了诸侯的后代为王，那是讨伐秦朝的需要。然而，身披坚甲，手持利器，带头起义，三年来风餐露宿，灭掉秦朝，平定天下的，全是诸位将军和我项籍啊。义帝虽说没有什么具体的战功，但也应该分给他土地让他做王。"诸将都说："极好。"于是项羽就大封天下，立诸将为王侯。项羽、范增仍对刘邦心存芥蒂，担心他夺了整个天下，就不想分封刘邦。但因为鸿门宴之时双方已经和解，今天如若违背当初的约定，又担心引起诸侯的背叛。于是，二人就谋划说："巴、蜀两郡道路难以通行，又是过去秦朝流放犯人的地方。"于是就说："（不是说刘邦该做关中王吗？）巴、蜀也是关中的地盘。"因此，就立刘邦为汉王，统治巴、蜀、汉中，建都南郑。接着又把关中一分为三，封秦朝的三名降将为王，用他们来围堵刘邦。项羽封章邯为雍王，统治咸阳以西的地区，建都废丘。长史司马欣，以前是栎阳县的狱掾，曾对项梁有恩；都尉董翳，当初曾劝章邯投降项羽。因此，封司马欣为塞王，统治咸阳以东直到黄河的地区，建都栎阳；封董翳为翟王，统治上郡，建都高奴。改立魏王豹为西魏王，统治河东，建都平阳。原来的瑕丘县令申阳，本来是张耳宠幸的大臣，由于首先攻下了河南郡，在黄河岸边迎接楚军有功，所以立申阳为河南王，建都洛阳。韩王成继承故都，都城还在阳翟。赵国的将领司马卬平定河内郡，多次立功，因此封司马卬为殷王，统治河内，都城在朝歌。改立赵王歇为代王。赵国的相国张耳一向贤能，又跟随项羽一起入关，因此，封张耳为常山王，统辖赵地，建都襄国。当阳君黥布是楚国的将领，战功在楚军中名列第一，因此封黥布为九江王，建都六县。鄱县县令吴芮，曾率领百越将士协助诸侯一起反秦，又跟随项羽入关，因此封吴芮为衡山王，建都邾县。义帝的柱国共敖，曾率兵攻取南郡，战功显赫，因此封共敖为临江王，建都江陵。改封燕王韩广为辽东王。燕将臧荼跟随楚军救赵，又随项羽入关，因此立臧荼为燕王，建都蓟县。改封齐王田市为胶东王，齐将田都随楚军一起救赵，接着又随项羽入关，因此封田都为齐王，建都临菑。当初被秦朝灭掉的齐王田建的孙子田安，在项羽救赵的时候，曾攻下济水之北的几座城池，还率领他的军队投降了项羽，因此封田安为济北王，建都博阳。而田荣因为多次背叛项梁，后来又不肯率兵跟随楚军攻打秦军，因此不被分封。成安君陈馀虽然曾因故抛弃将印独自离开，后来也不跟随诸侯一道入关，但由于他一向以贤能闻名，又对赵国有功，听说他目前人在南皮，因此就把南皮周围的三个县封给了他。吴芮的部将梅铜战功卓著，因此封他为十万户侯。而项羽本人，则自封为西楚霸王，统辖九个郡，建都彭城。

汉之元年四月，诸侯罢戏下①，各就国②。项王出之国，使人徙③义帝，曰："古之帝者，地方千里必居上游。"乃使使徙义帝长沙郴县。趣义帝行，其群臣稍稍④背叛之，乃阴令衡山、临江王击杀之江中。韩王成无军功，项王不使之国，与俱至彭城，废以为侯，已⑤又杀之。臧荼之国，因逐韩广之辽东，广弗听，荼击杀广无终，并王其地。

[注释]

①戏下：大将军旗帜之下。戏，通"麾"，将帅的大旗。②就国：到自己的封国去。③徙：迁离。④稍稍：渐渐地。⑤已：不久。

[译文]

汉之元年的四月，被封赏的诸侯在项羽帅旗下罢兵，各自前往自己的封国。项羽也拟出关回到自己的地盘。他派人前去催促义帝迁都，说道："古时候的帝王拥有纵横各千里的土地，且一定要居住在河流的上游。"于是，就命令使者把义帝迁徙到长沙郴县。催促义帝快速上路，左右群臣因此渐渐疏远了他。项王还密令衡山王、临江王把义帝截杀于长江之上。韩王成因为没有军功，项羽就不让他到封国去，并把韩王带到了彭城。先将韩王成废为侯，不久又杀掉了他。臧荼到了自己的封国，准备把韩广赶到辽东，韩广不予理睬，臧荼就在名叫无终的地方杀了韩广，将他的土地并为己有。

田荣闻项羽徙齐王市胶东，而立齐将田都为齐王，乃大怒，不肯遣齐王之胶东，因以齐反，迎击田都。田都走楚。齐王市畏项王，乃亡之胶东就国。田荣怒，追击杀之即墨。荣因自立为齐王，而西击杀济北王田安，并王三齐。荣与彭越将军印，令反梁地。陈馀阴使张同、夏说说齐王田荣曰："项羽为天下宰①，不平。今尽王故王于丑地，而王其群臣诸将善地，逐其故主，赵王乃北居代，馀以为不可。闻大王起兵，且不听不义，愿大王资馀兵，请以击常山，以复赵王，请以国为扞蔽②。"齐王许之，因遣兵之赵。陈馀悉发三县兵，与齐并力击常山，大破之。张耳走归汉。陈馀迎故赵王歇于代，反之赵，赵王因立陈馀为代王。

[注释]

①为天下宰：指主持天下的事，即分封诸侯的事。宰，主宰。②扞蔽：外卫，屏障。

[译文]

田荣听说项羽将齐王田市改封到胶东，而把齐将田都封为齐王，十分生气，就不让齐王迁往胶东，且在占据齐地之后起兵反对项羽，迎头进攻田都。田都逃往楚国。齐王田市害怕项羽，就悄悄向胶东封国就任去了。田荣对此很恼火，就追赶到即墨把他杀死。之后田荣自立为齐王，又向西进攻，杀死济北王田安，把齐地的三个国家全部据为己有。然后，田荣把将军大印授给彭越，让他在梁地起兵反对项羽。陈馀暗中派张同、夏说游说齐王田荣说："项羽作为分封天下的主持人，处事十分不公。他把以前的诸侯王都分封在了穷山恶水之地，而把他自己的群臣诸将都封在富饶之地，驱逐了原来的君主赵王，把他赶到北方的代地，我认为这样很不合适。闻听大王您已经起兵反楚，不听从项羽的不义号令，也盼望您能支援我一部分兵力，让我去攻打常山，以恢复赵王原有的地盘范围。我愿意用我们的国土来充当齐国的外部屏障。"田荣应允了，就派兵前往赵国。陈馀发动三个县的全部兵力,跟齐军携手攻打常山,大败常山王。张耳逃跑,归附了汉王刘邦。陈馀把赵王歇从代地接回赵国,赵王因此立陈馀为代王。

是时,汉还定三秦①。项羽闻汉王皆已并关中,且东,齐、赵叛之,大怒。乃以故吴令郑昌为韩王,以距汉。令萧公角等击彭越。彭越败萧公角等。汉使张良徇韩,乃遗项王书曰:"汉王失职②,欲得关中,如约即止,不敢东。"又以齐、梁反书遗项王曰:"齐欲与赵并灭楚。"楚以此故无西意。而北击齐。征兵九江王布。布称疾不往,使将将数千人行。项王由此怨布也,汉之二年冬,项羽遂北至城阳,田荣亦将兵会战。田荣不胜,走至平原,平原民杀之。遂北烧夷齐城郭室屋,皆坑田荣降卒,系虏③其老弱妇女。徇齐至北海,多所残灭。齐人相聚而叛之。于是田荣弟田横收齐亡卒得数万人,反城阳。项王因留,连战未能下。

[注释]

①三秦:指雍、塞、翟三国。②失职:没有得到应有的职位。③系虏:俘虏。系,用绳索捆绑。

[译文]

这时,汉王刘邦率军重返关中,平定了三秦之地。项羽得知刘邦已经吞并关中,还将要东进,齐国、赵国也都背叛了自己,大怒。他就封吴县原来的县令郑昌为韩王,用他来阻挡汉军。命令萧公角等去讨伐彭越,结果萧公角战败。刘邦派张良去开拓韩国的土地,并给项羽写了一封信,信中说:"汉王没有得到本来应该属于自己的关中王的封职,所以只是想要得到本该属于自己的关中,假使您能遵循楚怀王原来的约定,汉王就不会东进。"刘邦又把齐、梁两地的反叛书送给项羽,说:"齐国的目的是要跟赵国一起灭掉楚国。"因此，项羽放弃了西进进攻刘邦的计划，而是向北攻打齐国去了。项羽征调九江王黥布的部队，黥布假托有病，拒绝前往，只派手下人率领几千人来应付。项羽因此对黥布有了怨恨之心。汉王二年的冬天，项羽带兵到达城阳，和田荣的部队遭遇，两军展开决战。田荣大败，逃跑到了平原，被当地的百姓给杀了。项羽乘胜铲平了齐国的城市，将投降过来的田荣的士兵全部活埋，掳走了齐国的老弱妇女。项羽占领齐地，一直攻到北海，杀人无数，毁灭了许多地方。齐国人聚集起来，抵抗项羽。这时，田荣的弟弟田横聚集逃散的几万名齐国士卒，在城阳反击楚军。项羽进攻受阻，多次交战也没能取得胜利。

春，汉王部①五诸侯兵，凡五十六万人，东伐楚。项王闻之，即令诸将击齐，而自以精兵三万人南从鲁出胡陵。四月，汉皆已入彭城，收其货宝美人，日置酒高会。项王乃西从萧，晨击汉军而东，至彭城，日中，大破汉军。汉军皆走，相随②入榖、泗水，杀汉卒十余万人。汉卒皆南走山，楚又追击至灵壁东睢水上。汉军却，为楚所挤，多杀，汉卒十余万人皆入睢水，睢水为之不流。围汉王三匝③。于是④大风从西北而起，折木发屋，扬沙石，窈冥⑤昼晦⑥，逢迎⑦楚军。楚军大乱，坏散，而汉王乃得与数十骑遁去。欲过沛，收家室而西；楚亦使人追之沛，取汉王家；家皆亡，不与汉王相见。汉王道逢得孝惠、鲁元，乃载行。楚骑追汉王，汉王急，推堕孝惠、鲁元车下，滕公常下收载之。如是者三。曰："虽急不可以驱，奈何弃之？"于是遂得脱。求太公、吕后不相遇。审食其从太公、吕后间行，求汉王，反遇楚军。楚军遂与归，报项王，项王常置军中⑧。

[注释]

①部：部署，统领。②相随：一个接着一个。③三匝：三层。匝，环绕

一周。④于是：当时，此时。⑤窈冥：昏暗的样子。⑥昼晦：意思是白天如同夜晚。晦，天黑，晚上。⑦逢迎：迎着，指风沙迎面而吹。⑧常置军中：经常扣留在军营中，为的是当做人质。

[译文]

　　这年春天，汉王刘邦统率五个反对项羽的诸侯国的兵马，共计五十六万人，向东讨伐楚国。项羽闻听这一消息，命手下将领继续攻齐，自己则率三万精兵回击刘邦，从鲁县穿胡陵直插彭城。四月，刘邦的军队已占据彭城，掳掠那里的财宝、美女，刘邦每天花天酒地，大宴宾客。项王率兵向西行直奔萧县，从早晨开始，进攻汉军，向东推进，锋芒直指彭城，中午时分，大败汉军。汉军仓皇四散，慌不择路跳进了穀水、泗水，十余万汉军在这里被楚军击杀。其余的汉军向南边的山里撤退，一直被楚军追到灵壁东面的睢水边上。汉军只得再次后退，但是，楚军步步进逼，很多汉军被杀伤，汉军无路可退，十多万人都被逼得跳进睢水，以至睢水为之堵塞。汉王刘邦被楚军里外三层团团围住。正在此时，一阵狂风骤然从西北迎楚军面袭来，摧折树木，掀翻房舍，飞沙走石，天昏地暗。袭来的狂风，让楚军乱了阵脚，队列散开，汉王刘邦这才有机会带领几十名骑兵逃脱。刘邦原打算从沛县接上家眷西逃，可是楚军此时也已派人赶到了沛县，意欲抓走刘邦的家眷；但刘邦的家眷早已逃散，所以也没能和刘邦见面。后来刘邦在逃跑的路上遇见了自己的儿子孝惠帝和女儿鲁元公主，就让他们上车，带着他们西逃。楚军骑兵很快就追了上来，刘邦看到情势紧迫，就将儿女推下车去。滕公夏侯婴则马上跳下车去把孩子给抱上来，刘邦则再把孩子给推下去，如此反反复复了好几次。滕公对刘邦说："尽管情况紧急，马也无法快跑，怎么能扔掉孩子呢？"就这样，后来大家终于脱离了危险。刘邦沿途一直在寻找太公和吕后，没有结果。原来，是审食其带着太公、吕后抄小路逃走了，他们在寻找刘邦时，

项羽本纪

不料遇到了楚军。楚军俘获他们几个，向项羽报告。项羽就把他们当做人质扣留在军中。

是时，吕后兄周吕侯为汉将兵居下邑，汉王间往从之，稍稍收其士卒。至荥阳，诸败军皆会①，萧何亦发关中老弱未傅②悉诣荥阳，复大振。楚起于彭城，常乘胜逐北③，与汉战荥阳南京、索间，汉败楚，楚以故不能过荥阳而西。

[注释]

①会：会合，会聚。②未傅：指未曾载入名册，不符合兵役年龄的人。③北：指败逃之敌。

[译文]

此时，吕后的哥哥周吕侯正率领汉军驻扎在下邑，刘邦抄小路赶到那里，逐渐聚拢自己的残兵败卒。他们后来到了荥阳，各路被打败的人马也都慢慢在此会合，萧何也把关中没有载入兵役名单的老弱人口全都带到了荥阳来，汉军军威再次振作了起来。楚军从彭城出发，乘胜追击败逃的汉兵。在荥阳南面的京邑、索邑之间，楚军和汉军打了一仗，汉军取得了胜利，因此，楚军也就无法把军队往荥阳以西推进。

项王之救彭城，追汉王至荥阳，田横亦得收齐，立田荣子广为齐王。汉王之败彭城，诸侯皆复与①楚而背汉。汉军荥阳，筑甬道属②之河，以取敖仓粟。汉之三年，项王数侵夺汉甬道，汉王食乏，恐，请和，割荥阳以西为汉。

[注释]

①与：归附。②属：连接。

[译文]

在项羽救援彭城，并往西追赶刘邦至荥阳的过程中，田横也趁机收复了齐国，立田荣的儿子田广为齐王。刘邦兵败彭城，诸侯们又都重新投靠了项羽。刘邦的军队驻扎在荥阳，修筑了一条通向黄河南岸的甬道，靠它运送敖仓的粮食。汉王三年，项羽曾连续多次夺得这条甬道，使得刘邦的军粮难以为继。刘邦心存畏惧，便主动约项羽和谈，声称只要能得到荥阳以西的地盘即可。

项王欲听之。历阳侯范增曰："汉易与①耳，今释弗取，后必悔之。"项王乃与范增急围荥阳。汉王患之，乃用陈平计间项王。项王使者来，为太牢具，举欲进之。见使者，详惊愕曰："吾以为亚父使者，乃反项王使者。"更持去，以恶食食项王使者。使者归报项王，项王乃疑范增与汉有私，稍夺之权。范增大怒，曰："天下事大定矣，君王自为之。愿赐骸骨归卒伍。"项王许之。行未至彭城，疽②发背而死。

[注释]

①易与：容易对付。②疽：毒疮。

[译文]

项王正打算同意，历阳侯范增却持反对意见，他说："现在是汉军最容易对付的时候，今日我们如果放他一马，将来我们会后悔莫及！"项羽于是和范增一起加紧围攻了荥阳。刘邦忧心忡忡，就采用陈平的计策离间项羽和范增。项羽派的使者来了，刘邦让人准备了招待贵宾的饭食，端过来刚要进献，一看是项羽的使者就故作惊讶地说："我们还以为是亚父的使者，没想到却是项王的使者。"说完就撤去佳肴，随后端出粗茶淡饭招待项王的使者。使者回去，把这一情况向项羽作了汇报，项羽便开始怀疑范增和刘邦之间有什么勾当，之后就渐渐地收回范增的权力。范增十分恼火地说："天下事大局已定，君王您好自为之。但愿您能把这把老骨头赐还给我，让我告老还乡吧。"项王答应了范增的要求。范增告辞上路，还没走到彭城，就因背上毒疮发作而丧命。

汉将纪信说汉王曰："事已急矣，请为王诳楚①，王可以间出。"于是汉王夜出②女子荥阳东门被甲二千人，楚兵四面击之。纪信乘黄屋车③，傅④左纛，曰："城中食尽，汉王降。"楚军皆呼万岁。汉王亦与数十骑从城西门出，走成皋。项王见纪信，问："汉王安在？"信曰："汉王已出矣。"项王烧杀纪信。

[注释]

①诳楚：诳骗楚军，诳，同"诓"。②出：使……出，放出。③黄屋车：以黄缯为车篷盖的车，为古代王者所乘。④傅：附着。

[译文]

刘邦的将领纪信对刘邦说："眼下情况紧急，请让我假扮成您的模样去哄骗项羽，您则趁机逃出。"于是，汉王刘邦当夜就从荥阳东门放出两千名身披铠甲的女子，楚军立即从四面围攻上去。纪信坐在刘邦所乘的黄篷车上，旗帜插在车的左侧，大喊："城里已无粮食，汉王出来投降。"楚军欢呼雀跃。而此时刘邦已在几十名骑兵的护卫下从城的西门出来，往成皋方向逃去。项羽发现是纪信，问道："刘邦躲在何处？"纪信说："汉王早已出城。"项羽当场火焚纪信。

汉王使御史大夫周苛、枞公、魏豹守荥阳。周苛、枞公谋曰："反国之王，难与守城。"乃共杀魏豹。楚下荥阳城，生得①周苛。项王谓周苛曰："为我将，我以公为上将军，封三万户。"周苛骂曰："若不趣②降汉，汉今虏若，若非汉敌也。"项王怒，烹周苛，并杀枞公。

[注释]

①生得：活捉。②趣：赶快。

[译文]

刘邦留下御史大夫周苛、枞公和魏豹坚守荥阳。周苛和枞公商议道："魏豹曾经背叛过君王，我们决不能和他一块守城。"于是，他们两个就一起杀了魏豹。楚军攻取荥阳城，生擒周苛。项羽对周苛说："跟我干吧，我将任命您为上将军，封您为三万户侯。"周苛大骂："你若不马上降汉，汉王很快就要俘虏你了，你哪是我们汉王的对手。"项羽大怒，烹杀周苛，同时把枞公也一块儿杀了。

汉王之出荥阳，南走宛、叶，得九江王布，行收兵，复入保成皋。汉之四年，项王进兵围成皋。汉王逃，独与滕公出成皋北门，渡河走修武，从张耳、韩信军。诸将稍稍得出成皋，从汉王。楚遂拔成皋，欲西。汉使兵距之巩，令其不得西。

[译文]

汉王刘邦离开荥阳，逃到了南边的宛县、叶县，九江王黥布前来归附。在流动过程中，渐渐收集散兵，得以重返成皋。汉王四年，项羽领兵包围成皋。刘邦和滕公从成皋北门逃出，渡过黄河，逃向修武，前去投奔张耳、韩信的军队。守城的其他将领也陆续逃离成皋，去追随刘邦。因此，楚军轻松攻取成皋，计划继续西进。刘邦派兵在巩县一带抵抗，让楚军无法西进。

是时，彭越渡河击楚东阿，杀楚将军薛公。项王乃自东击彭越。汉王得淮阴侯兵，欲渡河南。郑忠说汉王，乃止壁①河内。使刘贾将兵佐彭越，烧楚积聚②。项王东击破之，走彭越。汉王则引兵渡河，复取成皋，军广武，就敖仓食。项王已定东海来，西，与汉俱临广武而军，相守③数月。

[注释]

①壁：壁垒，营垒，这里是筑起壁垒的意思。②积聚：指粮草辎重。③相守：各自守住营垒。

[译文]

这个时候，彭越率军渡过黄河，攻打驻扎在东阿的楚军，杀死了楚国的将军薛公。于是，项羽就亲自率兵东进攻打彭越。刘邦得到淮阴侯韩信的部队，想要渡过黄河南进。郑忠出来劝阻，刘邦才停下脚步，在黄河北岸修筑营垒驻扎下来。他派刘贾率兵去增援彭越，焚烧了楚军的粮草和物资。项羽向东撤军，打败了刘贾，赶跑了彭越。刘邦就率军渡过黄河，夺取成皋，把军营扎在广武，就近夺取敖仓的粮食。等项羽稳定了东海以后，便回过头来继续西进，和汉军隔着广武涧相对峙，持续了好几个月。

当此时，彭越数反梁地，绝楚粮食，项王患之，为高俎，置太公其上，告汉王曰："今不急下①，吾烹太公。"汉王曰："吾与项羽俱北面受命怀王，曰'约为兄弟'，吾翁即若②翁，必欲烹而翁，则幸分我一杯羹。"项王怒，欲杀之。项伯曰："天下事未可知，且为天下者不顾家，虽杀之无益，只益祸耳。"项王从之。

[注释]

①急下：赶快投降。②若：你，你的。

[译文]

就在这个时候，彭越多次回攻梁地，切断了楚军的粮食供给通道，项羽为此忧心如焚。他让人做了一张高腿菜板，把刘邦的父亲架在上面，通告刘邦说："若不马上投降，当即煮了你爹！"刘邦说："我和你当年同为楚怀王的臣下，我们曾约定结为异姓兄弟，因此，我的父亲也就是你的父亲，如果你一定要煮了你的父亲，千万要分我一碗肉汤。"项羽大怒,要杀太公。项伯说:"天下大局还不知道会是什么样子,何况有心谋取天下的人都不会顾及家里,所以,即使您杀了他爹也不会有什么益处,反而可能带来祸患。"项羽采纳了项伯的意见。

楚汉久相持未决,丁壮苦军旅,老弱罢转漕①。项王谓汉王曰:"天下匈匈②数岁者,徒以吾两人耳,愿与汉王挑战,决雌雄,毋徒苦天下之民父子为也。"汉王笑谢曰:"吾宁斗智,不能斗力。"项王令壮士出挑战。汉有善骑射者楼烦③,楚挑战三合,楼烦辄射杀之。项王大怒,乃自披甲持戟挑战。楼烦欲射之,项王瞋目叱之,楼烦目不敢视,手不敢发,遂走还入壁,不敢复出。汉王使人间问④之,乃项王也。汉王大惊。于是项王乃即⑤汉王相与临广武间而语。汉王数之,项王怒,欲一战。汉王不听,项王伏弩射中汉王。汉王伤,走入成皋。

[注释]

①罢转漕:由于水陆运输而疲惫。罢,疲。转,车运。漕,船运。②匈匈:烦苦劳忧的样子。③楼烦:北方少数民族,这里指善于骑射的士卒。④间问:暗中打听。⑤即:凑近。

[译文]

楚、汉两军长久相持,难分胜负。青壮士兵厌倦了军旅生活,老弱士兵疲惫于水陆运输。楚王就对汉王说:"这么多年天下难以安定,全是因为我们两人。我希望跟您单挑,决出雌雄,千万不要让百姓们跟着我们受苦了。"汉王笑着回绝说:"我喜欢和你比智商,没兴趣和你拼蛮力。"项羽让一些武艺高强的士兵出营挑战,汉军有一个神箭手叫楼烦,楚兵挑战好几次,每次都被楼烦射死。项羽大怒,就亲自披挂上阵,出营挑战。楼烦搭箭要射,项羽瞪大眼睛向他大吼,楼烦吓得不敢正眼直视项羽,两手颤抖不敢放箭,只好转身逃回营垒,再也不敢出来。刘邦私下派人打听,才知道刚才出营挑战的原来是项羽本人,刘邦大为吃惊。这时项羽就向刘邦这边靠近,分别站在广武涧东西两边对话。汉王一桩一桩地列举项羽的罪状,项羽大怒,要和刘邦决一死战。刘邦不予理睬,项羽就让埋伏在旁边的弓箭手射击刘邦,刘邦中箭。受伤的刘邦,退回成皋城内。

项王闻淮阴侯已举河北,破齐、赵,且欲击楚,乃使龙且往击之。淮阴侯与战,骑将灌婴击之,大破楚军,杀龙且。韩信因自立为齐王。项王闻龙且军破,则恐,使盱台人武涉往说淮阴侯。淮阴侯弗听。是时,彭越复反,下梁地,绝楚粮。项王乃谓海春侯大司马曹咎等曰:"谨守成皋,则汉欲挑战,慎①勿与战,毋令②得东而已。我十五日必诛彭越,定梁地,复从将军。"乃东,行击陈留、外黄。

[注释]

①慎:千万。②毋令:不要使。

[译文]

项羽得知韩信已经攻取河北,攻破齐国、赵国,将要向楚军发动进攻,便派龙且前去进攻韩信。韩信与龙且交战,刘邦手下的将领灌婴也前来助阵,大败楚军,杀死龙且。韩信则趁此机会自立为齐王。项羽听到龙且的军队已败,心里恐惧,就派盱眙人武涉前去游说韩信,韩信没有理睬。此时,彭越又返回大梁一带,断绝了楚军的粮道。项羽对海春侯大司马曹咎等说:"你们千万要谨慎地守住成皋,如果汉军前来挑战,切不可出战,只要牵制住他们,别让他们向东推进即可。只需十五天,我一定杀死彭越,平定梁地,然后回到你们这里。"于是项羽带兵东进,沿途攻打陈留、外黄。

外黄不下。数日,已降,项王怒,悉令男子年十五已上诣城东,欲坑之。外黄令舍人儿年十三,往说项王曰:"彭越强劫外黄,外黄恐,故且降,待大王。大王至,又皆坑之,百姓岂有归心?从此以东,梁地十余城皆恐,莫肯下矣。"项王然其言①,乃赦外黄当坑者。东至睢阳,闻之皆争下②项王。

[注释]

①然其言:以其言为然,认为他的话对。然,正确,对。②争下:争着降服。

[译文]

外黄攻克不下。多日之后,外黄才降,这让项羽很生气,下令要把全城十五岁以上的男子全部集合到城东去,准备将他们全部活埋。这时,外黄县令门客的儿子才十三岁,上前去劝项羽说:"彭越凭强力劫持外黄,外黄人害怕,所以才暂且假意投降,这样做的目的就是等待大王。如今您来了,却又要把这里的成年男人全部活埋,从此之后,百姓谁还会有归附之心呢?从这里往东,梁地十几座城的百姓也会对您心存畏惧,从此就没有人再肯归附您了。"项羽认为他的话有道理,就赦免了正准备活埋的那些人。项羽向东进入睢阳县,睢阳人听到这一情况后纷纷投降项羽。

汉果数挑楚军战,楚军不出。使人辱之,五六日,大司马怒,渡兵汜水。士卒半渡,汉击之,大破楚军,尽得楚国货赂①。大司马咎、长史翳、塞王欣皆自刭汜水上。大司马咎者,故蕲狱掾,长史欣亦故栎阳狱吏,两人尝有德于项梁,是以项王信任之。当是时,项王在睢阳,闻海春侯军败,则引兵还。汉军方围钟离眛于荥阳东,项王至,汉军畏楚,尽走险阻②。

[注释]

①货赂:财货。②险阻:指山高路险之地。

[译文]

汉军果然多次挑战成皋的楚军,楚军一概不予回应。汉军就派人上前辱骂他们,一连大骂了五六天,大司马曹咎忍无可忍,派兵抢渡汜水。大军刚渡一半,汉军就发动进攻,大败楚军,全缴楚军物资。大司马曹咎、长史董翳、塞王司马欣等都自刎于汜水岸边。大司马曹咎,原来当过蕲县狱掾,长史司马欣就是以前的栎阳狱吏,两个人都曾有恩于项梁,所以他们深得项羽的信任。此时正在睢阳的项羽,听说海春侯曹咎的军队大败,就马上带兵回撤。汉军当时正把楚将钟离眜包围在荥阳东边,项羽赶到,吓得汉军全部逃走,躲进了附近的深山老林之中。

是时,汉兵盛食多,项王兵罢食绝。汉遣陆贾说项王,请太公,项王弗听。汉王复使侯公往说项王,项王乃与汉约,中分天下,割鸿沟以西者为汉,鸿沟而东者为楚。项王许之,即归汉王父母妻子。军皆呼万岁。汉王乃封侯公为平国君。匿①弗肯复见。曰:"此天下辩士,所居倾国②,故号为平国君。"项王已约,乃引兵解而东归。

[注释]

①匿:躲避。②倾国:使国家倾覆。

[译文]

这时候,汉军兵多粮足,楚军兵疲粮绝。刘邦委派陆贾去劝说项羽,请求他放回太公,项羽不答应。刘邦又派侯公去劝说项羽,项羽这才跟刘邦定约,二人平分天下:鸿沟以西的地盘归汉,鸿沟以东的地盘属楚。项羽同意了这个条件之后,立即放回了刘邦的家属。汉军官兵都呼喊万岁。刘邦于是封侯公为平国君,自己却躲着不愿跟他见面。刘邦说:"侯公这个人可真是天下第一辩士,他待在哪国,哪国就会遭殃,所以我给了他一个称号——平国君。"签过协约之后,项羽停战,踏上了东归的道路。

汉欲西归,张良、陈平说曰:"汉有天下太半①,而诸侯皆附之。楚兵罢食尽,此天亡楚之时也,不如因其机而遂取之。今释弗击,此所谓'养虎自遗患'也。"汉王听之。汉五年,汉王乃追项王至阳夏南,止军,与淮阴侯韩信、建成侯彭越期会而击楚军。至固陵,而信、越之兵不会。楚击汉军,大破之。汉王复入壁,深堑②而自守。谓张子房曰:"诸侯不从约,为之奈何?"对曰:"楚兵且破,信、越未有分地,其不至固③宜。君王能与共分天下,今可立致④也。即⑤不能,事未可知也。君王能自陈以东傅⑥海,尽与韩信;睢阳以北至穀城,以与彭越:使各自为战,则楚易败也。"汉王曰:"善。"于是乃发使者告韩信、彭越曰:"并力击楚。楚破,自陈以东傅海与齐王,睢阳以北至穀城与彭相国。"使者至,韩信、彭越皆报曰:"请今进兵。"韩信乃从齐往,刘贾军从寿春并行,屠城父,至垓下。大司马周殷叛楚,以舒屠六,举九江兵,随刘贾、彭越皆会垓下,诣⑦项王。

[注释]

①太半:大半。②深堑:挖深壕沟。③固:本来。④致:使至,招来。⑤即:如果。⑥傅:附着,靠近,这里是到的意思。⑦诣:往,到……去,这里有逼近的意思。

[译文]

刘邦也想撤兵西归,但张良、陈平对他说:"我们已经占据了天下的一大半,诸侯又都归附于我们。而楚军已兵疲粮尽,这可正是上天赐予我们的灭亡楚国的大好时机,不如趁此机会把他们彻底消灭。如果现在放走项羽而不采取行动,这就是人们常说的'养虎遗患'。"刘邦采纳了他们的建议。汉五年,刘邦追赶项羽到阳夏南边,他让部队驻扎下来,和淮阴侯韩信、建成侯彭越约好日期会合，共同攻打楚军。刘邦的军队先期到达固陵，而韩信、彭越的部队却始终没来会合。楚军趁机反攻，汉军大败。刘邦逃回自家的营垒，深藏不出。刘邦问张良："诸侯不守约，我该怎么办？"张良回答说："如今楚军马上要垮，韩信和彭越却还没有得到自己的封地，所以，他们不来会合全在情理之中。您如果愿意和他们共分天下，他们就会立刻赶来。如果不愿和他们共分天下，以后的形势就不好说了。您如果把从陈县以东到海滨的地方都给韩信，把睢阳以北到榖城的地方都给彭越，让他们各自独当一面，我们很容易就能打败项羽。"刘邦说："好。"就派使者通知韩信、彭越说："你们一定要跟汉王合力击楚，打败楚军之后，从陈县往东至海滨一带地方全给齐王，睢阳以北至榖城的地方全给彭相国。"见到刘邦的使者，韩信和彭越都说："我们现在就发兵。"于是，韩信的部队就从齐国出发，同时，刘贾的部队从寿春进发，他们屠戮了城父，抵达垓下。大司马周殷也背叛了项羽，以舒县的兵力屠戮了附近六县，调集九江兵力，随同刘贾、彭越一起会师于垓下，逼向项羽。

项王军壁垓下，兵少食尽，汉军及诸侯兵围之数重。夜闻汉军四面皆楚歌，项王乃大惊曰："汉皆已得楚乎？是何楚人之多也！"项王则夜起，饮帐中。有美人名虞，常幸从；骏马名骓①，常骑之。于是项王乃悲歌慷慨，自为诗曰："力拔山兮气盖世，时不利兮骓不逝②。骓不逝兮可奈何，虞兮虞兮奈若何！"歌数阕③，美人和之。项王泣数行下，左右皆泣，莫能仰视。

[注释]

①骓：毛色黑白相间的马。②逝：跑。③阕：乐曲每终了一次叫一阕。阕，段，遍。

[译文]

项王的军队驻扎在垓下，兵力匮乏，军粮已断，被刘邦和各路诸侯的军队团团包围。夜深人静，项羽听到四面的汉军都在唱着楚地的歌谣，大为吃惊，他喃喃自语："难道汉军已经完全攻取了楚地？否则他们军中怎么会有这么多的楚人呢？"项羽辗转难眠，起来在帐中饮酒。陪伴他的美人叫虞姬，深受项羽宠爱，几年来一直跟在身边；他还有匹骏马叫骓，几年来一直载着项羽冲锋陷阵。面对眼前境况，项羽不禁慷慨悲歌，随口作了一首诗："力量能拔山啊，英雄气概世无双，时运不济呀，骓马此刻亦彷徨！骓马此刻亦彷徨啊，让人不知该怎样；虞姬呀虞姬，怎么安排你呀才妥当！"项羽连唱了几遍，虞姬在一旁低声应和。项羽热泪长流，左右侍者也都痛哭流涕，此时此刻，没有一个人忍心抬起头来再看项羽。

于是项王乃上马骑，麾下壮士骑从者八百余人，直夜①溃围南出，驰走。平明，汉军乃觉之，令骑将灌婴以五千骑追之。项王渡淮，骑能属②者百余人耳。项王至阴陵，迷失道，问一田父，田父③绐④曰"左"。左，乃陷大泽中。以故汉追及之。项王乃复引兵而东，至东城，乃有二十八骑。汉骑追者数千人。项王自度不得脱。谓其骑曰："吾起兵至今八岁矣，身七十余战，所当者破，所击者服，未尝败北，遂霸有天下。然今卒困于此，此天之亡我，非战之罪也。今日固决死，愿为诸君快战⑤，必三胜之，为诸君溃围，斩将，刈⑥旗，令诸君知天亡我，非战之罪也。"乃分其骑以为四队，四向⑦。汉军围之数重。项王谓其骑曰："吾为公取彼一将。"令四面骑驰下，期山东为三处。于是项王大呼驰下，汉军皆披靡⑧，遂斩汉一将。是时，赤泉侯为骑将，追项王，项王瞋目而叱之，赤泉侯人马俱惊，辟易⑨数里。与其骑会为三处。汉军不知项王所在，乃分军为三，复围之。项王乃驰，复斩汉一都尉，杀数十百人，复聚其骑，亡其两骑耳。

乃谓其骑曰:"何如?"骑皆伏⑩曰:"如大王言。"

[注释]

①直夜:中夜,半夜。②属:连接,跟随。③田父:老农。④绐:欺骗。⑤快战:痛痛快快地打一仗。⑥刈:割,砍。⑦四向:朝四个方向。⑧披靡:原指草木随风倒伏,这里比喻军队溃败。⑨辟易:因为害怕而退避。易,易地,挪动了位置。⑩伏:通"服"。

[译文]

于是项羽翻身上马,部下八百壮士也都骑马跟从,趁着茫茫夜色向南突围,飞驰而去。天麻麻亮之时,汉军惊觉,刘邦即令骑将灌婴率五千骑兵速去追赶。等到项羽渡过淮河,能跟得上的部下也就只剩百十人了。项羽到达阴陵时迷了方向,便前去询问道路,农夫骗他说:"向左边走。"项羽带人向左一走,便陷进了泥浆之中。所以就被汉军追上了。项羽只得又带着骑兵向东,到达东城时,就只剩下二十八个壮士跟随了。追赶上来的汉军骑兵却有几千人之众。项羽估计自己难以逃脱,就对部下说:"从我起义算起至今已经八年了,我曾亲历七十多场战斗,攻无不克,战无不胜,从来没有失败过,因而能够称霸天下。想不到如今却被困在这里,这是上天要灭亡我,不是我作战的过错。今天肯定得决一死战了,我愿意为诸位痛痛快快地打一仗,一定能连胜三个回合,为诸位冲破重围,斩杀汉军大将,砍倒汉军大旗,让诸位知道的确是上天要灭亡我,绝不是我个人作战不行。"于是,项羽把手下骑兵分成四队,面朝四个方向。汉军把他们包围了好几层。项羽对他的骑兵们说:"我来给你们拿下一员汉将!"他命令手下骑士从四个方向驱马飞奔而下,约定冲到山的东边,分三处集合。于是项羽高声呼喊着冲了过去,汉军一见吓得纷纷后退,项羽果然杀掉了一名汉军大将。这时,赤泉侯杨喜为汉军的骑将,在后面追赶项羽,项羽回头瞪大眼睛对他大喝一声,吓得赤泉侯连人带马倒退了好几里。项羽果然与他的骑兵在三处会合了。汉军弄不清项羽到底在哪一处,只好也把队伍分为三路,分别包围上来。项羽驱马冲了出来,又斩了一名汉军都尉,杀死汉军近百人。而后再一次集合自己的队伍,一看仅仅损失了两个人。项羽问手下骑兵:"感觉如何?"骑兵们都异常敬服,异口同声说:"果然和您说的一模一样!"

于是项王乃欲东渡乌江。乌江亭长檥①船待,谓项王曰:"江东虽小,地方千里,众数十万人,亦足王也。愿大王急渡。今独臣有船,汉军至,无以渡。"项王笑曰:"天之亡我,我何渡为!且籍与八千江东子弟渡江而西,今无一人还,纵江东父兄怜而王我,我何面目见之?纵彼不言,籍独不愧于心乎?"乃谓亭长曰:"吾知公长者。吾骑此马五岁,所当无敌,尝一日行千里,不忍杀之,以赐公。"乃令骑皆下马步行,持短兵接战。独籍所杀汉军数百人。项王身亦被十余创。顾见汉骑司马吕马童,曰:"若非吾故人乎?"马童面②之,指王翳曰:"此项王也。"项王乃曰:"吾闻汉购③我头千金,邑万户,吾为若德④。"乃自刎而死。王翳取其头,余骑相蹂践争项王,相杀者数十人。最其后,郎中骑杨喜,骑司马吕马童,郎中吕胜、杨武各得其一体。五人共会其体,皆是。故分其地为五:封吕马童为中水侯,封王翳为杜衍侯,封杨喜为赤泉侯,封杨武为吴防侯,封吕胜为涅阳侯。

[注释]

①檥:拢船靠岸。②面:正面相对。③购:悬赏征求。④为若德:意思是送给你点儿好处。德,恩德。

[译文]

这时,项羽有意向东渡过乌江。乌江亭长的船正泊在岸边等他,亭长对项羽说:"江东虽小,但土地纵横也有上千里,民众有几十万，足够您称王了。请大王速速上船。这里的渡船独此一只，汉军到了，也没法渡河。"项羽笑了笑说："既是上天亡我，我还渡江做甚！想当初我带领八千江东子弟渡江西征，如今竟无一人生还，纵使江东父老兄弟因怜爱还让我做王，我又有什么脸面去见他们？纵使他们什么也不说，难道我就能问心无愧？"于是项羽对亭长说："我知道您是位忠厚长者，我骑这匹马征战五年了，所向无敌，曾经日行千里，我不忍心杀掉它，就把它留给您吧。"之后，项羽命令骑兵都下马步行，手持短兵器与追兵格斗。仅是项羽一人就杀掉汉军好几百人。项羽身上的伤也有十几处。项羽回头看见汉军骑司马吕马童，说："你不是我的老朋友吗？"吕马童定睛一看，立即指给王翳说："这就是项王。"项羽说："我听说刘邦用千斤黄金、万户封邑悬赏我的人头，那我给你做件好事吧！"说完，自刎而死。王翳赶紧过去割下项羽的脑袋，其他骑兵则一哄而上，互相践踏来争抢项羽的躯体，由于相争而死的达几十人。最后，郎中骑将杨喜、骑司马吕马童、郎中吕胜、杨武各抢得一个肢体。加上王翳所割下的头，五人把肢体拼合，正是项羽的尸体。于是，刘邦就把项羽的土地一分为五：封吕马童为中水侯，封王翳为杜衍侯，封杨喜为赤泉侯，封杨武为吴防侯，封吕胜为涅阳侯。

项王已死，楚地皆降汉，独鲁不下。汉乃引天下兵欲屠之，为其守礼义，为主死节①，乃持项王头视②鲁，鲁父兄乃降。始，楚怀王初封项籍为鲁公，及其死，鲁最后下，故以鲁公礼葬项王縠城。汉王为发哀，泣之而去。

[注释]

①死节：为节操而死。②视：同"示"，给……看。

[译文]

项羽一死，楚地全都归顺了刘邦，只有鲁地不降。刘邦想率领天下兵马踏平鲁地，但又考虑到他们恪守礼义，为君主守节不惜一死，就拿出项王的人头给他们看，鲁地父老这才投降。当初，楚怀王曾封项羽为鲁公，等他死后，鲁国又最后投降，所以，刘邦就让项羽享受鲁公待遇，把他安葬在了穀城。刘邦亲自为他发丧，哭了一通后才离去。

诸项氏枝属①，汉王皆不诛。乃封项伯为射阳侯。桃侯、平皋侯、玄武侯皆项氏，赐姓刘。

[注释]

①枝属：宗族。

[译文]

项氏宗族各旁支，刘邦对他们也没有加以杀害。封项伯为射阳侯。桃侯、平皋侯、玄武侯都属于项氏，刘邦特意赐他们姓刘。

太史公曰：吾闻之周生曰"舜目盖重瞳子①"，又闻项羽亦重瞳子。羽岂其苗裔②邪？何兴之暴③也！夫秦失其政，陈涉首难，豪杰蜂起，相与并争，不可胜数。然羽非有尺寸，乘势起陇亩之中，三年，遂将五诸侯灭秦，分裂天下，而封王侯，政由羽出，号为"霸王"，位虽不终，近古以来未尝有也。及羽背关④怀楚，放逐义帝而自立，怨王侯叛己，难矣。自矜⑤功伐，奋其私智而不师古⑥，谓霸王之业，欲以力征⑦经营天下，五年卒亡其国，身死东城，尚不觉寤⑧而不自责，过矣。乃⑨引"天亡我，非用兵之罪也"，岂不谬哉！

[注释]

①重瞳子：两个瞳孔。②苗裔：后代。③何兴之暴：为什么能起来得这么突然？④背关：舍弃关中。背，弃。⑤矜：夸。⑥师古：效法古人。⑦力征：以武力征伐。⑧寤：同"悟"。⑨乃：竟然。

[译文]

太史公说：我听周生说过"舜的眼睛有两个瞳人儿"，又听说项羽的眼睛也是两个瞳人儿。项羽难道就是舜的后代吗？不然他的兴起怎么会如此突然啊！秦朝丧失了它当政的天职，陈涉率先发难，各路豪杰蜂拥而起，你争我夺，无法统计。然而，项羽在没有任何依靠的情况下，趁秦末大乱崛起于底层，只消三年时间，就率领五国诸侯灭掉了秦朝，划分天下土地，分封天下王侯，所有政令全都由项羽一人发布，他自己也号称"霸王"，这种势头虽没能保持长久，但近世以来还没有人创造过如此辉煌的业绩。当项羽放弃关中之地，怀念故土建都彭城，放逐义帝，自号霸王，而又埋怨诸侯背叛自己，他想成就大业也就困难了。他以战功自负，充分发挥个人的聪明，却不效法古人，吸取教训，认为霸王的功业，要靠武力征伐来建立，结果五年时间就丢掉了国家，自己也死在了东城，可是直到最终他仍不觉悟，也没有一点自责之情，错啊！竟然还说"上天要灭亡我，不是我用兵失误"，难道还算不上荒谬吗！

卷五十五

留侯世家

留侯张良者,其先韩人也。大父开地,相韩昭侯、宣惠王、襄哀王。父平,相釐王、悼惠王。悼惠王二十三年,平卒。卒二十岁,秦灭韩。良年少,未宦事韩。韩破,良家僮三百人,弟死不葬,悉以家财求客刺秦王,为韩报仇,以大父、父五世相韩故。

[译文]

留侯张良,他的先辈是韩国人。张良的祖父开地,曾在韩昭侯、韩宣惠王、韩襄哀王时期做过韩国的相。他的父亲平,做过韩釐王、韩悼惠王时期的相。韩悼惠王二十三年,张良的父亲去世。张良的父亲去世后二十年,秦国灭掉了韩国。韩国灭亡的时候,张良年纪尚轻,还没能登上韩国政坛。韩国灭亡之后,张良家尚有奴仆三百多人,但他却不厚葬亡故的弟弟,而是将全部家产倾囊而出寻求勇士谋刺秦王,为韩国报仇,这是因为他的祖父、父亲做过五任韩王之相的缘故。

良尝学礼淮阳,东见仓海君。得力士,为铁椎重百二十斤。秦皇帝东游,良与客狙击秦始皇博浪沙中,误中副车①。秦皇帝大怒,大索天下,求贼甚急,为张良故也。良乃更名姓,亡匿下邳。

[注释]

① 副车:皇帝的侍从车辆。

[译文]

张良曾经在淮阳学习礼,还到东方拜见过仓海君。他物色了一个大力士,为大力士打造了一个一百二十斤重的铁锤。秦始皇到东方巡视,张良就与大力士在博浪沙这个地方袭击秦始皇,铁锤误砸中了副车。秦始皇大怒,在全国范围内大肆搜捕,一定要捉拿到刺客,这是因为张良的缘故。于是,张良便改换名姓,逃亡到了下邳。

良尝闲从容步游下邳圯①上,有一老父,衣褐,至良所,直②堕其履圯下,顾谓良曰:"孺子,下取履!"良鄂然,欲殴之。为其老,强忍,下取履。父曰:"履我!"良业为取履,因长跪履之。父以足受,笑而去。良殊大惊,随目之。父去里所,复还,曰:"孺子可教矣。后五日平明,与我会此。"良因怪之,跪曰:"诺。"五日平明,良往。父已先在,怒曰:"与老人期,后③,何也?"去,曰:"后五日早会。"五日鸡鸣,良往。父又先在,复怒曰:"后,何也?"去,曰:"后五日复早来。"五日,良夜未半往。有顷,父亦来,喜曰:"当如是。"出一编书,曰:"读此则为王者师矣。后十年兴。十三年孺子见我济北,穀城山下黄石即我矣。"遂去,无他言,不复见。旦日视其书,乃《太公兵法》也。良因异之，常习诵读之。

［注释］

①圯：桥。②直：特意，故意。③后：迟到。

［译文］

张良曾经在下邳一座桥上溜达，与一个穿着粗布衣服的老年人相遇，那老人走到张良面前，故意将自己的鞋甩到桥下，他回头看着张良说："年轻人，去把鞋给我捡上来！"张良大为意外，简直想打他，但看到这个人年龄有些大，也就勉强克制住了自己的情绪，下去把老人的鞋给捡了上来。老人却还说："给我穿上！"张良既然已经替他把鞋捡了上来，就跪下身子把鞋子给老人穿上。老人伸出脚穿上鞋后，笑着离开了。张良非常惊讶，就一直看着老人离去的身影。那位老人大约往前走了有一里路，又返了回来，说道："你这个年轻人有培养前途。五天以后天刚亮时，与我在这里见面。"张良觉得此事很奇怪，就恭敬地说："好的。"到了第五天，天刚蒙蒙亮，张良就赶到了桥上。发现那老人已等在了那里，老人见到张良很生气地说："跟老年人约会，居然后到，岂有此理？"老人转身离开，并说："五天以后要早点来。"到了第五天，鸡刚叫第一遍，张良就起身前往。结果发现老人又等候在了那里，并生气地说："又晚了，你到底怎么了？"老人转身就走，又说："五天后再早点儿吧。"五天之后，张良不到半夜就赶了过去。过了一会儿，老人才来了，老人面带喜色说："这才像话嘛。"老人拿出一部书，说道："读懂了这部书就可以做帝王的老师了。十年以后你会发达。十三年后我们将会在济北相遇，穀城山下有块黄石就是我。"说完之后，老人就转身离开，不再多言。从此张良再也没有见到过这位老人。天亮后，张良看老人所送的书，原来是《太公兵法》。张良因而觉得这部书非同寻常，就经常诵读。

留侯世家　65

居下邳，为任侠。项伯常^①杀人，从良匿。

[注释]

①常：通"尝"，曾经。

[译文]

张良生活在下邳时，行侠仗义。项伯曾经杀了人，就跑到张良那里躲藏起来。

后十年，陈涉等起兵，良亦聚少年百余人。景驹自立为楚假王，在留。良欲往从之，道遇沛公。沛公将数千人，略地下邳西，遂属焉。沛公拜良为厩将。良数以《太公兵法》说沛公，沛公善之，常用其策。良为他人言，皆不省。良曰："沛公殆天授。"故遂从之，不去见景驹。

[译文]

十年之后，陈胜等人起兵反秦，张良也聚集了一百多个青年。景驹自立为代理楚王，驻扎在留县。张良打算前去投奔他，中途遇到了刘邦。刘邦率领几千士兵，攻取了下邳以西的地方，张良就归附了他。刘邦任命张良为厩将。张良多次用《太公兵法》为刘邦出谋划策，很受刘邦赏识，其计策也经常为刘邦所采用。而张良和别人谈论这些计策时，别人都难以领悟其精妙。张良说："沛公大概是上天赐给人间的吧。"所以张良就跟定了刘邦，不再去追随景驹。

及沛公之薛，见项梁。项梁立楚怀王。良乃说项梁曰："君已立楚后，而韩诸公子横阳君成贤，可立为王，益树党。"项梁使良求韩成，立以为韩王。以良为韩申徒，与韩王将千余人西略韩地，得数城，秦辄复取之，往来为游兵^①颍川。

[注释]

①游兵：流动不定的部队。

[译文]

刘邦到了薛地，见到了项梁。项梁已经拥立了楚怀王。于是，张良就游说项梁说："您已经拥立了楚国后人为王，而韩国的公子横阳君韩成也很贤明，您可以拥立他为王，以之来增加同党。"项梁就委派张良寻找到公子韩成，把他立为韩王。任命张良为韩国的司徒，张良跟随韩王，率领一千多人向西攻取韩国原来的领地，夺取了几座城池，秦军随即又夺了回去，张良他们就在颍川一带往来游击作战。

沛公之从雒阳南出轘辕，良引兵从沛公，下韩十余城，击破杨熊军。沛公乃令韩王成留守阳翟，与良俱南，攻下宛，西入武关。沛公欲以兵二万人击秦峣下军，良说曰："秦兵尚强，未可轻。臣闻其将屠者子，贾竖①易动以利。愿沛公且留壁②，使人先行，为五万人具食，益为张旗帜诸山上，为疑兵，令郦食其持重宝啖③秦将。"秦将果畔④，欲连和俱西袭咸阳，沛公欲听之。良曰："此独其将欲叛耳，恐士卒不从。不从必危，不如因其解⑤击之。"沛公乃引兵击秦军，大破之。遂北至蓝田，再战，秦兵竟败⑥。遂至咸阳，秦王子婴降沛公。

[注释]

①贾竖：对商人的鄙称。②壁：军营。③啖：吃，喂。这里是利诱、引诱的意思。④畔：通"叛"，背叛。⑤解：同"懈"，松懈。⑥竟败：彻底大败。

[译文]

当刘邦从洛阳向南跨过轘辕山时，张良率兵跟从刘邦，攻下了韩地的十多座城池，打败了秦将杨熊的军队。于是刘邦就让韩王成留守阳翟，自己和张良一起向南进攻，攻取宛县，向西进入武关。刘邦想用两万人的兵力攻打秦朝峣关的军队，张良对他说："秦军兵力眼下还很强大，不可轻举妄动。我听说峣关的守将是屠夫之子，商人出身的人容易为利所动。建议您暂且留守军营，备好五万人的军粮，同时把军旗插遍附近的各个山头，以此迷惑敌人，再派郦食其携带珍宝利诱秦将。"秦将果然背叛了秦朝，打算和刘邦联合起来共同西进袭击咸阳，刘邦打算接受。张良却说："这只是峣关的守将想反叛而已，他的部下未必听从。士兵如若不从就会有危险，还不如趁他们懈怠之时发起攻击。"于是刘邦就率兵攻打秦军，秦兵大败。刘邦乘胜追击，攻到蓝田之后，两军第二次交战，秦兵终被彻底打垮。刘邦攻到了咸阳，秦王子婴出降。

沛公入秦宫，宫室帷帐狗马重宝妇女以千数，意欲留居之。樊哙谏沛公出舍，沛公不听。良曰："夫秦为无道，故沛公得至此。夫为天下除残贼，宜缟素①为资②。今始入秦，即安其乐，此所谓'助桀为虐'。且'忠言逆耳利于行，毒药苦口利于病'，愿沛公听樊哙言。"沛公乃还军霸上。

[注释]

①缟素：缟和素都是白绢，这里比喻清白俭朴。② 资：凭借，本钱。

[译文]

刘邦进入秦宫，看到那里的宫室、帐幕、狗马、珍宝、美女数以千计，就想在秦宫留住。樊哙一再劝谏刘邦住在宫外，刘邦不予理睬。张良说："正是因为秦朝暴虐无道，您才能够来到这里。既然您是替天下百姓铲除暴政，就应该以清廉为本。现在刚刚攻入秦都，您就安于享乐，这就叫'助桀为虐'。况且'忠言逆耳利于行，良药苦口利于病'，希望沛公您能够接受樊哙的意见。"刘邦这才回军驻扎霸上。

项羽至鸿门下，欲击沛公，项伯乃夜驰入沛公军，私见张良,欲与俱去。良曰:"臣为韩王送沛公,今事有急,亡去不义。"乃具以语沛公。沛公大惊,曰:"为将奈何?"良曰:"沛公诚欲倍项羽邪①?"沛公曰:"鲰生教我距②关无内诸侯,秦地可尽王,故听之。"良曰:"沛公自度能却项羽乎?"沛公默然良久,曰:"固不能也。今为奈何?"良乃固要③项伯。项伯见沛公。沛公与饮为寿,结宾婚。令项伯具言沛公不敢倍项羽,所以距关者,备他盗也。及见项羽后解,语在项羽事中。

[注释]

①邪:同"耶"。②距:通"拒",抵御。这里指把守、封锁。③固要:坚决邀请。

[译文]

项羽到了鸿门,想要攻打刘邦,项伯于是连夜赶到刘邦的军营,私下会见张良,想让张良跟他一起离开。张良说:"我是替韩王来护送沛公的,如今情况紧急,独自逃跑显得太不仗义。"于是就将情况向刘邦作了汇报。刘邦大惊失色,问道:"该如何应对?"张良说:"沛公果真想和项羽对着干吗?"刘邦说:"有个孙子建议我封锁函谷关,将诸侯们拦在关外,这样就可以在秦地称王了,所以我就接受了这个建议。"张良问:"沛公您自己觉着能够打退项羽吗?"刘邦沉默好久才说:"实在不能。眼下该怎么办呢?"张良于是恳求项伯会见刘邦。项伯就会见了刘邦。刘邦邀项伯饮酒,还向项伯敬酒祝寿,并结为儿女亲家。刘邦请项伯向项羽详细解释,说自己不敢背叛项羽,之所以封锁函谷关,是为了防备其他人等的侵扰。等到刘邦会见项羽以后,双方和解,这些情况记载在《项羽本纪》里。

汉元年正月,沛公为汉王,王巴蜀。汉王赐良金百镒①,珠二斗,良具以献项伯。汉王亦因令良厚遗项伯,使请汉中地。项王乃许之，遂得汉中地。汉王之国，良送至褒中，遣良归韩。良因说汉王曰："王何不烧绝所过栈道②，示天下无还心，以固项王意。"乃使良还。行，烧绝栈道。

[注释]

①镒：古代的重量单位，二十两为一镒（一说二十四两为一镒）。②栈道：在山间用木头搭建而成的空中通道。

[译文]

汉高祖元年正月，刘邦被封为汉王，辖巴、蜀地区。刘邦赏赐给张良黄金百镒，珍珠二斗，张良把这些东西全都转赠给了项伯。刘邦又让张良厚赠项伯，求项伯代他向项羽索要汉中地区。项羽答应了刘邦的请求，于是刘邦得到了汉中地区。刘邦赶往自己的封国，张良一直送到褒中，之后刘邦让张良返回韩国。张良趁机向刘邦献言说："大王您为何不烧断所经过的栈道，向天下宣示您不打算再回来的意思，以此稳住项王的心呢？"刘邦便让张良返回。在赶往封国的路途中，刘邦烧断了栈道。

良至韩，韩王成以良从汉王故，项王不遣成之国，从与俱东。良说项王曰："汉王烧绝栈道，无还心矣。"乃以齐王田荣反书告项王。项王以此无西忧汉心，而发兵北击齐。

[译文]

张良回到韩国，因为韩王成曾让张良跟随刘邦的缘故，项羽就不派韩王成到自己的封国去，而让韩王成和自己一起东去。张良向项王说："汉王烧断了栈道，已经没有返回的心思了。"张良便把齐王田荣反对项羽的檄文告诉了项羽。项羽因此不再担忧西边的刘邦，转而发兵北上攻打齐国。

项王竟不肯遣韩王，乃以为侯，又杀之彭城。良亡，间行归汉王，汉王亦已还定三秦矣。复以良为成信侯，从东击楚。至彭城，汉败而还。至下邑，汉王下马踞鞍而问曰："吾欲捐关以东等弃之，谁可与共功者？"良进曰："九江王黥布，楚枭将，与项王有郤①；彭越与齐王田荣反梁地：此两人可急使。而汉王之将独韩信可属大事，当一面。即欲捐之，捐之此三人，则楚可破也。"汉王乃遣随何说九江王布，而使人连彭越。及魏王豹反，使韩信将兵击之，因举燕、代、齐、赵。然卒破楚者，此三人力也。

[注释]

①郤：通"隙"，隔阂，裂痕。

[译文]

项羽始终不肯派韩王前往封国，之后把他贬为侯，又在彭城杀了他。张良逃跑，抄小路投奔刘邦，刘邦此时也已回军平定了三秦地区。张良被刘邦封为成信侯，跟着一起东征项羽。到了彭城，刘邦战败。赶到下邑时，刘邦刚下马就坐在马鞍子上问道："我打算放弃函谷关以东的土地，谁能接受这些土地和我一起建功立业呢？"张良说："九江王黥布是项羽手下的猛将，却与项羽有矛盾；彭越曾和齐王田荣在梁地反对项羽，这两个人可立即为我所用。您的将领中只有韩信一人可以托付大事，独当一面。如果要舍弃函谷关以东的土地，那就把土地送给这三个人好了，这样我们就可以打败项羽了。"于是刘邦就派随何去游说九江王黥布，又派人前去和彭越接触。等到魏王豹反叛，刘邦就派韩信率兵前去平定，并乘势夺取了燕、代、齐、赵等国的领地。而刘邦最终打败项羽，也就是靠了这三个人的力量。

张良多病，未尝特将也，常为画策臣，时时从汉王。

汉三年，项羽急围汉王荥阳，汉王恐忧，与郦食其谋桡①楚权。食其曰:"昔汤伐桀,封其后于杞。武王伐纣,封其后于宋。今秦失德弃义,侵伐诸侯社稷,灭六国之后,使无立锥之地。陛下诚能复立六国后世,毕已受印,此其君臣百姓必皆戴②陛下之德,莫不乡风③慕义,愿为臣妾。德义已行,陛下南向称霸,楚必敛衽④而朝。"汉王曰:"善。趣⑤刻印,先生因行佩之矣。"

[注释]

①桡:通"挠",削弱,限制。②戴:顶戴,感念。③乡风:望风。乡,通"向"。④敛衽:提起衣襟夹在带间,表示恭敬、服从。⑤趣:通"促",赶快。

[译文]

张良体弱多病,没曾独立带兵打过仗,经常作为出谋划策的臣子,跟随在刘邦身边。

汉高祖三年,项羽把刘邦紧紧地围困在了荥阳,汉王惊恐忧愁,与郦食其研究怎样才能削弱项羽的实力。郦食其说:"从前商汤打败夏桀后,把夏的后人封在了杞国。周武王打败商纣后,把商的后人封在了宋国。秦朝丧失德政、抛弃道义,攻取齐、楚、燕、韩、赵、魏六国,屠杀六国王室的后代,致使他们无立足之地。假若您能够重新拥立六国王室的后人,使他们全都接受您给他们封赠的印信,那么六国的君臣百姓一定会对您感恩戴德,望风而拜,甘为您的臣下。随着您恩义的推行,陛下您必将可以南面称霸,楚王也一定会恭恭敬敬整理好衣冠前来朝拜。"刘邦说:"好!火速刻制印绶,之后您就可以带着它们上路了。"

食其未行,张良从外来谒①。汉王方食,曰:"子房前!客有为我计桡楚权者。"具以郦生语告,曰:"于子房何如?"良曰:"谁为陛下画此计者?陛下事去矣。"汉王曰:"何哉?"张良对曰:"臣请藉②前箸为大王筹之。"曰:"昔者汤伐桀而封其后于杞者,度能制桀之死命也。今陛下能制项籍之死命乎?"曰:"未能也。""其不可一也。武王伐纣封其后于宋者,度能得纣之头也。今陛下能得项籍之头乎?"曰:"未能也。""其不可二也。武王入殷,表商容之闾,释箕子之拘,封比干之墓。今陛下能封圣人之墓,表贤者之闾,式③智者之门乎?"曰:"未能也。""其不可三也。发钜桥之粟,散鹿台之钱,以赐贫穷。今陛下能散府库以赐贫穷乎?"曰:"未能也。""其不可四矣。殷事已毕,偃④革⑤为轩,倒置干戈,覆以虎皮,以示天下不复用兵。今陛下能偃武行文,不复用兵乎?"曰:"未能也。""其不可五矣。休马华山之阳,示以无所为。今陛下能休马无所用乎?"曰:"未能也。""其不可六矣。放牛桃林之阴,以示不复输积。今陛下能放牛不复输积乎?"曰:"未能也。""其不可七矣。且天下游士离其亲戚,弃坟墓,去故旧,从陛下游者,徒欲日夜望咫尺之地。今复六国,立韩、魏、燕、赵、齐、楚之后,天下游士各归事其主,从其亲戚,反其故旧、坟墓,陛下与谁取天下乎?其不可八矣。且夫楚唯无强,六国立者复桡⑥而从之,陛下焉得而臣之?诚用客之谋,陛下事去矣。"汉王辍食吐哺,骂曰:"竖儒,几败而公事!"令趣销印。

[注释]

①谒:拜见。②藉:借用。③式:通"轼",车前横木。④偃:停止,废止。⑤革:革车,即兵车。⑥桡:通"挠",屈服。

[译文]

郦食其还没出发,张良出差归来拜见刘邦。刘邦正在吃饭,说道:"子房先生请上前来!有人为我想出来了一个削弱楚国势力的办法。"之后,刘邦就把郦食其的话全都转告了张良,然后问道:"在您看来这个办法怎么样?"张良说:"是谁为陛下想出来了这个主意？这样的话陛下的大事就要泡汤了。"刘邦问："原因何在？"张良回答说："请您借我一只筷子，让我为您分析一下这件事。"他接着说："以前商汤讨伐夏桀而把夏朝的后代封在杞国，那是他估量着自己能置桀于死地的缘故。如今陛下您能置项羽于死地吗？"刘邦说："不能。"张良说："这就是您不能那样做的第一个原因。周武王讨伐商纣王而把商朝的后代封在宋国，那是他估量着自己能得到纣王的脑袋。如今陛下您能得到项羽的脑袋吗？"刘邦说："不能。"张良说："这就是您不能那样做的第二个原因。武王攻取殷的都城后，在商朝贤人商容所居住里巷的门楣上悬挂匾额表彰他，释放被囚禁的箕子，重新修葺比干的坟墓。如今陛下您能重新修葺圣人的坟墓，在贤人里巷的门楣上悬挂匾额予以表彰，到智者的门前行礼表示敬意吗？"刘邦说："不能。"张良说："这就是您不能那样做的第三个原因。周武王曾发放钜桥仓的粮食，拿出鹿台库的钱财，来救济贫民。如今陛下您能散发仓库里的财物来赏赐贫民吗？"刘邦说："不能。"张良说："这就是您不能那样做的第四个原因。周武王灭商之后，不乘兵车而改乘有篷之车，把兵器倒置存放并蒙上虎皮，以此向天下表明不再使用武力。现在陛下您能停止战事，推行文治吗？"刘邦说："不能。"张良说："这是您不能那样做的第五个原因。周武王曾将战马放牧在华山之南，以此表明它们没有用武之地。如今您能让马放牧于南山吗？"刘邦说："不能。"张良说："这是您不能那样做的第六个原因。周武王曾把牛放牧在桃林的北面，以此表明不再用它们运输和积聚作战用的粮草。如今陛下您能放牧牛群不再运输、积聚粮草了吗？"刘邦说："不能。"张良说："这是您不能那样做的第七个原因。再说天下从事游说的人都离开了他们的亲人，舍弃祖坟，告别故交，跟随陛下您四处奔波，盼望的就是有朝一日能得到一块小小的封地。假如您恢复六国，拥立韩、魏、燕、赵、齐、楚的后人，天下从事游说活动的人就会各自回国侍奉他们的主人，陪伴他们的亲人，返回他们的故交和祖坟所在之地，陛下您又靠何人来夺取天下呢？这是您不能那样做的第八个原因。况且如今只有楚国最为强大，如果六国后人被拥立，那么他们立即就会重新投靠楚国，陛下又怎么能够驾驭他们呢？如果真的要采用此人的计策，陛下的大事就彻底完了。"刘邦听完，马上停止吃饭，吐出嘴里的食物，骂道："这个呆子，差点坏了老子的大事！"于是下令马上销毁那些印信。

汉四年，韩信破齐而欲自立为齐王，汉王怒。张良说汉王，汉王使良授齐王信印，语在淮阴事中。

[译文]

汉高祖四年，韩信攻下齐国而想自立为齐王，刘邦闻言大怒。张良劝说刘邦，刘邦才派张良前去授予韩信为齐王的印信，此事记载在《淮阴侯列传》中。

其秋，汉王追楚至阳夏南，战不利而壁①固陵，诸侯期②不至。良说汉王，汉王用其计，诸侯皆至。语在《项籍》事中。

[注释]

①壁：筑垒固守营垒。②期：约定。

[译文]

这年秋天，刘邦追击项羽到阳夏的南边，进攻失利退守固陵营垒，各路诸侯原先已约好前来，但都没有到。张良向刘邦进计，刘邦采用了他的计策，诸侯这才前来。此事记载在《项羽本纪》中。

汉六年正月，封功臣。良未尝有战斗功，高帝曰："运筹策帷帐中，决胜千里外，子房功也。自择齐三万户。"良曰："始臣起下邳，与上会留，此天以臣授陛下。陛下用臣计，幸而时中，臣愿封留足矣，不敢当三万户。"乃封张良为留侯，与萧何等俱封。

[译文]

汉高祖六年的正月，封赏功臣。张良不曾有过实际的战功，但刘邦说："出谋划策于营帐之中，而能决定千里之外的胜负，这就是子房先生的功劳。您可以从齐国选择三万户作为自己的封邑。"张良说："当初我在下邳起事，与陛下您在留县会合，这是上天把我交给了陛下。陛下采用我的计策，只是侥幸能偶尔取得效果，所以我只盼望能够得到留县的封地就足够了，不敢承受三万户的厚赏。"于是张良就被封为留侯，同萧何等人一起受封。

上已封大功臣二十余人，其余日夜争功不决，未得行封。上在雒阳南宫，从复道①望见诸将往往相与坐沙中语，上曰："此何语？"留侯曰："陛下不知乎？此谋反耳。"上曰："天下属②安定，何故反乎？"留侯曰："陛下起布衣，以此属③取天下，今陛下为天子，而所封皆萧、曹故人所亲爱，而所诛者皆生平所仇怨。今军吏计功，以天下不足遍封，此属畏陛下不能尽封，恐又见疑平生过失及诛，故即相聚谋反耳。"上乃忧曰："为之奈何？"留侯曰："上平生所憎，群臣所共知，谁最甚者？"上曰："雍齿与我故④，数尝窘辱我。我欲杀之，为其功多，故不忍。"留侯曰："今急先封雍齿以示群臣，群臣见雍齿封，则人人自坚矣。"于是上乃置酒，封雍齿为什方侯，而急趣丞相、御史定功行封。群臣罢酒，皆喜曰："雍齿尚为侯，我属无患矣。"

[注释]

①复道：楼阁间上下两层架空的通道，即"天桥"。②属：刚刚。③此属：这些人。④故：指有旧怨。

[译文]

刘邦封赏了二十多位大功臣之后,其余的人就开始日夜争功,不能决定高下,封赏无法继续进行下去。刘邦居住在洛阳南宫,从楼阁间连通的天桥上望过去,看见许多将领常常坐在沙地上彼此议论。刘邦问张良说:"这些人在议论什么?"留侯说:"陛下难道不知道吗?这是在谋划造反呢!"刘邦说:"眼下天下刚刚平定,他们为什么还要谋反呢?"留侯说:"陛下您崛起于民间,依靠这些人取得了天下,现在陛下您做了天子,所封赏的都是萧何、曹参等您所亲近宠幸的故交,所诛杀的都是您平常仇恨的人士。如今这将领们计算各自的功劳,认为天下的土地已经不够封赏的了,他们怕陛下无法全封,又担心因为过去所犯的错误而被诛杀,所以就聚在一起图谋造反了。"刘邦忧心忡忡地说:"这该怎么办呢?"张良说:"陛下您平生最憎恨的,而又是群臣所公开知道的人,谁最突出?"刘邦说:"雍齿与我有宿怨,他曾多次让我吃尽苦头。我本来想杀掉他,只是因为他的功劳卓著,所以不忍心。"张良说:"现在应该马上封赏雍齿,来给群臣做个样子,他们见雍齿都被封赏了,大家也就对自己能被封赏坚信不疑了。"于是刘邦就设置酒宴,封雍齿为什方侯,并催促丞相、御史评定功劳,尽快封赏。群臣酒足饭饱,都高兴地说:"雍齿还能被封为侯,我们这些人就不用再担心了。"

刘敬说高帝曰:"都关中。"上疑之。左右大臣皆山东人,多劝上都雒阳:"雒阳东有成皋,西有崤黾,倍河,向伊雒,其固亦足恃。"留侯曰:"雒阳虽有此固,其中小,不过数百里,田地薄,四面受敌,此非用武之国也。夫关中左崤函,右陇蜀,沃野千里,南有巴蜀之饶,北有胡苑①之利,阻三面而守,独以一面东制诸侯,诸侯安定,河渭漕挽②天下,西给京师;诸侯有变,顺流而下,足以委输③。此所谓金城④千里,天府之国也,刘敬说是也。"于是高帝即日驾,西都关中。

[注释]

①苑:养禽兽植树木的地方,这里指放牧之处。②漕挽:运输粮饷。水运为"漕",陆运为"挽"。③委输:运送。把东西放在车船上叫"委",转运到他处交卸叫"输"。④金城:坚固的城池。

[译文]

刘敬劝刘邦说:"都城要定在关中。"刘邦对此有所疑虑。左右的大臣都是函谷关以东地区的人,他们大多劝刘邦定都洛阳,他们认为:"洛阳东面有成皋,西面有崤山、渑池,背靠黄河,面向伊水、洛水,它的地势可以依靠。"张良说:"洛阳地势虽然险固,但它中心地带狭小,方圆不过几百里,土地贫瘠,四面都容易受到敌人的攻击,这里不是用武之地。关中地区东有崤山、函谷关,西有陇山、岷山,方圆千里皆为沃野,南有巴、蜀两郡的富饶,北有胡苑利于放牧,依靠三面的天然险阻来固守,只用东方一面就能控制诸侯。如果诸侯安定,可由黄河、渭河运输天下粮食,往西供给京都;如果诸侯发生变故,则可顺流而下,足以运送战略物资。这就是所谓'金城千里,天府之国',刘敬的建议是正确的。"于是刘邦当即决定起驾,向西定都关中。

留侯从入关。留侯性多病,即道引①不食穀,杜门不出岁余。

[注释]

①道引:亦作"导引",古代道家所采用的一种活动肢体的养生术。行道引之术时,不食五谷。

[译文]

张良跟随刘邦进关中。他平素体弱多病,便学习道家的导引吐纳之术，不食五谷杂粮，有时会长达一年多闭门不出。

上欲废太子，立戚夫人子赵王如意。大臣多谏争，未能得坚决者也。吕后恐，不知所为。人或谓吕后曰："留侯善画计策，上信用之。"吕后乃使建成侯吕泽劫①留侯，曰："君常为上谋臣，今上欲易太子，君安得高枕而卧乎？"留侯曰："始上数在困急之中，幸用臣策。今天下安定，以爱欲易太子，骨肉之间，虽臣等百余人何益。"吕泽强要②曰："为我画计。"留侯曰："此难以口舌争也。顾上有不能致者，天下有四人。四人者年老矣，皆以为上慢侮人，故逃匿山中，义不为汉臣。然上高此四人。今公诚能无爱③金玉璧帛，令太子为书，卑辞安车，因使辩士固请，宜来。来，以为客，时时从入朝，令上见之，则必异而问之。问之，上知此四人贤，则一助也。"于是，吕后令吕泽使人奉太子书，卑辞厚礼，迎此四人。四人至，客建成侯所。

[注释]

①劫：挟持，强制。②强要：强制要求，逼迫。③无爱：不要吝啬。

[译文]

刘邦想废掉太子，另立戚夫人所生的儿子赵王如意。有很多大臣进谏反对，却没有一个人能真正改变刘邦的想法。吕后很担心，不知如何是好。有人向吕后建议："留侯善于出谋划策，皇上对他很信任。"吕后就派建成侯吕泽去逼迫张良说："您一直是皇上的谋臣，现在皇上打算另立太子，先生您怎能静躺府上睡觉呢？"张良说："当年，皇上是因为多次处在危急之中，所以才偶尔采用了我的计谋。如今皇上平定了天下，因为情感的因素想另立太子，父子间的私事，即使有一百个张良也无法改变啊。"吕泽极力逼迫张良说："您一定要帮我想个办法。"张良说："这件事很难用言语争辩来解决。但是如今也有皇上招不来的人，这样的人共有四个。这四人已是暮年，他们认为皇上对人傲慢无礼，所以就逃到山中躲了起来，坚决不肯做汉朝的臣子。但是，皇上很敬重这四个人。现在您果真能不吝惜金玉璧帛，让太子写上一封言辞谦恭的信，预备一辆舒适的车子，再派有上好口才的人前去恳请，他们应该会来。请来之后呢，就聘他们做太子的贵宾，让他们不时地跟着太子上朝，故意让皇上见到他们，皇上一定会感到奇怪并询问他们是谁。一问之下，皇上就会知道这四个人是贤能之士，这对太子将会很有助益。"于是，吕后就让吕泽派人携带着太子的书信，用谦恭的言辞和丰厚的礼品，迎请这四个人。四个人来了，被安排在了建成侯吕泽的府邸中。

汉十一年，黥布反，上病，欲使太子将，往击之。四人相谓曰："凡来者，将以存太子。太子将兵，事危矣。"乃说建成侯曰："太子将兵，有功则位不益太子；无功还，则从此受祸矣。且太子所与俱诸将，皆尝与上定天下枭将也。今使太子将之，此无异使羊将狼也。皆不肯为尽力，其无功必矣。臣闻'母爱者子抱'，今戚夫人日夜侍御①，赵王如意常抱居前，上曰'终不使不肖子居爱子之上'，明乎其代太子位必矣。君何不急请吕后承间为上泣言：'黥布，天下猛将也，善用兵；今诸将皆陛下故等夷②，乃令太子将此属，无异使羊将狼，莫肯为用；且使布闻之，则鼓行而西耳。上虽病，强载辎车③，卧而护④之，诸将不敢不尽力。上虽苦，为妻子自强。'"于是吕泽立夜见吕后，吕后承间为上泣涕而言，如四人意。上曰："吾惟⑤竖子固不足遣，而公自行耳。"于是上自将兵而东，群臣居守，皆送至灞上。留侯病，自强起，至曲邮见上曰："臣宜从，病甚。楚人剽疾，愿上无与楚人争锋。"因说上曰："令太子为将军，监关中兵。"上曰:"子房虽病,强卧而傅太子。"是时,叔孙通为太傅,留侯行少傅事。

[注释]

①侍御:侍奉,侍寝。②等夷:同辈,指身份地位相同。③辎车:一种有帷盖车。④护:统辖,监督。⑤惟:考虑。

[译文]

汉高祖十一年,黥布反叛,当时刘邦罹患重病,计划派太子率兵前往讨伐。这四个人互相商量说:"我们之所以来到这里,就是为了要保护太子,太子如若率兵出征,事情就危险了。"于是他们就劝告建成侯吕泽说:"太子率兵出征,即使立了大功,也不会再封赠一个比太子地位更高的名号;如果无功而返,从此以后就要遭受祸殃了。再说跟随太子一起出征的将领,都是曾经跟随皇上平定天下的猛将,如今让太子去统率这些人,这和让羊去指挥狼没有什么两样。他们不会为太子卖命,太子不能建功立业也就在情理之中。我们听说'爱哪个母亲,就抱那个母亲所生的孩子',如今戚夫人日夜侍奉皇上,赵王如意经常被皇帝抱在膝上,皇上说'无论如何也不能让不成器的儿子占据我心爱的这个儿子的上风',皇上有意让赵王如意取代太子的地位是肯定的。您为什么还不马上恭请吕后找机会向皇上哭诉,就说:'黥布是天下的猛将,擅长用兵,现今将要出征的各位将领都是陛下同辈分的人,您却让太子统管他们,这和让羊去指挥狼没有两样,没有人会为他效力的,万一让黥布知道了这个情况,他就会大张旗鼓地向西进犯。皇上虽然患病,您毕竟还可以勉强乘坐篷车,躺在那里,诸将他们谁敢不竭尽全力?虽然这样皇上会吃些苦,为了妻儿您还是勉为其难吧。'"于是,在当天晚上,吕泽立即面见吕后,吕后就找机会向皇上哭诉,说出了四个人所教的那番话。皇上说:"我就想到那小子不堪重用,还是老子亲自出马吧。"于是刘邦带兵东征,留守京都的群臣都到灞上送行。张良有病在身，还是勉强支撑病体，送行到曲邮，谒见刘邦说："我本应陪您同去，但身患重病无法随行。楚人剽悍勇猛，建议皇上不要和他们硬拼。"留侯又趁机劝谏刘邦说："应该让太子做将军，监守关中的军队。"刘邦说："先生您虽然患病，仍希望您在养病之时费心辅佐太子。"这时，叔孙通做太傅，留侯代理少傅职务。

汉十二年，上从击破布军归，疾益甚，愈欲易太子。留侯谏，不听，因疾不视事。叔孙太傅称说引古今，以死争太子。上详①许之，犹欲易之。及燕②，置酒，太子侍。四人从太子，年皆八十有余，须眉皓白，衣冠甚伟。上怪之，问曰："彼何为者？"四人前对，各言名姓，曰东园公，角里先生，绮里季，夏黄公。上乃大惊，曰："吾求公数岁，公辟③逃我，今公何自从吾儿游乎？"四人皆曰："陛下轻士善骂，臣等义不受辱，故恐而亡匿。窃闻太子为人仁孝，恭敬爱士，天下莫不延颈欲为太子死者，故臣等来耳。"上曰："烦公幸卒调护④太子。"

[注释]

①详：通"佯"，假装。②燕：通"宴"，安闲。③辟：同"避"，躲避。④调护：调教，护持。

[译文]

汉高祖十二年，皇上打败黥布班师回朝，病情日益严重，另立太子的心情也越发迫切。张良劝谏，皇上不予接纳，张良就托病不再过问政事。太傅叔孙通引证古今事例劝说，甚至以死要挟来争保太子的地位。刘邦就假装答应了此事，但内心还是想另立太子。等到闲暇之时，皇上设置酒宴，太子在旁边陪侍。那四人就跟随在太子身后，他们都是八十多岁的高龄，胡须眉毛都已斑白，服饰也都十分出众。刘邦十分好奇，就问道："他们是些什么人？"四个人向前回话，通报了各自的姓名，叫东园公、角里先生、绮里季、夏黄公。刘邦大为吃惊，说道："几年来我一直寻访各位，你们都躲着我，你们今天怎么自愿跟随我儿呢？"四人齐声答道："陛下您怠慢士人，开口就骂，我们不愿受辱，所以心存恐惧而躲了起来。但我们私下闻听太子为人仁义孝顺，对士人谦恭有礼，天下人都愿意为太子拼死效力。因此，我们就来了。"刘邦说："那就有劳诸位善始善终，好好帮助太子吧。"

四人为寿已毕，趋去。上目送之，召戚夫人指示四人者曰："我欲易之，彼四人辅之，羽翼已成，难动矣。吕后真而主矣。"戚夫人泣，上曰："为我楚舞，吾为若楚歌。"歌曰："鸿鹄高飞，一举千里。羽翮①已就，横绝四海。横绝四海，当可奈何！虽有矰缴②，尚安所施！"歌数阕③，戚夫人嘘唏流涕，上起之，罢酒。竟不易太子者，留侯本招此四人之力也。

[注释]

①羽翮：羽翼。翮，羽茎。②矰缴：系有丝绳用以射鸟的短箭。③阕：乐曲每次终止为一阕。

[译文]

四个人为刘邦敬酒祝寿之后，迅速小步退去。刘邦目送他们，叫来戚夫人，指着那四个人说道："我是想另立太子，无奈有他们四人辅佐，太子已是羽翼丰满，无法改变了。看来吕后要真的当你的主子了。"戚夫人泪流满面，刘邦说："你给我跳个楚地的舞步，我为你唱个楚地的歌谣吧。"刘邦唱道："鸿鹄高飞啊，翅膀一展千里远。羽翼丰满啊，横跨四海弹指间。横跨四海啊，他人无计问苍天！手握短箭啊，无可奈何难施展！"刘邦连唱几遍，戚夫人泪如雨下，刘邦起身离去，酒宴无果而终。刘邦最终没有另立太子，原因就在于张良用计请来了这四个人。

留侯从上击代，出奇计马邑下，及立萧何相国，所与上从容言天下事甚众，非天下所以存亡，故不著。留侯乃称曰："家世相韩，及韩灭，不爱万金之资，为韩报雠强秦，天下振动。今以三寸舌为帝者师，封万户，位列侯，此布衣之极，于良足矣。愿弃人间事，欲从赤松子游耳。"乃学辟谷，道引轻身。会高帝崩，吕后德留侯，乃强食之，曰："人生一世间，如白驹过隙①，何至自苦如此乎！"留侯不得已，强听而食。

[注释]

①白驹过隙：形容时光过得快，像小白马在细小的缝隙前跑过一样。也说"白驹"指日影，意谓时光就像阳光穿过墙壁上的细缝那样迅疾。

[译文]

张良跟随刘邦攻打代国，在马邑城下献过妙计，后来也曾劝谏刘邦立萧何为相国，他跟刘邦平常随便谈论的事情还有很多，但由于不是关乎国家存亡的大事，所以就不再过多记述。张良曾对人说："我家世代任韩相，韩国被灭之后，我不惜万金家财，替韩国向强秦报仇，天下为之而震动。今天我凭借三寸之舌荣任帝王的老师，封地万户，名列侯爵，这对像我这样的平民百姓来说，已经达到了极致，张良我对此已经十分满足了。我愿放下人间的琐事，想前去追随仙人赤松子。"张良于是钻研绝食辟谷法，修炼道引飞升术。刘邦去世后，吕后感念张良的恩德，便竭力劝他进食，对他说："人生在世，犹如白驹过隙般短暂，先生您何必如此刻薄自己啊！"张良无奈，勉强遵命吃了点东西。

后八年卒，谥为文成侯。子不疑代侯。

子房始所见下邳圯上老父与《太公书》者，后十三年从高帝过济北，果见穀城山下黄石，取而葆①祠之。留侯死，并葬黄石冢。每上冢伏腊②，祠黄石。

[注释]

①葆：通"宝"。②伏腊：秦汉时，夏天的伏日、冬天的腊日，都是节日，合称"伏腊"。

[译文]

又过了八年，张良去世，他的谥号为文成侯。儿子张不疑继承了他的侯爵。

张良当年曾在下邳遇到传给他《太公兵法》的圯上老人，十三年后，张良跟着刘邦经过济北时，果然在穀城山下看到老人所说的那块黄石。张良便把黄石带回家来珍重地供奉祭祀。张良死后，人们就把黄石和他安葬在了一起。以后每逢祭日，后人祭祀张良的时候，也同时祭祀黄石。

留侯不疑，孝文帝五年坐不敬①，国除。

[注释]

①不敬：指对皇帝或天地神灵不礼貌，这在当时是死罪。

[译文]

留侯张不疑，在孝文帝五年时因犯了不敬之罪，封国被废除。

太史公曰：学者多言无鬼神，然言有物①。至如留侯所见老父予书，亦可怪矣。高祖离困②者数矣，而留侯常有功力焉，岂可谓非天乎？上曰："夫运筹策帷帐之中，决胜千里外，吾不如子房。"余以为其人计魁梧奇伟，至见其图，状貌如妇人好女。盖孔子曰："以貌取人③，失之子羽④。"留侯亦云。

[注释]

①物：精灵，具有神怪性质的东西。②离困：陷入困境。离，通"罹"，遭遇。③以貌取人：以外貌作为品评人才的标准。④子羽：孔子的一个弟子，

叫澹台灭明，字子羽。子羽相貌丑陋。孔子曾认定其难以成才，但子羽致力于修身，终有美名。孔子感慨自己当初错看了子羽。

[译文]

太史公说：学者们大多说世上没有鬼神，然而又说世上会有奇怪的东西。至于像留侯张良遇见的老人赠书的事，也值得人们惊讶了。汉高祖多次陷于困厄之中，而留侯张良常常在危急时刻为高祖贡献才智，这难道不是天意吗？汉高祖说："出谋划策于营帐之中，而能决定千里之外的胜负，我比不了子房先生。"我原设想张良一定是个高大威武、相貌堂堂之人，后来我见到了他的画像，其外貌却像温柔贤惠的女子。孔子曾说："仅从一个人的外貌来对一个人妄下结论，我就曾看错过子羽。"对于留侯张良，我也犯了类似的错误。

卷八十一

廉颇蔺相如列传

廉颇者，赵之良将也。赵惠文王十六年，廉颇为赵将伐齐，大破之，取阳晋，拜为上卿①，以勇气闻于诸侯。蔺相如者，赵人也，为赵宦者令缪贤舍人。

[注释]

①上卿：当时诸侯国大臣的最高爵位。

[译文]

廉颇是赵国的优秀将领。赵惠文王十六年，廉颇担任赵国的大将，攻打齐国，大败齐军，夺取了阳晋，他被任命为上卿，凭借他的勇猛善战而闻名于诸侯各国。蔺相如是赵国人，是赵国宦官头领缪贤的门客。

赵惠文王时，得楚和氏璧。秦昭王闻之，使人遗①赵王书："愿以十五城请易②璧。"赵王与大将军廉颇诸大臣谋：欲予秦，秦城恐不可得，徒③见欺；欲勿予，即④患秦兵之来。计未定，求人可使报秦者，未得。宦者令缪贤曰："臣舍人蔺相如可使。"王问："何以知之？"对曰："臣尝⑤有罪，窃计欲亡⑥走燕，臣舍人相如止臣，曰：'君何以知燕王？'臣语曰：'臣尝从大王与燕王会境上，燕王私握臣手，曰"愿结友"。以此知之，故欲往。'相如谓臣曰：'夫赵强而燕弱，而君幸于赵王，故燕王欲结于君。今君乃亡赵走燕，燕畏赵，其势必不敢留君，而束君归赵矣。君不如肉袒伏斧质⑦请罪，则幸得脱矣。'臣从其计，大王亦幸赦臣。臣窃以为其人勇士，有智谋，宜可使。"于是王召见，问蔺相如曰："秦王以十五城请易寡人之璧，可予不⑧？"相如曰："秦强而赵弱，不可不许。"王曰："取吾璧，不予我城，奈何？"相如曰："秦以城求璧而赵不许，曲在赵；赵予璧而秦不予赵城，曲在秦。均⑨之二策，宁许以负秦曲。"王曰："谁可使者？"相如曰："王必无人，臣愿奉⑩璧往使。城入赵而璧留秦；城不入，臣请完璧归赵。"赵王于是遂遣相如奉璧西入秦。

[注释]

①遗：给，致。②易：交换。③徒：白白地。④即：则。⑤尝：曾经。⑥亡：潜逃。⑦斧质：古代杀人刑具。质，同"锧"，铁砧板。⑧不：通"否"。⑨均：衡量，比较。⑩奉：捧。

[译文]

赵惠文王时，赵国得到楚国的和氏璧。秦昭王听说此事，派人送给赵王一封信，说愿意把十五座城池给赵国，来换取赵国的和氏璧。赵王与大将军廉颇以及众大臣商量：想拿这块宝玉和秦国交换，但怕得不到秦国的城池，白白受欺骗；想不交换吧，又担心秦兵打过来。主意拿不定，想找个人前去回复秦国，可惜找不到。宦官头领缪贤说："我的门客蔺相如可以担负此项任务。"赵王问："您根据什么知道他可以担负此项任务呢？"缪贤答道："我曾经犯有罪过，私下打算逃到燕国去。我的门客蔺相如阻拦我说：'您凭什么知道燕王会收留您？'我告诉他：'我曾跟随国君与燕王在边境上会见，燕王私下握着我的手说愿意交个朋友，凭这个我知道他会收留我，所以打算前去投奔。'蔺相如对我说：'如今赵国强，燕国弱，您又受赵王信任，所以燕王才想跟您建立交情。现在您打算出逃到燕国，燕王害怕赵国，这种形势下一定不敢收留您，反而会把您捆绑起来送回赵国。您还不如袒胸露臂，趴在斧质上前去请罪，这样也许能侥幸得到赵王赦免。'我接受了他的建议，国君您也幸好赦免了我。我私下认为蔺相如是个勇士，有智谋，应该能够完成此项任务。"于是赵王就召见蔺相如，问他："秦王打算用十五座城池来交换我国的和氏璧，可不可以和他们交换呢？"蔺相如说："秦国强大，赵国弱小，不能不答应他们的请求。"赵王说："如果他们拿走我们的和氏璧，却不把城池给我们，我们怎么办呢？"蔺相如说："如果秦王要用城池来换取和氏璧而赵国不答应，那理亏的是赵国；如果赵国给秦国和氏璧而秦国不给赵国城池，理亏的就是秦国。比较这两种情况，我觉得宁可答应秦国的请求而让它负起理亏的责任。"赵王问："那派谁去办理此事呢？"蔺相如回答说："如果国君您实在找不到合适人选的话，我愿意带着和氏璧出使秦国。如果能够换回城池，我就把和氏璧留在秦国；如果不能换回城池，我保证把和氏璧完好无损地带回赵国。"于是，赵王就委派蔺相如带着和氏璧出使西方的秦国。

秦王坐章台见相如，相如奉璧奏①秦王。秦王大喜，传以示美人及左右，左右皆呼万岁。相如视秦王无意偿赵城，乃前曰："璧有瑕②，请指示王。"王授璧，相如因持璧却③立，倚柱，怒发上冲冠，谓秦王曰："大王欲得璧，使人发书至赵王，赵王悉召群臣议，皆曰'秦贪，负④其强，以空言求璧，偿城恐不可得'。议不欲予秦璧。臣以为布衣之交尚不相欺，况大国乎！且以一璧之故逆⑤强秦之欢，不可。于是赵王乃斋戒⑥五日，使臣奉璧，拜送书于庭。何者？严⑦大国之威以修敬⑧也。今臣至，大王见臣列观，礼节甚倨⑨；得璧，传之美人，以戏弄臣。臣观大王无意偿赵王城邑，故臣复取璧。大王必欲急臣，臣头今与璧俱碎于柱矣！"相如持其璧睨柱，欲以击柱。秦王恐其破璧，乃辞谢固请，召有司案图，指从此以往十五都予赵。相如度秦王特以诈详为予赵城，实不可得，乃谓秦王曰："和氏璧，天下所共传宝也，赵王恐，不敢不献。赵王送璧时，斋戒五日，今大王亦宜斋戒五日，设九宾于廷，臣乃敢上璧。"秦王度之，终不可强夺，遂许斋五日，舍相如广成传。相如度秦王虽斋，决负约不偿城，乃使其从者衣褐，怀其璧，从径道亡，归璧于赵。

[注释]

①奏：进呈。②瑕：玉上的赤色小斑点。③却：退行。④负：倚仗。⑤逆：违背，不顺从。⑥斋戒：古人对某事表示虔诚而做出的一种姿态，通常指沐浴、独居、吃素等。⑦严：尊重。⑧修敬：表示虔敬之意。⑨倨：傲慢。

[译文]

秦王坐在章台宫里接见蔺相如，蔺相如捧着和氏璧呈给秦王。秦王十分高兴，把手上的和氏璧传给妃嫔、侍从及大臣们依次把玩，群臣都欢呼"万岁"。蔺相如感觉秦王没有用城池来换取和氏璧的意思，就走上前去说："璧上有点小瑕疵，请让我指给您看。"秦王把和氏璧交给了蔺相如。于是，蔺相如捧着和氏璧退了几步站定，背靠着柱子，头发因为发怒而根根竖立，似乎要把帽子给顶起来。他对秦王说："大王您想要得到和氏璧，就派人送信给赵王，赵王召集群臣商议此事，大家都说'秦国向来贪婪，如今又倚仗着自己强大，想用谎话来换取和氏璧，他们所说的用来和赵国交换的城池恐怕难以到手'。于是决定不用和氏璧来换取秦国的城池。但我认为百姓之间尚且不相互欺骗,何况是大国之间呢!因为一块和氏璧弄得强大的秦国心里不高兴,有些不应该。于是赵王斋戒了五天,之后派我带着和氏璧出使秦国,赵王还在朝堂上亲自拜送了国书。为什么要这样?为的是尊重大国威望并且表达我们赵国的敬意。现在我来到秦国,大王您却在普通的宫殿里接见我,礼节显得十分傲慢;拿到和氏璧之后又将它传给妃嫔们把玩,用这样的做法来戏弄我。我料定大王没有用城池来交换和氏璧的意思,所以我就又把这块璧给要了回来。如果大王您非要逼迫我,我的脑袋随时就要与和氏璧一起在柱子上撞碎!"蔺相如手持和氏璧,眼睛斜视着柱子,做好了要撞击柱子的准备。秦王担心他撞碎和氏璧,就软语道歉,态度恳切地请求他不要如此行事,并且叫来负责的官员察看地图,指点着说要把从这里到那里的十五座城池划归赵国。蔺相如估计秦王只不过是以欺骗的手段假装要把城池划给赵国,实际上赵国却不可能得到,就对秦王说:"和氏璧是天下公认的珍宝,赵王对您敬畏,不敢不把它拿出来。赵王送这块玉璧过来的时候,斋戒了五天。现在大王也应该斋戒五天,在朝堂上设'九宾'的礼仪,我才愿意奉上和氏璧。"秦王考虑了一下,终究不能强夺,就答应斋戒五天,把蔺相如安置在广成宾馆里。蔺相如心想,虽然秦王答应了斋戒,但照样会违背约定,不会用城池来换取和氏璧,就派他的随从人员换上粗布衣服,怀揣和氏璧,抄小道逃走,把它送回了赵国。

秦王斋五日后,乃设九宾礼于廷,引赵使者蔺相如。相如至,谓秦王曰:"秦自缪公①以来二十余君,未尝有坚明②约束者也。臣诚恐见欺于王而负赵,故令人持璧归,间至赵矣。且秦强而赵弱,大王遣一介之使至赵,赵立奉璧来。今以秦之强而先割十五都予赵,赵岂敢留璧而得罪于大王乎?臣知欺大王之罪当诛，臣请就汤镬③，唯大王与群臣孰④计议之。"秦王与群臣相视而嘻。左右或欲引相如去，秦王因曰："今杀相如，终不能得璧也，而绝秦赵之欢，不如因而厚遇⑤之，使归赵，赵王岂以一璧之故欺秦邪！"卒廷见相如，毕礼而归之。

[注释]

①缪公：即穆公。缪，通"穆"。②坚明：坚决明确。③汤镬：古代烹人的一种刑具。④孰：同"熟"，仔细。⑤遇：款待。

[译文]

秦王斋戒五天之后，就在朝堂上设了'九宾'的礼仪，延请赵国使者蔺相如。蔺相如到达后，对秦王说："自秦穆公以来的二十多代秦国国君，没有一个是坚守信约之人。我真的担心为您愚弄而有负于赵国，所以就派人拿着和氏璧先回去了，眼下已从小路返还了赵国。再说秦国强大而赵国弱小，您派出一个小小的使臣赶到赵国，赵国立刻就捧着璧给您送来了。如果现在秦国凭借自己的强大，能先行划拨十五座城池给赵国，赵国岂敢留下和氏璧而得罪大王您呢？我知道欺骗大王的罪过应该处死，所以我愿意接受汤镬之刑。希望大王您和群臣认真商议此事。"秦王和大臣们面面相觑，发出无可奈何的苦笑之声。秦王的侍从有人要拉蔺相如离开朝堂加以处治。秦王说道："现在即使杀了蔺相如，终究也无法得到和氏璧，反而断绝了秦赵之间的友好关系。不如顺便好好招待他一番，让他返回赵国去。难道赵王会因为一块玉璧而欺骗我们秦国吗？"最后，秦王在朝廷上接见蔺相如，完成礼节之后，把蔺相如送回了赵国。

相如既归，赵王以为贤大夫，使不辱于诸侯，拜相如为上大夫。秦亦不以城予赵，赵亦终不予秦璧。

[译文]

蔺相如归国以后,赵王认为他十分贤能,出使到诸侯国能不受侮辱,就任命他做了上大夫。后来,秦国没有给赵国城池,赵国最终也没有把和氏璧给秦国。

其后秦伐赵,拔石城。明年,复攻赵,杀二万人。

秦王使使者告赵王,欲与王为好会①于西河外渑池。赵王畏秦,欲毋行。廉颇、蔺相如计曰:"王不行,示赵弱且怯也。"赵王遂行,相如从。廉颇送至境,与王诀②曰:"王行,度道里会遇之礼毕,还,不过三十日。三十日不还,则请立太子为王,以绝秦望。"王许之,遂与秦王会渑池。秦王饮酒酣,曰:"寡人窃闻赵王好音,请奏瑟。"赵王鼓瑟。秦御史前书曰:"某年月日,秦王与赵王会饮,令赵王鼓瑟。"蔺相如前曰:"赵王窃闻秦王善为秦声,请奏盆缻③秦王,以相娱乐。"秦王怒,不许。于是相如前进缻,因跪请秦王。秦王不肯击缻。相如曰:"五步之内,相如请得以颈血溅大王矣!"左右欲刃相如,相如张目叱之,左右皆靡④。于是秦王不怿⑤,为一击缻。相如顾召赵御史书曰"某年月日,秦王为赵王击缻"。秦之群臣曰:"请以赵十五城为秦王寿⑥。"蔺相如亦曰:"请以秦之咸阳为赵王寿。"秦王竟酒,终不能加胜于赵。赵亦盛设兵以待秦,秦不敢动。

[注释]

①好会:友好的会见。②诀:别,告别。③缻:同"缶",盛酒浆的瓦器。④靡:随风倒伏的样子。⑤怿:快乐,高兴。⑥寿:祝福人健康长寿。

[译文]

后来,秦军攻打赵国,攻下了石城。第二年,秦军再次攻打赵国,杀了赵国两万人。

秦王派使臣告诉赵王,打算与赵王在西河外渑池友好相会。赵王害怕秦王,不准备前往。廉颇、蔺相如商量说:"国君如果不去,就显得赵国既弱小又胆怯。"赵王于是赴约,蔺相如随行。廉颇送行到边境,跟赵王告别时说:"国君您这次出行,估计一路行程加上完成所有礼节的时间,直到回国,不会超过三十天。如果到了三十天您还没有返回,就请允许我拥立太子为国君,以此来断绝秦国要挟赵国的念头。"赵王答应了廉颇的请求,就去和秦王在渑池会见。秦王酒喝到高兴时说:"我私下听说赵王喜好音乐,请赵王为我鼓瑟吧!"赵王就鼓起瑟来。秦国的史官走上前来写道:"某年某月某日,秦王与赵王会盟饮酒,命赵王为秦王鼓瑟。"蔺相如走向前去说:"赵王私下也听说秦王善于演奏秦地的乐曲,请秦王也击缶为乐,借此互相娱乐吧!"秦王发怒,不肯击缶。这时,蔺相如走上前去呈上一个瓦缶,趁势跪下请求秦王敲击。秦王不肯击缶。蔺相如说:"如果大王您不肯击缶,在这五步的距离之内,我将把自己脖子上的鲜血溅在大王您的身上!"秦王身边的侍从想杀掉蔺相如,蔺相如怒目圆睁呵斥他们,他们都吓得退后了。秦王很纠结,只好敲了一下瓦缶。蔺相如回头便招呼赵国史官写"某年某月某日,秦王为赵王击缶"。秦国的群臣说:"请赵王用赵国的十五座城池作贺礼为秦王祝寿。"蔺相如也说:"请把秦国的都城咸阳当贺礼给赵王祝寿。"直到宴会结束,秦王始终未能占到便宜。赵国又大量陈兵边境以防备秦国入侵,秦军不敢轻举妄动。

既罢归国,以相如功大,拜为上卿,位在廉颇之右。廉颇曰:"我为赵将,有攻城野战之大功,而蔺相如徒以口舌为劳,而位居我上,且相如素①贱人,吾羞,不忍为之下。"宣言曰:"我见相如,必辱之。"相如闻,不肯与会。相如每朝时,常称病,不欲与廉颇争列。已而相如出,望见廉颇,相如引车避匿。于是舍人相与谏曰:"臣所以去亲戚②而事君者,徒慕君之高义也。今君与廉颇同列,廉君宣恶言而君畏匿之,恐惧殊甚,且庸人尚羞之,况于将相乎!臣等不肖③,请辞去。"蔺相如固止之,曰:"公之视廉将军孰与秦王?"曰:"不若也。"相如曰:"夫以秦王之威,而相如廷叱之,辱其群臣,相如虽驽④,独畏廉将军哉?顾吾念之,强秦之所以不敢加兵于赵者,徒以吾两人在也。今两虎共斗,其势不俱生。吾所以为此者,以先国家之急而后私雠也。"廉颇闻之,肉袒负荆,因⑤宾客至蔺相如门谢罪。曰:"鄙贱之人,不知将军宽之至此也。"卒相与欢,为刎颈之交⑥。

[注释]

①素:平素。②去亲戚:远离父母。③不肖:不成才,没出息。④驽:劣马,这里比喻人的材质拙劣。⑤因:凭借。⑥刎颈之交:能以生死相托的朋友。

[译文]

渑池会结束后,赵王回到国内,因为蔺相如功高,赵王任命他做上卿,排名在廉颇之上。廉颇说:"我做赵国的大将,有攻城野战的大功劳,而蔺相如只不过有些花言巧语的功劳,他的职位居然在我之上。何况蔺相如本来出身卑贱,我为此深感羞耻,不甘心名列其下!"他扬言说:"假如碰到蔺相如,我一定要当面侮辱他。"蔺相如闻听此言,不肯和廉颇会面,每逢上朝之时,也常常推说有病,不愿和廉颇争位次的高低。过了些时候,蔺相如出门,远远看见廉颇,就掉转车子避开他。因此,蔺相如的门客一起来劝告他说:"我们之所以离开父母兄弟来侍奉您,只不过是因为仰慕您的高尚品德。现在您与廉颇职位相同,人家对您恶言相向,您却因为害怕而四处躲避,胆怯得太过分了。如此之辱常人尚且感到羞耻,更何况是身为将相的人呢!我们实在没什么本事,还是让我们告辞吧!"蔺相如态度坚决地挽留他们,说道:"诸位认为廉将军与秦王相比,哪个更厉害?"门客答道:"廉将军当然没有秦王厉害。"蔺相如说:"秦王那般威风,我还敢在秦的朝廷上呵斥他,侮辱他的众位大臣,相如我虽然才疏学浅,难道就偏偏害怕廉将军一个人吗?只是我考虑到:强大的秦国之所以不敢对我们赵国动武,就是因为赵国有我们两个人存在啊!如果两虎相斗,必定有一方会败下阵来。我之所以这样做,就是以国家之急为先而以私仇为后啊!"廉颇听到此话,解衣赤背,背着荆条,在门客的引导下来到蔺相如家请罪。他说:"我这个浅薄的人啊,居然不知道将军您对我宽容到如此的程度!"两人终于和好,成为可以生死相托的朋友。

是岁,廉颇东攻齐,破其一军。居二年,廉颇复伐齐几,拔之。后三年,廉颇攻魏之防陵、安阳,拔之。后四年,蔺相如将而攻齐,至平邑而罢。其明年,赵奢破秦军阏与下。

[译文]

这一年,廉颇向东攻打齐国,击溃了齐国的一支军队。两年之后,廉颇又攻打齐国的几邑,把它攻占了。三年之后,廉颇进攻魏国的防陵、安阳,全部攻克。四年之后,蔺相如领兵攻打齐国,打到平邑收兵回国。第二年,赵奢在阏与大败秦国军队。

赵奢者,赵之田部吏也。收租税,而平原君家不肯出租,奢以法治之,杀平原君用事者①九人。平原君怒,将杀奢。奢因说曰:"君于赵为贵公子,今纵②君家而不奉公则法削,法削则国弱,国弱则诸侯加兵,诸侯加兵是无赵也,君安得有此富乎?以君之贵,奉公③如法则上下平④,上下平则国强,国强则赵固,而君为贵戚,岂轻于天下邪?"平原君以为贤,言之于王。王用之治国赋,国赋大平,民富而府库实。

[注释]

①用事者:管事的人。②纵:放任不管。③奉公:按章程办事。④上下

平:举国上下都心平气和。

[译文]

赵奢本来是赵国征收田赋的官吏。收租税的时候,平原君家的人不肯缴纳,赵奢依法进行了处理,杀了平原君家九个管事的人。平原君大怒,要杀赵奢。赵奢趁机对平原君说:"您贵为赵国公子,如今却放纵家人不照法令办事,这样必将损害法令的权威,法令没有权威必将导致国家衰败,国家衰败了,别国就会趁机出兵赵国,别国出兵进犯,赵国也就面临灭亡,那样的话,您还能保住眼下的财富吗?凭您的尊贵,如能按法令办事,就会使举国上下都和谐,全国上下和谐了,国家就能强盛,国家强盛了,赵氏之政权就会巩固,而您身为赵国的贵族,难道还会被天下人轻视吗?"平原君认为赵奢贤明,把他的情况向赵王作了汇报。赵王就任用赵奢主管全国的赋税,在他的努力下,赵国的赋税非常公平合理,百姓富有,国库也充实了。

秦伐韩,军于阏与。王召廉颇而问曰:"可救不?"对曰:"道远险狭,难救。"又召乐乘而问焉,乐乘对如廉颇言。又召问赵奢,奢对曰:"其道远险狭,譬之犹两鼠斗于穴中,将勇者胜。"王乃令赵奢将,救之。

[译文]

秦国进攻韩国,在阏与驻扎军队。赵王召见廉颇问道:"我们去不去援救?"廉颇回答说:"我们向西北行军去阏与,须翻越太行山,路既远且地险道窄,很难援救。"赵王便召见乐乘问出兵的事,乐乘的回答和廉颇一样。赵王又召见赵奢来问,赵奢回答说:"路远、地险、道窄,但狭路相逢即如两只老鼠在穴中相斗,勇者将胜。"于是,赵王便派赵奢领兵,去救援阏与的韩兵。

兵去邯郸三十里，而令军中曰："有以军事谏者死。"秦军军武安西，秦军鼓噪①勒兵②，武安屋瓦尽振。军中候有一人言急救武安，赵奢立斩之。坚壁③，留二十八日不行，复益增垒。秦间④来入，赵奢善食而遣之。间以报秦将，秦将大喜曰："夫去国⑤三十里而军不行，乃增垒，阏与非赵地也。"赵奢既已遣秦间，卷甲⑥而趋之，二日一夜至，令善射者去⑦阏与五十里而军。军垒成，秦人闻之，悉甲而至。军士许历请以军事谏，赵奢曰："内⑧之。"许历曰："秦人不意赵师至此，其来气盛，将军必厚集其阵以待之。不然，必败。"赵奢曰："请⑨受令。"许历曰："请就铁质⑩之诛。"赵奢曰："胥后令邯郸。"许历复请谏，曰："先据北山上者胜，后至者败。"赵奢许诺，即发万人趋之。秦兵后至，争山不得上，赵奢纵兵击之，大破秦军。秦军解而走，遂解阏与之围而归。

[注释]

①鼓噪：擂鼓呐喊。②勒兵：操练军队。③坚壁：坚守营垒。④间：间谍。⑤国：都城。⑥卷甲：脱去铠甲。⑦去：距离。⑧内：通"纳"。⑨请：谦辞。⑩铁质：同"斧质"，杀人的刑具。

[译文]

赵国的军队刚离开邯郸三十里，赵奢就号令全军："谁胆敢前来对此次行动提出建议，格杀勿论。"前来狙击赵奢部队的秦军驻扎在武安县城西边，秦军在此操练呐喊，喊声把武安城中的屋瓦都震动了。赵国军中的一个军官提出应该尽快援救武安，结果马上被赵奢斩杀。赵军坚守营垒，停留二十八天不向前进发，反而越发增修、加固壁垒。秦国的间谍潜入赵军营地，赵奢故意好好款待后把他打发回去。秦国的间谍把赵军的情况报告给了秦军的将领，秦将大喜，说："军队刚离开国都三十里就不前进了，而且还在增修壁垒，看来阏与必将被我秦军攻克。"赵奢打发走间谍之后，就命令士兵卷起铠甲，快速向阏与进发。用了两天一夜的工夫就赶到了目的地，之后，赵奢派出善于射击的弓箭手在距离阏与五十里的地方扎下营盘。赵军的防御工事筑成后，秦军才知道了这一情况，立即全军压上。一个叫许历的军士请求就军事方面的问题发表意见，赵奢说："让他进来。"许历说："秦军没想到我们会来到这里，现在他们来势正猛，将军一定要加强防守，不要出战。否则，我军必败。"赵奢说："请指教。"许历说："我愿意接受掉脑袋的惩罚。"赵奢说："回到邯郸再惩罚也不迟。"许历请求再提个建议，说道："谁先抢占北山制高点，谁就会获胜，后到者必败。"赵奢接受了这个建议，便立即派出一万人迅速抢占北山。秦兵后到，与赵军争夺北山，但久攻不下，赵奢指挥士兵发起进攻，大败秦军。秦军撤兵而去，阏与的围困因此解除，赵军凯旋。

赵惠文王赐奢号为马服君，以许历为国尉。赵奢于是与廉颇、蔺相如同位。

后四年，赵惠文王卒，子孝成王立。七年，秦与赵兵相距长平，时赵奢已死，而蔺相如病笃①，赵使廉颇将攻秦，秦数败赵军，赵军固壁不战。秦数挑战，廉颇不肯。赵王信秦之间，秦之间言曰："秦之所恶②，独畏马服君赵奢之子赵括为将耳。"赵王因以括为将，代廉颇。蔺相如曰："王以名使括，若胶柱③而鼓瑟耳。括徒能读其父书传，不知合变④也。"赵王不听，遂将之。

[注释]

①病笃：病势沉重。笃，深重。②恶：憎恨，害怕。③胶柱：把柱胶死，不能调整松紧。④合变：变通。

[译文]

赵惠文王赐给了赵奢"马服君"的封号，并封许历为国尉。赵奢的职位因此与廉颇、蔺相如相同。

其后四年，赵惠文王去世，太子赵孝成王即位。孝成王七年，秦军与赵军在长平对阵，那时赵奢已死，蔺相如病重，赵王派廉颇率兵抗击秦军，秦军几次打败赵军，赵军固守阵地不再出战。秦军屡次挑战，廉颇不肯迎战。此时，赵王听信了秦军间谍的话。秦军间谍说："秦军最害怕的是赵国任命马服君赵奢的儿子赵括做将领。"赵王果然就让赵括担任将领，替换掉了廉颇。蔺相如对赵王说："大王您只凭虚名就任用赵括，这就像把琴瑟上的转轴用胶封死之后再去演奏一样。赵括这人只会读他父亲留下的兵书，遇事根本不知如何变通。"赵王不听，还是任用赵括为将。

赵括自少时学兵法，言兵事，以天下莫能当①。尝与其父奢言兵事，奢不能难②，然不谓善。括母问奢其故，奢曰："兵，死地③也，而括易④言之。使赵不将括即已，若必将之，破赵军者必括也。"及括将行，其母上书言于王曰："括不可使将。"王曰："何以？"对曰："始妾事其父，时为将，身所奉饭饮而进食者以十数，所友者以百数；大王及宗室所赏赐者尽以予军吏士大夫；受命之日，不问家事。今括一旦为将，东向而朝，军吏无敢仰视之者，王所赐金帛，归藏于家，而日视便利田宅可买者买之。王以为何如其父？父子异心，愿王勿遣。"王曰："母置⑤之，吾已决矣。"括母因曰："王终遣之，即⑥有如不称，妾得无随坐⑦乎？"王许诺。

[注释]

①当：抵敌。②难：驳倒。③死地：关系人生死的地方。④易：轻易，不当回事。⑤置：任其存在，不再过问。⑥即：若。⑦随坐：因别人犯罪而牵连受罚。

[译文]

赵括从小就研习兵法，谈论军事，认为天下无人能比。他曾与父亲赵奢谈论用兵之道，赵奢也难不倒他，然而，赵奢从来不认为儿子说得好。赵括的母亲问其中缘由，赵奢说："用兵打仗，事关生死，然而他谈起来却根本不当一回事。赵国不用赵括为将也就罢了，若有一天让他当了将军，让赵军败亡的一定就是他啊！"在赵括将要带兵开拔之时，他的母亲上书赵王说："赵括不适合做将军。"赵王问："为什么？"赵括的母亲回答说："当初我侍奉赵奢时，尽管他已经是将军了，但能享受到他亲自端上饭食的待遇的军官有几十个，被他当做朋友相待的军官有几百个；您和宗室贵族赏赐给他的东西，他全都分给了属下的各级军官；自受命为将的那天起，他便不再关心家里的私事。现在赵括刚当上了将军，就面朝东坐着接受部下的参拜，将官没人敢抬头看他的，大王所赏赐的金银玉帛，他都带回家收藏起来，并且还天天关注哪儿有便宜的田地房产，可买的他就买下来。国君您认为他这些行为和他父亲有什么可比性？他们父子心思不同，希望国君您不要让他领兵。"赵王说："这您就不要管了，我意已决。"赵括的母亲接着说："既然您一定要派他领兵，假如结果与您的预想不符，您能不让我受牵连吗？"赵王答应了。

赵括既代廉颇，悉更约束①，易置②军吏。秦将白起闻之，纵奇兵，详败走，而绝其粮道，分断其军为二，士卒离心。四十余日，军饿，赵括出锐卒自搏战，秦军射杀赵括。括军败，数十万之众遂降秦，秦悉坑之。赵前后所亡凡四十五万。明年，秦兵遂围邯郸，岁余，几不得脱。赖楚、魏诸侯来救，乃得解邯郸之围。赵王亦以括母先言，竟不诛也。

[注释]

①约束：条令章程。②易置：撤换。

[译文]

赵括代替廉颇之后，改变了旧有的一切条令，撤换了原来的军官。秦国秘密换上的将领白起听到了这些情况，便调遣奇兵，假装败逃，偷偷截断了赵军运粮的通道，将赵军分割成两节，赵军军心为之动摇。过了四十多天，赵军饥饿难忍，赵括便亲自带领精兵与秦军搏斗，秦军射死了赵括。赵括的军队战败，几十万大军于是投降了秦军，结果被秦军全部活埋。赵国前前后后所损失的兵力达四十五万人之多。第二年，秦军包围邯郸，时间长达一年多，赵国几乎不能保住。仰仗楚公子春申君、魏公子信陵君等前来援救，邯郸之围才得以解除。由于赵括的母亲有言在先，赵王最终没有株连她。

自邯郸围解五年，而燕用栗腹之谋，曰"赵壮者尽于长平，其孤①未壮"，举兵击赵。赵使廉颇将，击，大破燕军于鄗，杀栗腹，遂围燕。燕割五城请和，乃听之。赵以尉文封廉颇为信平君，为假②相国。

[注释]

①孤：遗孤。②假：挂名，代理。

[译文]

邯郸解围之后五年，燕国采纳栗腹的计谋，认为"赵国的青壮男人都死在长平之战中了，他们的遗孤尚未成人"，燕王便发兵攻赵。赵王派廉颇领兵反击，在鄗城大败燕军，杀死栗腹，于是包围了燕国都城。燕国以割让五座城池为条件请求讲和，赵王才答应停战。赵王把尉文封给廉颇，封号为信平君，任挂名相国。

廉颇之免长平归也，失势之时，故客尽去。及复用为将，客又复至。廉颇曰："客退矣！"客曰："吁！君何见之晚①也？夫天下以市道交，君有势，我则从君；君无势则去，此固其理也，有②何怨乎？"居六年，赵使廉颇伐魏之繁阳，拔之。

[注释]

①晚：迟钝，看不透。②有：又。

[译文]

廉颇在长平之战前被免职回家，失去权势之时，原来的门客全都离开了他。等到重新被启用为将军，原来的门客又重新回来了。廉颇说："大家还是请回吧！"门客们说："唉！您的观点怎么过时到这种程度呢？现在天下人都是按做生意的路数来交往朋友的，您有权有势，我们就跟随着您；您无权无势，我们自然就会离开，这是十分正常的道理，您又有什么可以抱怨的呢？"又过了六年，赵国派廉颇进攻魏国的繁阳，把它占领了。

赵孝成王卒，子悼襄王立，使乐乘代廉颇。廉颇怒，攻乐乘，乐乘走，廉颇遂奔魏之大梁。其明年，赵乃以李牧为将而攻燕，拔武遂、方城。

[译文]

赵孝成王去世后，太子悼襄王即位，派乐乘接替廉颇。廉颇大怒，攻击乐乘，乐乘逃走。廉颇本人也只好逃往魏都大梁。第二年，赵国便以李牧为大将进攻燕国，攻下了燕的武遂、方城。

廉颇居梁久之，魏不能信用。赵以数困于秦兵，赵王思复得廉颇，廉颇亦思复用于赵。赵王使使者视廉颇尚可用否。廉颇之仇郭开多与使者金，令毁①之。赵使者既见廉颇，廉颇为之一饭斗米，肉十斤，被②甲上马，以示尚可用。赵使还报王曰："廉将军虽老，尚善饭，然与臣坐，顷之三遗矢③矣。"赵王以为老，遂不召。

[注释]

①毁：诋毁，说人坏话。②被：同"披"。③矢：通"屎"。

[译文]

廉颇在大梁住了很久，也没能得到魏国的重用。由于赵国经常遭受秦兵攻打，赵王就想重新起用廉颇，廉颇也想再为赵国效力。赵王派使臣去见廉颇，看他到底还能否担当重任。廉颇的仇人郭开用重金收买了那个使臣，让他回来在赵王面前说廉颇的坏话。赵国使臣去见廉颇，廉颇当着他的面，一顿饭吃了一斗米、十斤肉，又披甲上马，以此表示自己还可以被用。赵国使者回来后对赵王说："廉将军虽然年纪大了，但是饭量不减，只是陪我坐着时，一小会儿就拉了三次屎。"赵王认为廉颇的确老了，就不再召他回国。

楚闻廉颇在魏，阴①使人迎之。廉颇一②为楚将，无功，曰："我思用赵人。"廉颇卒死于寿春。

[注释]

①阴：暗中。②一：既已。

[译文]

楚国听说廉颇在魏国，就暗中派人去迎接。廉颇做了楚国将军之后，并没有立下战功，他说："我愿为赵国效力。"廉颇最终死在了楚国的寿春。

李牧者，赵之北边良将也。常居代、雁门，备匈奴。以便宜①置吏，市租皆输入莫府②，为士卒费。日击数牛飨士③，习射骑，谨烽火，多间谍，厚遇④战士。为约曰："匈奴即⑤入盗，急入收保，有敢捕虏者斩。"匈奴每入，烽火谨，辄入收保，不敢战。如是数岁，亦不亡失。然匈奴以李牧为怯，虽赵边兵亦以为吾将怯。赵王让⑥李牧，李牧如故。赵王怒，召之，使他人代将。

[注释]

①便宜：按照实际情况灵活掌握。②莫府：即幕府，将军办公的帐篷。③飨士：犒劳士兵。④厚遇：优待。⑤即：若。⑥让：责备。

[译文]

李牧是赵国北部边境的优秀将领，长期驻守在代郡、雁门郡，以防备匈奴进犯。他有权根据实际需要来设置属下官员的岗位，从市场上征收的租税都纳入李牧的幕府，用作军费开支。他每天都宰杀几头牛来犒赏士兵，教士兵练习骑马射箭，小心看守烽火台，派多人侦察敌情，给士兵优厚的待遇。他对属下要求："若有匈奴人进犯，要迅速退入防御工事中，谨守城堡，谁敢贸然出战，斩。"匈奴每次进犯，烽火传来警报，李牧的士兵就立即集合起来退入营垒防守，不敢出战。多年以来，一直如此，人力、物力都没有什么大的损失。但匈奴那边却认为这是李牧胆怯的表现，就连赵国边关的将士也持这样的观点。赵王责备李牧，李牧依然故我。赵王为此很生气，就把李牧给召了回来，让别的将领接替李牧。

岁余，匈奴每来，出战。出战，数不利，失亡多，边不得田畜①。复请李牧。牧杜门②不出，固称疾。赵王乃复强起使将兵。牧曰："王必用臣，臣如前，乃敢奉令。"王许之。

[注释]

①田畜：种田和放牧。②杜门：闭门。

[译文]

更换将领后的一年多，匈奴每次来犯，赵军就出兵迎战。屡战屡败，伤亡惨重，致使边境无法耕田、放牧。赵王只好再请李牧出山。但李牧闭门不出，坚持推说有病。赵王就一再要求李牧出来领兵。李牧说："国君您如果一定要用臣下，您必须答应让我还采取先前的做法,我才敢奉命。"赵王应允了李牧的要求。

李牧至,如故约。匈奴数岁无所得,终以为怯。边士日得赏赐而不用,皆愿一战。于是乃具①选车②得千三百乘,选骑得万三千匹,百金之士五万人,彀者③十万人,悉勒④习战。大纵畜牧、人民满野。匈奴小入,详北⑤不胜,以数千人委⑥之。单于闻之,大率众来入。李牧多为奇陈,张左右翼击之,大破杀匈奴十余万骑。灭襜褴,破东胡,降林胡,单于奔走。其后十余岁,匈奴不敢近赵边城。

[注释]

①具:安排,准备。②选车:精选的战车。③彀者:善于射箭的人。④勒:组织起来。⑤北:败走。⑥委:抛弃。

[译文]

李牧重回边关,战术一仍其旧。匈奴连续多年一无所获,但又始终认为李牧怯战。边关将士每天得到赏赐却无用武之地,都盼望着痛快地打一仗。于是李牧就精心挑选了一千三百辆战车,一万三千匹战马,五万名获过百金之赏的勇士,十万个能拉硬弓的射手,把这些全部组织起来进行训练。同时把大批牛羊、百姓赶到田野上去吸引匈奴骑兵。当有匈奴的小股人马入侵时,李牧就假装失败逃走,故意把几千人丢弃给匈奴。单于听到这种情况,就率领大批人马入侵。李牧布下迷魂阵,从左右两翼包抄敌军,一气击杀十多万匈奴骑兵。灭了襜褴,打败了东胡,收降了林胡,匈奴单于狼狈逃窜。以后的十多年间,匈奴再也不敢接近赵国边城。

赵悼襄王元年,廉颇既亡入魏,赵使李牧攻燕,拔武遂、方城。居二年,庞煖破燕军,杀剧辛。后七年,秦破杀赵将扈辄于武遂,斩首十万。赵乃以李牧为大将军,击秦军于宜安,大破秦军，走①秦将桓齮。封李牧为武安君。居三年，秦攻番吾，李牧击破秦军，南距韩、魏。

[注释]

①走：赶跑。

[译文]

赵悼襄王元年，廉颇已经逃到了魏国，赵国派李牧攻打燕国，攻克了武遂、方城。两年后，赵将庞煖打败燕军，杀死了剧辛。七年之后，秦军在武遂打败赵军并杀死赵将扈辄，斩杀了十万赵军。赵国便任命李牧为大将军，在宜安向秦军发起进攻，大败秦军，打跑了秦将桓齮。李牧被封为武安君。又过三年，秦军进攻赵国的番吾，李牧击败秦军，又在南边抵御韩国和魏国的进攻。

赵王迁七年，秦使王翦攻赵，赵使李牧、司马尚御之。秦多与赵王宠臣郭开金，为反间，言李牧、司马尚欲反。赵王乃使赵葱及齐将颜聚代李牧。李牧不受命，赵使人微捕①得李牧，斩之，废司马尚。后三月，王翦因急击赵，大破杀赵葱，虏赵王迁及其将颜聚，遂灭赵。

[注释]

①微捕：暗中伺机而缉捕。

[译文]

赵王迁七年，秦国派王翦进攻赵国，赵国派李牧、司马尚抵御秦军。秦国用很多金钱贿赂赵王的宠臣郭开，让他施行反间计，散布李牧、司马尚意欲谋反的消息。赵王便派赵葱和原来的齐国将军颜聚接替李牧，李牧不接受命令。赵王派人暗中伺机逮捕了李牧，把他杀掉了，并废掉了司马尚的职务。三个月后，秦将王翦趁机猛攻赵国，大败赵军，杀死了赵葱，俘虏了赵王迁和将军颜聚，赵国于是灭亡。

太史公曰：知死必勇，非死者难也，处死①者难。方蔺相如引璧睨柱，及叱秦王左右，势不过诛，然士或怯懦而不敢发②。相如一奋其气，威信③敌国；退而让颇，名重太山④，其处智勇，可谓兼之矣！

[注释]

①处死：如何对待死。处，处理，对待。②发：表现。③信：伸张。④太山：即泰山。

[译文]

太史公说：一个人如果感觉到已是非死不可，那他必定会勇敢起来。因为去死并非难事，处理好要不要去死、怎么去死才是难事。当蔺相如手持和氏璧斜视庭柱，并呵斥秦王侍从之时，那种情势之下，他最多不过是被杀，但一般人却会因为胆怯懦弱而不敢发作。蔺相如振奋起自己的浩然之气，生发出的威力震慑了敌国。可是他在对待廉颇时，却又显得那么隐忍退让，这更让他的声名重于泰山。他对于智和勇的运用，堪称恰到好处啊！

卷八十三

鲁仲连邹阳列传

鲁仲连者,齐人也。好奇伟俶傥①之画策,而不肯仕宦任职,好持高节。游于赵。

[注释]

①俶傥:通"倜傥"。洒脱不群的样子。

[译文]

鲁仲连是齐国人。他喜好帮人策划一些出人意料的计谋,而自己却不愿出来做官,平素保持着一种高洁的人生姿态。他曾到赵国游历。

赵孝成王时,而秦王使白起破赵长平之军前后四十余万,秦兵遂东围邯郸。赵王恐,诸侯之救兵莫敢击秦军。魏安釐王使将军晋鄙救赵,畏秦,止于荡阴不进。魏王使客将军①新垣衍间入②邯郸,因平原君谓赵王曰:"秦所为急围赵者,前与齐湣王争强为帝,已而复归帝;今齐已益弱,方今唯秦雄天下,此非必贪邯郸,其意欲复求为帝。赵诚发使尊秦昭王为帝,秦必喜,罢兵去。"平原君犹预③未有所决。

[注释]

①客将军:他国人在本国为将军。②间入:潜入,从小路进入。③犹预:即犹豫。

[译文]

赵孝成王在位的时候,受秦王委派,秦将白起在长平之战中前后共击杀四十多万赵国军队,使得秦军长驱直入,包围了赵的都城邯郸。赵王很害怕,来自其他国家的救兵也不敢和秦军交战。魏国的安釐王派出将军晋鄙来救援赵国,由于害怕秦军,晋鄙的军队滞留汤阴不敢前进。魏王派客将军新垣衍抄小路悄悄进入邯郸,通过平原君见到了赵王,对赵王说:"秦军之所以兴师动众围攻赵国,是因为以前和齐湣王相约改王称帝,后来由于情势所迫,他们放弃了称帝的打算;如今齐国的实力越来越弱,能够称霸天下的只有秦国,他们这次攻打赵国并不是想得到邯郸,而是想重新称帝。赵国如果真的能派遣使臣前去秦国,尊奉秦昭王为帝,秦国一定会很高兴,然后就会撤兵离开赵国。"平原君对此犹豫不决。

此时鲁仲连适游赵,会①秦围赵,闻魏将欲令赵尊秦为帝,乃见平原君曰:"事将奈何?"平原君曰:"胜也何敢言事!前亡四十万之众于外,今又内围邯郸而不能去。魏王使客将军新垣衍令赵帝秦,今其人在是。胜也何敢言事!"鲁仲连曰:"吾始以君为天下之贤公子也,吾乃今然后知君非天下之贤公子也。梁客新垣衍安在?吾请为君责而归之。"平原君曰:"胜请为绍介②而见之于先生。"平原君遂见新垣衍曰:"东国有鲁仲连先生者,今其人在此,胜请为绍介,交之于将军。"新垣衍曰:"吾闻鲁仲连先生，齐国之高士也。衍，人臣也，使事有职，吾不愿见鲁仲连先生。"平原君曰："胜既已泄之矣。"新垣衍许诺。

[注释]

①会：适逢，正赶上。②绍介：介绍。

[译文]

这时，鲁仲连正好在赵国游历，正赶上秦军围攻邯郸，听说魏将新垣衍想要让赵国尊奉秦昭王为帝，就去晋见平原君说："这件事您打算如何处理？"平原君说："在下哪还敢谈论这样的大事！前不久，赵国在外面已经损失了四十万大军，眼下我们又无法解邯郸之围。魏王派将军新垣衍来劝说赵国尊奉秦昭王为帝，他现在就在我们这里。我现在还敢说什么话！"鲁仲连说："我以前曾认为您是天下少有的贤明公子，今天我才知道您不过如此。来自大梁的新垣衍在哪儿？请让我替您去谴责他并打发他回去。"平原君说："我愿把他介绍给您。"于是平原君对新垣衍说："齐国有位鲁仲连先生，他现在就在邯郸，我想介绍给您，让他和您认识认识。"新垣衍说："我听说鲁仲连先生是齐国的高士。在下是魏王的臣子，有公务在身，不想和鲁仲连先生见面。"平原君说："我已经把您在这儿的消息透露给他了。"新垣衍只好答应见面。

鲁仲连见新垣衍而无言。新垣衍曰："吾视居此围城之中者，皆有求于平原君者也；今吾观先生之玉貌，非有求于平原君者也，曷为久居此围城之中而不去？"鲁仲连曰："世以鲍焦为无从颂①而死者，皆非也。众人不知，则为一身。彼秦者，弃礼义而上②首功③之国也，权使其士，虏使其民。彼即④肆然⑤而为帝，过而为政于天下，则连有蹈东海而死耳，吾不忍为之民也。所为见将军者，欲以助赵也。"

[注释]

①从颂：同"从容"。从容不迫，即胸怀宽广。②上：通"尚"。崇尚，尊崇。③首功：战功。④即：如果，假如。⑤肆然：公然、肆无忌惮的样子。

[译文]

鲁仲连见到新垣衍后沉默以对。新垣衍说："我看在这座围城中活动的人，都是有求于平原君的人；我察看先生您的尊容，不像是有求于平原君的人，那您为什么还留在这围城里而不离去呢？"鲁仲连说："一般人都认为鲍焦是因为不能宽容才死了，这种看法是错误的。因为一般人不了解鲍焦，所以认为他是为一己之私而死的。秦国是个不讲礼仪信义而只崇尚战功的国家，它靠权谋之术控制臣下，像对待奴隶一般役使民众。如果让这样的国王肆无忌惮地称帝，并进而统治天下，那我鲁仲连宁可投东海而死，也绝不会甘心做他的臣民。我之所以要来拜见将军，就是想帮助赵国的。"

新垣衍曰："先生助之将奈何？"鲁仲连曰："吾将使梁①及燕助之，齐、楚则固助之矣。"新垣衍曰："燕则吾请以从矣；若乃梁者，则吾乃梁人也，先生恶②能使梁助之？"鲁仲连曰："梁未睹秦称帝之害故耳。使梁睹秦称帝之害，则必助赵矣。"

[注释]

①梁：魏国都大梁。此处以梁代指魏国。②恶：如何。

[译文]

新垣衍说："先生您打算怎么帮助赵国？"鲁仲连说："我打算让魏国和燕国帮助它，齐、楚两国本来就已经帮助赵国了。"新垣衍说："您说燕国能帮助赵国，这一点我可以赞同；至于魏国会帮助赵国，我就不信您的话了，因为在下就是魏国人，您凭什么说魏国会帮助赵国呢？"鲁仲连说："因为魏国还没能预料到秦国称帝后的灾难性后果，如果让魏国看清楚秦国称帝的灾难性后果，相信魏国就一定会帮助赵国的。"

新垣衍曰:"秦称帝之害何如?"鲁仲连曰:"昔者齐威王尝为仁义矣,率天下诸侯而朝周。周贫且微,诸侯莫朝,而齐独朝之。居岁余,周烈王崩,齐后往,周怒,赴于齐曰:'天崩地坼①,天子下席。东藩之臣因齐后至,则斮②。'齐威王勃然怒曰:'叱嗟,而母婢也!'卒为天下笑。故生则朝周,死则叱之,诚不忍其求也。彼天子固然,其无足怪。"

[注释]

①天崩地坼:天崩地裂。坼,裂开。②斮:斩,砍。

[译文]

新垣衍说:"秦国称帝会有什么灾难性后果呢?"鲁仲连说:"以前齐威王曾经倡导仁义,率领天下诸侯朝拜周天子。那时的周天子既贫又弱,诸侯们谁都不去朝拜,只有齐国尊奉他。过了一年多,周烈王去世了,齐王参加周烈王的葬礼时去得比较迟,新继位的周显王很生气,派使者给齐国报丧说:"现在天都塌了,老天子去世,小天子守丧,东方属国的臣子都因为齐国的迟到而都不按时奔丧,该杀。"齐威王勃然大怒,骂道:"呸!丫头养的!"结果天下人都嘲笑齐王。为什么齐威王在周天子活着的时候去朝拜他,死了就大骂他呢?实在是受不了新任天子的苛求啊。其实,天子本来就是这个样子,没什么值得大惊小怪的。"

新垣衍曰:"先生独不见夫仆乎?十人而从一人者,宁①力不胜而智不若邪?畏之也。"鲁仲连曰:"呜呼!梁之比于秦若仆邪?"新垣衍曰:"然。"鲁仲连曰:"吾将使秦王烹醢②梁王。"新垣衍怏然不悦,曰:"噫嘻,亦太甚矣先生之言也!先生又恶能使秦王烹醢梁王?"鲁仲连曰:"固也,吾将言之。昔者九侯、鄂侯、文王，纣之三公也。九侯有子③而好④，献之于纣；纣以为恶⑤，醢九侯。鄂侯争之强，辩之疾，故脯⑥鄂侯。文王闻之，喟然而叹，故拘之牖里之库百日，欲令之死。曷为与人俱称王，卒就脯醢之地？齐湣王之鲁，夷维子为执策而从，谓鲁人曰：'子将何以待吾君？'鲁人曰：'吾将以十太牢⑦待子之君。'夷维子曰：'子安取礼而来待吾君？彼吾君者，天子也。天子巡狩，诸侯辟⑧舍，纳筦籥，摄衽抱机，视膳于堂下。天子已食，乃退而听朝也。'鲁人投其籥，不果纳。不得入于鲁。将之薛，假途于邹。当是时，邹君死，湣王欲入吊，夷维子谓邹之孤曰：'天子吊，主人必将倍⑨殡棺，设北面于南方，然后天子南面吊也。'邹之群臣曰：'必若此，吾将伏剑而死！'固不敢入于邹。邹、鲁之臣，生则不得事养，死则不得赙襚⑩，然且欲行天子之礼于邹、鲁，邹、鲁之臣不果纳。今秦万乘之国也，梁亦万乘之国也。俱据万乘之国，各有称王之名，睹其一战而胜，欲从而帝之，是使三晋之大臣不如邹、鲁之仆妾也。且秦无已而帝，则且变易诸侯之大臣。彼将夺其所不肖而与其所贤，夺其所憎而与其所爱。彼又将使其子女谗妾为诸侯妃姬，处梁之宫。梁王安得晏然而已乎？而将军又何以得故宠乎？"

[注释]

①宁：难道，岂。②烹醢：煮成肉粥。醢，肉酱。③子：女儿。④好：姣美。⑤恶：丑陋，不好看。⑥脯：肉干。⑦太牢：牛、羊、猪各一头。十太牢是款待诸侯的礼数。⑧辟：同"避"，躲开。⑨倍：通"背"，倒过来。⑩赙襚：送给丧家的礼物。赙指货财，襚指衣被。

[译文]

新垣衍说："难道先生您没见过奴仆吗？十个奴仆侍候一个主人，难道是奴仆们力气不够、才智不行吗？不，是因为奴仆害怕主人。"鲁仲连说："哼！魏国和秦国的关系难道像仆人与主子吗？"

新垣衍说:"是的。"鲁仲连说:"那我就让秦王把魏王做成肉酱吧。"新垣衍听后很生气,说:"呵呵,您说得也太夸张了吧!您有让秦王把我们魏王做成肉酱的办法吗?"鲁仲连说:"当然有,我说给您听。从前,九侯、鄂侯、文王是殷纣王的三公。九侯有个女儿长得很漂亮,他把女儿献给了殷纣王,殷纣王却很不喜欢九侯的女儿,就把九侯剁成了肉酱。鄂侯极力劝谏,想为九侯辩解,殷纣王就把鄂侯杀掉,做成了肉干。文王听说后,发出一声长叹,殷纣王就把他囚禁在羑里的监牢里,关押了一百多天,想把他弄死。同样是王,为什么有的人最终落到被剁成肉酱、做成肉干的地步呢?齐湣王到鲁国去,夷维子跟着他,替他赶车,夷维子对鲁国人说:'你们准备用什么样的礼节来接待我们的国君呢?'鲁国人说:'我们打算用十太牢的礼数接待你们的国君。'夷维子说:'你们这是从哪里学来的接待我们国君的礼仪?我们国君是天子。天子巡视天下,各国的诸侯都应腾出自己的宫殿让天子住,把自己城门、宫门的钥匙交给天子,挽起袖子,端着托盘,低头站在堂下伺候天子用膳。天子吃完后,诸侯才可以退回朝堂处理自己国家的事务。'鲁国人一听,就关门上锁,不让齐湣王进来。齐湣王不能进入鲁国,打算取道邹国前往薛地。当时,恰逢邹国国君去世,齐湣王想入境吊孝,夷维子对邹国的太子说:'天子给人吊孝,丧主家一定要把灵柩转换方向,让它头朝北安放,这才便于天子面向南吊唁。'邹国大臣们一听,便说:'如果一定要这样做,我们宁愿伏剑自杀!'所以齐湣王也就不敢进入邹国。对于邹、鲁两国的臣民,在国君活着的时候缺衣少食,国君死了之后,他们也拿不出像样的吊礼,然而当齐王想要在邹、鲁两国享受天子的待遇时,邹、鲁的臣民却拒绝齐王入境。如今,秦国是一个万乘之国,魏国也是个万乘之国。同样是万乘之国,又各有称王的名分,就因为看到秦国打了一次胜仗,就要顺从它并尊它为帝,这说明昔日曾是三晋重臣的魏国还不如邹、鲁的那些奴仆、婢妾。况且，不是说秦国一称帝就万事大吉了，他们称帝后还要更换各个诸侯国的国君。要撤换掉他们认为不听话的而换上他们所看好的人，罢免他们所憎恶的而换上他们所喜爱的人。他们还要把大量秦国女子、好谗害人的姬妾派给各个诸侯做妃嫔，住在魏国的宫殿里。这样一来，你们魏王怎么还能安安稳稳地生活呢？而将军您又怎么能保持住原有的宠信呢？"

于是新垣衍起，再拜谢曰："始以先生为庸人，吾乃今日知先生为天下之士也。吾请出，不敢复言帝秦。"秦将闻之，为却军五十里。适会魏公子无忌夺晋鄙军以救赵，击秦军，秦军遂引而去。

[译文]

听完这些，新垣衍羞愧地站起身来，连拜两次之后道歉说："刚开始我把您当成了庸人，现在我才知道先生您的确是天下少有的奇士。我将离开赵国，再不敢提尊秦为帝的事情了。"秦军将领听到这个消息，为此让军队后退了五十里。恰好魏公子无忌窃取兵符，夺取了晋鄙的军权，率军来救赵国，攻打秦军，秦军也就撤兵离开邯郸了。

于是平原君欲封鲁连，鲁连辞让者三，终不肯受。平原君乃置酒，酒酣起前，以千金为鲁连寿。鲁连笑曰："所贵于天下之士者，为人排患释难解纷乱而无取也。即有取者，是商贾之事也，而连不忍为也。"遂辞平原君而去，终身不复见。

[译文]

这事过后，平原君想封赏鲁仲连，鲁仲连再三推辞，最终也没有接受。平原君就设宴招待他，喝到兴奋时，平原君起身到鲁仲连面前，送上千金来酬谢鲁仲连。鲁仲连笑着说："天下高洁之士看重的是能为他人排忧解难却不求取报酬。如果收取了报酬，那就成了商人的行为，我鲁仲连是不会如此行事的。"说完就和平原君挥别，从此不复再见。

其后二十余年，燕将攻下聊城。聊城人或谗之燕，燕将惧诛，因保守聊城，不敢归。齐田单攻聊城岁余，士卒多死而聊城不下。鲁连乃为书，约之矢以射城中，遗燕将。书曰：吾闻之，智者不倍时而弃利，勇士不却①死而灭名，忠臣不先身而后君。今公行一朝之忿，不顾燕王之无臣，非忠也；杀身亡聊城，而威不信②于齐，非勇也；功败名灭，后世无称焉，非智也。三者世主不臣，说士不载，故智者不再计，勇士不怯死。今死生荣辱，贵贱尊卑，此时不再至，愿公详计而无与俗同。

[注释]

①却：避，回避。②信：通"伸"，畅行，远振。

[译文]

二十多年之后，燕将攻取聊城。有个聊城人向燕王说燕将的坏话，燕将害怕被杀，就据守着聊城不敢回去。齐国田单攻打聊城一年多，士兵死伤惨重，聊城却久攻不下。鲁仲连就给燕将写了一封信，缚在箭上射进城中。信上写道：我听说，聪明的人不会违背时势而放弃利益，勇敢的人不会逃避死亡而损害名声，忠臣不会先考虑自己而后再考虑国君。现在您为发泄一时的忿恨不回燕国，不念燕王正在用人之际，这就是不忠；自己战死而又丢失聊城，威名在齐国也不能得到传扬，这就是无勇；功业失败而声名湮灭，后人也不会赞美您，这就是不智。一个人若有此三种情况，君主不会考虑选用此人做自己的臣子，游说之人也不会谈论此人的事迹，所以，聪明的人不会翻来覆去考虑问题，勇武之士不会贪生怕死。如今，您就处在生死荣辱、贵贱尊卑的关键之时，如此的机会不会再有，希望您认真思考，不要使自己的观点流于俗人之见。

且楚攻齐之南阳，魏攻平陆，而齐无南面之心，以为亡南阳之害小，不如得济北之利大，故定计审处①之。今秦人下兵，魏不敢东面；衡秦之势成，楚国之形危；齐弃南阳，断右壤，定济北，计犹且为之也。且夫齐之必决于聊城，公勿再计。今楚魏交退于齐，而燕救不至。以全齐之兵，无天下之规②，与聊城共据期年之敝，则臣见公之不能得也。且燕国大乱，君臣失计，上下迷惑，栗腹以十万之众五折于外，以万乘之国被围于赵，壤削主困，为天下僇笑③。国敝而祸多，民无所归心。今公又以敝聊之民距全齐之兵，是墨翟之守也；食人炊骨，士无反外之心，是孙膑之兵也。能见于天下。虽然，为公计者，不如全车甲以报于燕。车甲全而归燕，燕王必喜；身全而归于国，士民如见父母，交游攘臂而议于世，功业可明。上辅孤主以制群臣，下养百姓以资④说士，矫国更俗，功名可立也。亡意亦捐燕弃世，东游于齐乎？裂地定封，富比乎陶、卫，世世称孤，与齐久存，又一计也。此两计者，显名厚实也，愿公详计而审处一焉。

[注释]

①审处：认真对待。审，精细。②规：打算，算计。③僇笑：耻笑。僇，同"戮"，侮辱。④资：供给。

[译文]

况且，楚国进攻齐国的南阳，魏国进攻齐国的平陆，而齐国并没有向南反击的意图，认为丢掉南阳的损失小，比不上攻取聊城的利益大，所以做出了决策认真对待。现在秦国派出军队，魏国不敢再向东进攻齐国；秦国连横的局面如形成，楚国的形势就危险了；齐国放弃南阳，豁出右边的平陆而不救，平定济北，这样的计策目前还算可行。况且齐国决心一定要夺回聊城，您不要再犹豫了。现在楚、魏两国都从齐国撤兵,而燕国救兵还没到。用齐国全部的兵力,对天下别无谋求,全力以赴攻打聊城,如果您想凭借这座已经被围困了一年多的疲惫不堪的聊城,来和整个齐国对抗,我看您是办不到的。况且燕国发生大乱,君臣都束手无策,上下迷惑,栗腹带领十万大军在外连续打了五次败仗,作为一个万乘之国却被赵国包围,土地被割让,君主被围困,被天下人耻笑。国家衰败,祸患丛生,民心无所归附。而今,您又用聊城疲惫的军民抵抗整个齐国军队的进攻,这就像墨翟守城一样;吃人肉、烧人的骨头,士兵却没有叛离之心,这就像孙膑擅长带兵一样。您的才能已经大大显现在天下了。即使这样,我替您考虑,不如保全兵力来报效燕国。军队完好地回归燕国,燕王一定高兴;身体无损地回国,百姓见您如同见到了父母,朋友们到一起都会高兴地到处议论您的英明,您的功业便可得以显扬。对上辅佐国君控制群臣,对下抚养百姓帮助游说之士,矫正国事,改变鄙俗,功业名声都可以建立。如果没有这个意思,就抛弃燕国,摒弃世俗,向东到齐国去,怎么样?齐国会割一块土地分封给您,您可以和魏冉、商鞅一样富贵无比,世世代代称孤,和齐国永远并存,这也是一种考虑。这两种计策,都是名声显扬利益丰厚的好主意,希望您仔细地考虑,慎重地选择其中一种。

且吾闻之,规小节者不能成荣名,恶小耻者不能立大功。昔者管夷吾射桓公中其钩,篡①也;遗公子纠不能死,怯也;束缚桎梏,辱也。若此三行者,世主不臣而乡里不通。乡使管子幽囚而不出,身死而不反于齐,则亦名不免为辱人贱行矣。臧获且羞与之同名矣,况世俗乎!故管子不耻身在缧绁②之中而耻天下之不治,不耻不死公子纠而耻威之不信于诸侯。故兼三行之过而为五霸首,名高天下而光烛③邻国。曹子为鲁将,三战三北,而亡地五百里。乡使④曹子计不反顾⑤，议不还踵⑥，刎颈而死，则亦名不免为败军禽⑦将矣。曹子弃三北之耻，而退与鲁君计。桓公朝天下，会诸侯，曹子以一剑之任，枝桓公之心于坛坫之上。颜色不变，词气不悖，三战之所亡一朝而复之。天下震动，诸侯惊骇，威加吴、越。若此二士者，非不能成小廉而行小节也，以为杀身亡躯，绝世灭后，功名不立，非智也。故去感忿之怨，立终身之名；弃忿悁之节，定累世之功。是以业与三王争流，而名与天壤相獘也。愿公择一而行之。

[注释]

①篡：逆夺，这里是犯上作乱的意思。②缧绁：拘系犯人的绳索。③烛：照，照耀。④乡使：当初假使。乡，通"向"。⑤计不反顾：誓不回头，即拼死疆场。计，决心。顾，回头看。⑥还踵：旋转脚跟，即回身。⑦禽：同"擒"，捕捉。

[译文]

我又听说，拘泥细枝末节的人不能成就大的名声，畏惧微小耻辱的人不能建立大的功业。过去管仲曾射中过齐桓公的衣带钩，这就是犯上作乱；放弃公子纠而不能随他同死，这就是胆小懦弱；身披刑具被投进监狱，这就是奇耻大辱。有了这样三种情况的人，任何一个君主都不会重用，而乡里的人也不会和他来往。假如当初管仲因为自己被囚禁狱中，至死也不返回齐国，那么他就难免落个可耻而卑贱的名声。奴婢都羞于和他同名，更何况是普通人呢！但是，管仲却不以身受囚禁为耻辱，而以自己不能平定天下为羞耻；不以没有追随公子纠赴死为耻辱，而以不能在诸侯中扬名为羞耻。所以，虽然身上兼有三种过失，管仲却能辅佐齐桓公成为五霸之首，名扬天下，光照邻国。曹沫做鲁国大将时，三战三败，丢掉了五百多里的土地。假使当初曹沫誓不回头，拼死疆场，刎颈自杀，那么，他也无非是个被擒的败军之将而已。但是，曹沫不顾三战皆败的耻辱,能够回来和鲁君一起计议国事。趁齐桓公大会天下诸侯的机会,他凭借一把利剑,在会盟坛台上抵住齐桓公的心口,面不改色,谈吐自如,三次战败丢掉的土地,瞬间就被索要了回来。天下为之震动,诸侯为之变色,鲁国的威名因此远达吴、越之地。像这两位志士,不是不能顾全廉耻而行小节,而是认为轻易舍弃生命,让自己绝代灭后,功名无法建立,这是愚蠢的行为。因此他们克制住一时的怨愤,确立了终身的功名;他们放弃了狭隘的气节,奠定数世的功业。凭借这些,他们的功业就可以和夏商周三代的开国国王媲美,他们的名声就可以和天地共存。希望先生您选择其中一种计策行动吧。

燕将见鲁连书,泣三日,犹豫不能自决。欲归燕,已有隙①,恐诛;欲降齐,所杀虏于齐甚众,恐已降而后见辱。喟然叹曰:"与人刃我,宁自刃。"乃自杀。聊城乱,田单遂屠聊城。归而言鲁连,欲爵之。鲁连逃隐于海上,曰:"吾与富贵而诎②于人,宁贫贱而轻世肆志焉。"

[注释]

①隙:隔阂,裂痕。②诎:屈服。

[译文]

燕将看过鲁仲连的来信,连续哭泣多日,依然犹豫不决。想回燕国,无奈已和燕王有了隔阂,怕被诛杀;想降齐国,无奈自己杀掉齐国的俘虏太多,又怕降服后受辱。他喟然长叹:"与其死于别人之手,还不如自我了断。"于是他选择了自杀。聊城大乱,田单就血洗了聊城。田单回来后向齐王报告鲁仲连的大功,齐王想要封鲁仲连爵位。鲁仲连就逃到海岛上隐居了起来,他说:"与其贪恋富贵而屈身侍奉别人,还不如贫贱而自在地生活呢。"

邹阳者，齐人也。游于梁，与故吴人庄忌夫子、淮阴枚生之徒交。上书而介于羊胜、公孙诡之间。胜等嫉邹阳，恶①之梁孝王。孝王怒，下之吏，将欲杀之。

[注释]

①恶：谗言诽谤。

[译文]

邹阳是齐国人。他游历到梁国，和原来吴国人庄忌、淮阴人枚乘这些人交往。他上书梁孝王而得到赏识，因而得以与羊胜、公孙诡等人并列。羊胜等人妒忌邹阳，在梁孝王面前说邹阳的坏话。梁孝王很生气，就把邹阳交给狱吏查办，想要杀掉他。

邹阳客游，以谗见禽，恐死而负累①，乃从狱中上书曰：臣闻忠无不报，信不见疑，臣常以为然，徒虚语耳。昔者荆轲慕燕丹之义，白虹贯日，太子畏之；卫先生为秦画长平之事，太白蚀昴②，而昭王疑之。夫精③变天地而信不喻④两主，岂不哀哉！今臣尽忠竭诚，毕议愿知；左右不明，卒从吏讯，为世所疑。是使荆轲、卫先生复起，而燕、秦不悟也。愿大王孰察之。

[注释]

①累：恶名，罪名。②太白蚀昴：太白星运行到昴星的位置。③精：精诚，真诚。④喻：使人了解。

[译文]

邹阳客居梁国，因为别人的谗言而被捕入狱，害怕死后身负恶名，就在狱中上书梁孝王说：我听说忠诚的人没有得不到回报的，诚信的人是不会被怀疑的，我总认为这种说法正确，今天看来此话不过是一句空话而已。从前，荆轲仰慕燕太子丹的大义，他舍身刺秦的诚心，感动得上天出现"白虹贯日"的景象，可是燕太子丹却怀疑荆轲心存畏惧；长平之战时，卫先生为秦国出谋划策，让秦军大胜，他的精诚感动得上天出现了"太白蚀昴"的景象，而秦昭王却对他产生了怀疑之心。他们二人的精诚能够感动上天，却不能取信于燕太子丹和秦昭王，难道不值得悲哀吗！现在我竭尽忠诚，希望您能有所了解。您身边的人不了解情况，结果把我交给法吏审讯，从而让世人都觉得我是真的犯了罪。这是让荆轲、卫先生复活，而燕太子丹、秦昭王却不醒悟的悲剧重演啊。希望大王仔细地审察这件事。

昔卞和献宝，楚王刖之；李斯竭忠①，胡亥极刑。是以箕子详狂②，接舆辟世③，恐遭此患也。愿大王孰察卞和、李斯之意，而后楚王、胡亥之听，无使臣为箕子、接舆所笑。臣闻比干剖心，子胥鸱夷④，臣始不信，乃今知之。愿大王孰察⑤，少加怜焉。

[注释]

①竭忠：尽忠。②详狂：假装疯狂。详，通"佯"。③辟世：隐居不仕。④鸱夷：皮袋子。⑤孰察：仔细体察。孰，通"熟"。

[译文]

从前，卞和进献宝玉，却被楚王砍掉了脚；李斯竭尽忠诚，却被胡亥处以极刑。因此，商朝的箕子装疯卖傻，楚国的接舆隐居不仕，都是因为恐惧自己遭遇这样的祸患啊。希望大王仔细体察卞和、李斯悲剧的意蕴，而不要像楚王、胡亥那样听信谗言，不要让我被箕子、接舆所取笑。我曾听说比干被剖心、伍子胥的尸体被装进皮口袋投入江中，开始我并不相信，现在我才明白这事是可能的。希望大王明察，稍微怜惜一下我吧！

谚曰："有白头如新①，倾盖如故②。"何则？知与不知也。故昔樊於期逃秦之燕，借荆轲首以奉丹之事；王奢去齐之魏，临城自刭以却齐而存魏。夫王奢、樊於期非新于齐、秦而故于燕、魏也，所以去二国死两君者，行合于志而慕义无穷也。是以苏秦不信于天下，而为燕尾生③；白圭战亡六城，为魏取中山。何则？诚有以相知也。苏秦相燕，燕人恶之于王，王按剑而怒，食以駃騠；白圭显于中山，中山人恶之魏文侯，文侯投之以夜光之璧。何则？两主二臣，剖心坼肝相信，岂移于浮辞哉！

[注释]

①白头如新：两个人交了一辈子朋友，到头来还是互相不了解，像陌生人一样。②倾盖如故：两人路途偶然相遇，停车短暂交谈，就如同老朋友一样倾心。盖，车篷。③尾生：传说中的一个信守诺言的男子，他曾因为和女友约定在桥下约会，就在桥下等待，即使洪水袭来依然不避让，结果被淹死。

[译文]

俗话说："有的人相处一辈子还像陌生人，有的人偶然相遇就如同老朋友。"什么原因呢？关键是能否相互了解。所以，以前樊於期从秦国逃到燕国，把自己的头颅交给荆轲让他去完成燕太子丹交给的任务；王奢离开齐国来到魏国，在城头自刎以退去齐兵保全魏国。王奢、樊於期和齐国、秦国有老交情，而和魏国、燕国只是新相识，他们之所以离开齐国和秦国，为魏、燕两国的君主去死，就是因为两国君主的行为合乎他们的志向，合乎他们对于正义的无限仰慕。因此，苏秦虽不被天下人信任，但他却像古人尾生一样对燕国信守约定；白圭战败丢掉了六座城池，却为魏国夺取了中山。这是为什么呢？是因为他们得到了真真切切的信任。苏秦出任燕国的相，有人在燕王面前说苏秦的坏话，燕王手按宝剑对着说坏话的人发怒，却把宝马的肉送给苏秦吃；白圭因为有功在中山国很显贵，中山人就在魏文侯面前诋毁他，魏文侯却把夜光美玉送给白圭。这是为什么呢？是因为他们君臣之间，相互信任，彼此披肝沥胆，不会因为流言飞语而有所改变！

故女无美恶，入宫见妒；士无贤不肖，入朝见嫉。昔者司马喜髌脚于宋，卒相中山；范雎摺肋①折齿于魏，卒为应侯。此二人者，皆信必然之画，捐②朋党之私，挟孤独之位，故不能自免于嫉妒之人也。是以申徒狄自沉于河，徐衍负石入海。不容于世，义不苟取比周③于朝，以移主上之心。故百里奚乞食于路，缪公委之以政；宁戚饭牛车下，而桓公任之以国。此二人者，岂借宦于朝，假誉于左右，然后二主用之哉？感于心，合于行，亲于胶漆，昆弟不能离，岂惑于众口哉？故偏听生奸，独任成乱。昔者鲁听季孙之说而逐孔子，宋信子罕之计而囚墨翟。夫以孔、墨之辩，不能自免于谗谀，而二国以危。何则？众口铄金，积毁销骨④也。是以秦用戎人由余而霸中国，齐用越人蒙而强威、宣。此二国，岂拘于俗、牵于世，系阿⑤偏之辞哉？

[注释]
①摺肋：折断肋骨。②捐：抛弃，放弃。③比周：结党营私，狼狈为奸。④积毁销骨：指所受的诽谤之多，连骨骸都能被熔化。⑤阿：偏、私，不公正。

[译文]
　　因此，一个女子不论漂亮或者丑陋，一旦为君主所宠幸，她就会遭人嫉妒；一个士子不论他聪明还是愚蠢，一旦入朝做官就会被人嫉恨。从前，司马喜在宋国被挖去膝盖骨，最终却在中山国当了相；范雎在魏国被打得肋断牙落，最终却被秦国封为应侯。这两个人都能坚守自己的原则，不肯拉帮结派，总是独来独往，所以难免受人嫉妒。申徒狄之所以投河自尽，徐衍之所以抱着石头跳海，都是因为他们按照道义不在朝廷里结党营私、狼狈为奸，来动摇君主的心志，所以不被俗人认可。百里奚在路上行乞，秦穆公却把国政委托给他；宁戚在车下喂牛，齐桓公照样把国政委托给他。这两个

人，难道是借助朝中同僚的举荐、左右的吹捧才得到秦穆公、齐桓公的重用吗？他们君臣之间肝胆相照，做事的风格相同，情谊如胶似漆，就是亲兄弟也无法挑拨他们的关系，难道还能为众人的谗言所迷惑吗？因此偏听偏信就会催生奸邪小人，倚重个别人就会出现祸患动乱。从前，鲁国国君听信季孙氏的谗言赶走了孔子，宋国国君听信子罕的言语囚禁了墨翟。像孔子、墨子这样的辩才，却不能让自己免遭谗言，鲁、宋两国也因此出现了危机。为什么会这样呢？因为众口一词，会熔化金石；积聚诽谤，能销毁骨骸。因此，秦国任用了戎人由余而称霸中国，齐国任用了越人蒙而在威、宣两王时大为强盛。秦、齐这两个国家，难道是世俗的见解可以牵制，荒唐的言辞可以束缚的吗？

公听并观，垂名当世。故意合则胡越为昆弟，由余、越人蒙是矣；不合，则骨肉出逐不收，朱、象、管、蔡是矣。今人主诚能用齐、秦之义，后宋、鲁之听，则五伯不足称，三王易为也。

[译文]

公正地听取意见，全方位地观察问题，才能在当世赢得良好的名声。因此，只要心意相合，就是胡人越人也可以亲如兄弟，由余和越人蒙就是这样；心意不合，即使是亲兄弟也会被赶走，朱、象、管、蔡等就是这样。如今国君您如果真能效法齐、秦两国君主的做法，不像宋、鲁两国君主那样偏听偏信，那么，五霸的事业也就不值得称颂，三王的功业也就容易实现了。

是以圣王觉寤①，捐子之之心，而能不说于田常之贤；封比干之后，修孕妇之墓，故功业复就于天下。何则？欲善无厌②也。夫晋文公亲其雠，强霸诸侯；齐桓公用其仇，而一匡天下。何则？慈仁殷勤，诚加于心，不可以虚辞借③也。

[注释]

①寤：通"悟"，醒悟。②厌：倦怠。③借：应付，支应。

[译文]

因此，贤明的君主透彻明白，能识破子之之流的险恶用心，而果断地抛弃他，也不会被田常所谓的贤能蒙蔽；他们封赏比干的后代，修葺孕妇的坟墓，因此会成就功业。为什么呢？是因为他们做善事不知疲倦。晋文公亲近自己的仇人，最后称霸诸侯；齐桓公重用自己的仇人，最后匡正天下。为什么呢？是因为他们心存仁慈，做事勤勉，内心真诚，不用空话应付别人。

至夫秦用商鞅之法，东弱韩、魏，兵强天下，而卒车裂之；越用大夫种之谋，禽劲吴，霸中国，而卒诛其身。是以孙叔敖三去相而不悔，於陵子仲辞三公为人灌园。今人主诚能去骄傲之心，怀可报之意，披心腹，见情素①，堕②肝胆，施德厚，终与之穷达③，无爱于士，则桀之狗可使吠尧，而跖之客可使刺由；况因万乘之权，假圣王之资乎？然则荆轲之湛④七族，要离之烧妻子，岂足道哉！

[注释]

①见情素：以真心待人。情素，真情。②堕：输。③穷：指逆境、困窘。达：指顺境、显达。④湛：通"沉"，没，诛灭。

[译文]

秦国采纳商鞅的变法主张，向东削弱了韩、魏两国，使得军事实力在天下最为强大，而最终却车裂商鞅；越国采纳大夫文种的计谋，灭掉了强大的吴国，称霸中国，而最终却杀死文种。因此，孙叔敖三次被免除相位却从不懊悔，於陵子仲推辞了三公的职位去为别人浇灌菜园。如今的君主如果真的能去掉骄傲之心，怀着报答之意，袒露心迹，肝胆相照，广施恩德，与人同甘共苦，对待士人毫不吝啬，那么，就可以让夏桀的狗去撕咬尧，也可以让盗跖的门客去行刺许由；何况您有如此显赫的地位和权势呢？既然如此，那么荆轲甘冒被灭七族的危险行刺秦王，要离让阖庐烧死自己的妻子儿女，又有什么值得称道的呢！

臣闻明月之珠，夜光之璧，以闇①投人于道路，人无不按剑相眄②者。何则？无因而至前也。蟠木③根柢④，轮囷⑤离诡，而为万乘器者。何则？以左右先为之容⑥也。故无因至前，虽出随侯之珠，夜光之璧，犹结怨而不见德；故有人先谈，则以枯木朽株树功而不忘。今夫天下布衣穷居之士，身在贫贱，虽蒙尧、舜之术，挟伊、管之辩，怀龙逢、比干之意，欲尽忠当世之君，而素无根柢之容，虽竭精思，欲开忠信，辅人主之治，则人主必有按剑相眄之迹，是使布衣不得为枯木朽株之资也。

[注释]

①闇：昏暗。又写作"暗"。②眄：斜视。③蟠木：弯曲的木头。④根柢：树根。⑤轮囷：屈曲盘旋的样子。⑥容：雕刻，修饰。

[译文]

我听说，在黑暗的道路上，即使把月明珠和夜光璧扔给人，人们也会按剑斜视。原因何在？是因为它们出现得过于突兀。弯曲的枝干和树根，盘根错节，样子怪异，却被君王重视。原因何在？是因为周围的人事先把它修饰了。所以无端地出现在面前，即使是随侯珠、夜光璧，也只会为人厌恶难被赏识；如有人事先说了一些好话，就是枯木朽根也会产生功效而受人重视。如今那些生活困顿的士人，身处贫贱之中，即使拥有尧、舜一样的才能，身怀伊尹、管仲一样的才智，有着龙逢、比干一样的耿耿忠心，想要为君王尽忠，但是就因为没有像枯木朽根那样被人美化，所以即使用尽心智，想要展示自己的忠信，辅佐人主治国安邦，君主一定也会有按剑斜视的举动，这就导致布衣之士的遭遇还不如枯木朽根啊！

是以圣王制世御俗，独化①于陶钧之上，而不牵于卑乱之语，不夺于众多之口。故秦皇帝任中庶子蒙嘉之言，以信荆轲之说，而匕首窃发；周文王猎泾、渭，载吕尚而归，以王天下。故秦信左右而杀，周用乌集②而王。何则？以其能越挛拘③之语，驰域外之议，独观于昭旷④之道也。

[注释]

①独化：独立运作。②乌集：乌合。③挛拘：牵系，束缚。④昭旷：宽宏，豁达。昭，明。旷，广。

[译文]

所以圣明的君主治理国家，要独立自主地运用管理大权，而不被粗鄙混乱的言语所左右，不为众人的口舌而改变。所以，秦始皇听信了中庶子蒙嘉的话语，才相信了荆轲的说法，让藏于图中的匕首得以悄悄近前；周文王在泾、渭一带狩猎，用车载回了吕尚，才得以称王天下。所以秦王是偏信了左右的话而险遭刺杀，周文王却用偶遇之人而称王天下。原因何在？因为周王能不理睬身边亲信的言语，而让海内的人畅所欲言，所以他能独自看清光明平坦的大道。

今人主沉于谄谀之辞，牵于帷裳①之制，使不羁之士与牛骥同皂②，此鲍焦所以忿于世而不留富贵之乐也。

[注释]

①帷裳：帷帐。这里指贴身的臣妾。②皂：马槽。

[译文]

如今的君王却沉醉于花言巧语之中，为周围的近臣所牵制，待那些才智出众之士如同牛马，这就是鲍焦对世道忿忿不平、对富贵的快乐毫不留恋的原因啊。

臣闻盛饰①入朝者不以利污义,砥厉②名号者不以欲伤行③,故县名"胜母"而曾子不入,邑号"朝歌"而墨子回车。今欲使天下寥廓④之士,摄于威重之权,主于位势之贵,故回面污行以事谄谀之人而求亲近于左右,则士伏死堀穴岩薮之中耳,安肯有尽忠信而趋阙下者哉!

书奏梁孝王,孝王使人出之,卒为上客。

[注释]

①盛饰:指修养德行。②砥厉:砂石、磨石,即磨炼的意思。③行:品行,操守。④寥廓:广远宏阔。

[译文]

我听说品行高洁的人在朝堂之上不会因私利而损害道义,看重名节的人不会让自己的欲望伤害自己的品行,因此,看到一个县城的名字叫做"胜母",曾子就不肯进去;看到一个城邑名叫"朝歌",墨子就回车离开。而今,想让有志之士为威重的权势所挟制,高贵的权位所主宰,改变自己的面貌,败坏自己的操行,来侍奉那些阿谀谄媚的小人,以求得亲近于大王,那些有志之士宁可老死在洞穴之中,怎么会竭尽忠信前来投奔!

这封信上奏梁孝王,梁孝王派人把邹阳放了出来,并最终将邹阳奉为座上宾。

太史公曰:鲁连指意①虽不合大义,然余多②其在布衣之位,荡然③肆志,不诎于诸侯,谈说于当世,折④卿相之权。邹阳辞虽不逊,然其比物连类⑤,有足悲者,亦可谓抗直不桡⑥矣,吾是以附之列传焉。

[注释]

①指意:意思,意图。②多:称道,赞扬。③荡然:逍遥散荡。④折:

使屈服。⑤比物连类：指为文善用比喻，且辞出不穷。⑥桡：通"挠"，屈。

[译文]

　　太史公说：鲁仲连的行事方式虽然与大义不符，但我欣赏他能以平民百姓的身份，自由自在地张扬自己的性情，不屈服于诸侯，以健谈闻名于当时，能使卿相们为之折服。邹阳的言辞虽然不够雅驯，但是他的文章善于用类比，确实有动人之处，他的为人也称得上刚强正直了，因此，我把他们也都补充进了列传里。

卷八十五

吕不韦列传

吕不韦者,阳翟大贾人也。往来贩贱卖贵,家累①千金②。

[注释]

①累:积聚。②千金:秦朝时一金为二十两或二十四两。千金,指非常富有。

[译文]

吕不韦是韩国阳翟的大商人。他穿梭各地,贱买贵卖,积聚起了千金的家产。

秦昭王四十年,太子死。其四十二年,以其次子安国君为太子。安国君有子二十余人。安国君有所甚爱姬①,立以为正夫人,号曰华阳夫人。华阳夫人无子。安国君中男名子楚,子楚母曰夏姬,毋爱。子楚为秦质子②于赵。秦数攻赵,赵不甚礼子楚。

[注释]

①姬：妾的统称。②质子：人质。

[译文]

秦昭王四十年，太子去世了。昭王四十二年，他册立自己的次子安国君为太子。安国君有二十多个儿子。有个妃子他最为宠爱，就把她册立为正夫人，人称之为华阳夫人。华阳夫人没有儿子。安国君有个排行居中的儿子叫子楚，子楚的母亲是夏姬，不受安国君宠爱。因此，子楚被秦国派到赵国当人质。因为秦国多次攻打赵国，赵国对子楚也不怎么礼貌。

子楚，秦诸庶孽孙①，质于诸侯，车乘进用②不饶③，居处困，不得意。吕不韦贾邯郸，见而怜之，曰："此奇货可居。"乃往见子楚，说曰："吾能大子之门。"子楚笑曰："且自大君之门，而乃大吾门！"吕不韦曰："子不知也，吾门待子门而大。"子楚心知所谓，乃引与坐，深语④。吕不韦曰："秦王老矣，安国君得为太子。窃闻安国君爱幸华阳夫人，华阳夫人无子，能立適嗣⑤者独华阳夫人耳。今子兄弟二十余人，子又居中，不甚见幸，久质诸侯。即大王薨，安国君立为王，则子毋几⑥得与长子及诸子旦暮在前者争为太子矣。"子楚曰："然。为之奈何？"吕不韦曰："子贫，客于此，非有以奉献于亲及结宾客也。不韦虽贫，请以千金为子西游，事安国君及华阳夫人，立子为適嗣。"子楚乃顿首曰："必如君策，请得分秦国与君共之。"

[注释]

①庶孽孙：非嫡子正妻所生的孩子，即姬妾所生的王孙。②进用：生活日用品。进，通"赆"，指钱财。③不饶：不富裕。④深语：指推心置腹地深谈。⑤適嗣：正妻所生的长子，此处实指王位的继承人。適，通"嫡"。⑥毋几：没有希望。

吕不韦列传　133

[译文]

子楚是秦昭王的一个非嫡系的普通王孙，因为在赵国当人质，所以他乘的车马和日用品都很困窘，日子过得捉襟见肘，很不如意。吕不韦在邯郸做生意，见到子楚后非常同情他，寻思道："子楚就像一件奇货，值得收藏。"于是他就前去拜见子楚，他对子楚说道："我能光大您的门庭。"子楚冷笑着说："你还是先光大你自家的门庭后，再来光大我的门庭吧！"吕不韦说："这您就不知道了，我家的门庭要等待您的门庭光大了之后才能光大。"子楚这才明白吕不韦所说的话暗藏机锋，就请他坐下来进一步深谈。吕不韦说："现在秦王人到暮年，安国君已被册立为太子。我私下听说安国君非常宠爱华阳夫人，华阳夫人虽然没有儿子，但能够影响太子继承人选的却只有华阳夫人一个。您现在有兄弟二十多个，而您的排行又居于中间，不太受父亲喜欢，又长期在诸侯国当人质，假如某天秦王去世，安国君继承了王位，您也不可能与您的长兄以及早晚都在安国君身边的您的其他兄弟们争夺太子的位置。"子楚说："您说得对，对此我该怎么办呢？"吕不韦说："您本就很穷，又长期住在赵国，自然也拿不出什么值钱的东西去孝敬长辈，结交宾客。虽然在下也不富有，但我愿意拿出千金，西去秦国，为您进行游说，在安国君和华阳夫人面前为您做工作，让他们立您为嫡子。"子楚一听便叩头拜谢说："如果您的计划真能得以实现，我愿意分秦国的一半给您。"

吕不韦乃以五百金与子楚，为进用，结宾客；而复以五百金买奇物玩好，自奉而西游秦，求见华阳夫人姊，而皆以其物献华阳夫人。因言子楚贤智，结诸侯宾客遍天下，常曰："楚也以夫人为天，日夜泣思太子及夫人。"夫人大喜。不韦因使其姊说夫人曰："吾闻之，以色事人者，色衰而爱弛。今夫人事太子，甚爱而无子，不以此时蚤①自结于诸子中贤孝者，举立以为适而子之，夫在则重尊，夫百岁之后，所子者为王，终不失势，此所谓一言而万世之利也。不以繁华时树本②，即色衰爱弛后，虽欲开一语，尚可得乎？今子楚贤，而自知中男也，次不得为适，其母又不得幸，自附夫人，夫人诚以此时拔以为適，夫人则竟世有宠于秦矣。"华阳夫人以为然，承太子间，从容言子楚质于赵者绝贤，来往者皆称誉之。乃因涕泣曰："妾幸得充后宫，不幸无子，愿得子楚立以为適嗣，以托妾身。"安国君许之，乃与夫人刻玉符，约以为適嗣。安国君及夫人因厚馈遗③子楚，而请吕不韦傅之，子楚以此名誉益盛于诸侯。

[注释]

①蚤：通"早"。②树本：打下根基。③馈遗：赠送。

[译文]

于是，吕不韦就拿出五百金送给子楚，作为他日常生活和交结宾客的费用；又拿出五百金购买珍奇异宝，自己带着西去秦国游说。他先拜见华阳夫人的姐姐，托她把带来的珍宝全部献给了华阳夫人。他趁机在华阳夫人的姐姐面前说子楚是多么聪明贤能，所结交的诸侯宾客遍及天下，还说自己常常听子楚念叨："子楚我把华阳夫人看得和天一样，经常因思念太子和夫人而暗自流泪。"华阳夫人听后非常高兴。吕不韦又趁机让华阳夫人的姐姐劝告华阳夫人说："我听人说用美色来侍奉别人的人，一旦年老色衰，得到的宠爱也就随之减少。现在夫人您侍奉太子，非常受宠爱，却没有自己的儿子，不如趁早在太子的众儿子中物色一个有才能而又孝顺的人，认作自己的儿子，并立他为继承人，这样，丈夫在世时您的势重位尊，丈夫去世了，自己册立的儿子又继位为王，自己的权势同样也不会失去，这就是人们所说的一句话能得到万世的好处啊。不在年轻貌美之时立下根本，等到年老色衰，失去宠爱后，即使再想说什么话，还会有可能吗？现在子楚很有才，但他知道自己排行居中，按次序无法被立为继承人，他的生母又不受宠爱，所以他主动想依附于您，假如现在您能让他当继承人，那么夫人您这一生在秦国都会受到尊宠了。"华阳夫人深深以为言之有理。于是，就找个机会，故作随意地在安国君面前说起了在赵国做人质的子楚，夸奖他贤明过人，和他交往的人都对他赞不绝口。接着，华阳夫人眼含热泪说："贱妾有幸能进入您的后宫，但不幸的是没有生出一男半女，我希望能收子楚当儿子，并盼望您能立他做您的继承人，这样我日后也好有个依靠。"安国君对华阳夫人言听计从，还给华阳夫人刻下玉符，约定立子楚为继承人。之后，安国君和华阳夫人赏赐给子楚许多礼物，还聘请吕不韦做子楚的老师，于是，子楚在诸侯中声名大噪。

吕不韦取邯郸诸姬绝好①善舞者与居，知有身②。子楚从不韦饮，见而说之，因起为寿，请之。吕不韦怒，念业已破家为子楚，欲以钓奇，乃遂献其姬。姬自匿有身，至大期③时，生子政。子楚遂立姬为夫人。

[注释]

①绝好：特别漂亮。②有身：指怀孕。③大期：十二个月。

[译文]

吕不韦与一个漂亮而又善歌舞的邯郸女子赵姬同居，不久，知道她怀了孕。某天，子楚和吕不韦一起喝酒，看到赵姬后非常喜欢，就站起身来向吕不韦祝酒，请求吕不韦把赵姬转给他。吕不韦很生气，但转念一想，自己目前已经弄得将要倾家荡产，为的就是要用子楚作诱饵钓取利益，于是就忍痛割爱，把赵姬献给了子楚。赵姬对子楚隐瞒了自己已经怀孕的事实，怀孕到期，她生下嬴政。子楚于是册立赵姬为夫人。

秦昭王五十年，使王齮围邯郸，急，赵欲杀子楚。子楚与吕不韦谋，行金六百斤予守者吏，得脱，亡赴秦军，遂以得归。赵欲杀子楚妻子，子楚夫人赵豪家女也，得匿，以故母子竟得活。秦昭王五十六年，薨，太子安国君立为王，华阳夫人为王后，子楚为太子。赵亦奉子楚夫人及子政归秦。

[译文]

秦昭王五十年，派王齮围攻邯郸，赵国的形势危急，赵国人想杀死子楚。子楚和吕不韦密谋后，拿出六百斤黄金贿赂守城官吏，得以脱身逃到秦军大营，后来才回到了秦国。赵国想杀掉子楚的妻子和儿子，由于子楚的夫人是赵国富豪家的女儿，便逃到娘家躲藏起来，因此他们母子二人最终得以活命。秦昭王五十六年，昭王去世，太子安国君继承王位，华阳夫人被册立为王后，子楚被册立为太子。赵国就把子楚的夫人和儿子嬴政护送回了秦国。

秦王立一年，薨，谥为孝文王。太子子楚代立，是①为庄襄王。庄襄王所母②华阳后为华阳太后，真母③夏姬尊以为夏太后。庄襄王元年，以吕不韦为丞相，封为文信侯，食河南雒阳十万户。

[注释]

①是：这。②所母：所拜认的母亲。③真母：生母。

[译文]

安国君即位的当年就去世了，谥号为孝文王。太子子楚继承了王位，他就是庄襄王。庄襄王尊自己所拜认的母亲华阳王后为华阳太后，尊自己的亲生母亲夏姬为夏太后。庄襄王元年，子楚任命吕不韦为丞相，封他为文信侯，把河南洛阳一带十万户封给吕不韦作食邑。

吕不韦列传　137

庄襄王即位三年，薨，太子政立为王，尊吕不韦为相国，号称"仲父"①。秦王年少，太后时时窃私通吕不韦。不韦家僮万人。

[注释]

①仲父：亚父，仅次于父亲。

[译文]

庄襄王在位三年就去世了，太子嬴政继立为王，尊奉吕不韦为相国，称他为"仲父"。当时秦王嬴政年纪小，太后常常和吕不韦私通。吕不韦家中奴仆多达万人。

当是时，魏有信陵君，楚有春申君，赵有平原君，齐有孟尝君，皆下士喜宾客以相倾①。吕不韦以秦之强，羞不如，亦招致士，厚遇之，至食客三千人。是时诸侯多辩士，如荀卿之徒，著书布天下。吕不韦乃使其客人人著所闻，集论以为八览、六论、十二纪、二十余万言。以为备天地万物古今之事，号曰《吕氏春秋》。布咸阳市门，悬千金其上，延诸侯游士宾客有能增损一字者予千金。

[注释]

①相倾：含有争高低胜负之意。

[译文]

这个时候，魏国有信陵君，楚国有春申君，赵国有平原君，齐国有孟尝君，他们都礼贤下士，喜欢结交宾客，以之互争高下。吕不韦认为秦国的实力如此强大，耻于在这方面落于人后，所以他也招纳贤士，给他们优厚的待遇，以至他门下的宾客达到了三千人之众。那时各诸侯国都有许多才辩之士，像荀况他们，所写的著作风靡天下。于是，吕不韦就让他的门客将各自所见所闻都记录下来，合在一起编辑为八览、六论、十二纪，共约二十多万字。他认为这部论著囊括了天地之间、古往今来万事万物的道理，所以将这部书命名为《吕氏春秋》。他把这部书公布在咸阳集市的大门之上，并在上面悬挂着一千金的赏金，广请来自四面八方的游士和宾客前来，谁要是能给文章添加一字或删减一字，就会得到千金赏赐。

始皇帝益壮，太后淫不止。吕不韦恐觉祸及己，乃私求大阴①人嫪毐以为舍人，时纵倡乐，使毐以其阴关②桐轮而行，令太后闻之，以啗③太后。太后闻，果欲私得之。吕不韦乃进嫪毐，诈令人以腐罪④告之。不韦又阴谓太后曰："可事诈腐，则得给事⑤中。"太后乃阴厚赐主腐者吏，诈论之，拔其须眉为宦者，遂得侍太后。太后私与通，绝爱之，有身。太后恐人知之，诈卜当避时⑥，徙宫居雍。嫪毐常从，赏赐甚厚，事皆决于嫪毐。嫪毐家僮数千人，诸客求宦为嫪毐舍人者千余人。

[注释]

①阴：指生殖器。②关：穿，挑。③啗：给……吃，这里是引诱的意思。④腐罪：应判处宫刑的罪。⑤给事：听候使唤。⑥避时：即所谓的"避时日"。人要改变一下住所，以避某种灾祸。

[译文]

秦始皇的年龄越来越大，但太后的淫荡还一如其故。吕不韦害怕此事被秦始皇知道后，灾祸最终会降临到自己身上，就暗地里找到了一个阴茎特别大、名叫嫪毐的人当自己的门客，每当家里举行歌舞表演时，就让嫪毐用阴茎穿过桐木轮子，挑着轮子来回走动，并设法让太后知道此事，以此来引诱她。太后听说之后，果然想暗中占有嫪毐。吕不韦就把嫪毐进献给了太后，让人假装告发他犯下了该受宫刑的罪行。吕不韦又暗中对太后说："先假装让他受宫刑，之后他就可以在宫中服侍您了。"太后就偷偷地贿赂主持宫刑的官吏，让他们在对嫪毐施宫刑之时弄虚作假，他们还特意拔掉了嫪毐的胡子，这样嫪毐就得以以宦官的身份侍奉太后了。太后暗中和嫪毐通奸，对他宠爱有加，不久就怀孕了。太后恐怕此事被人窥破，就谎称自己占卜的结果不吉利，需要换一个环境来躲避一下，于是她就到雍县的行宫去居住了。嫪毐常常跟在太后左右，得到了很多赏赐，太后的许多事情也都让嫪毐来决定。此时，嫪毐家中的奴仆多达几千人，那些为了当官来做嫪毐门客的也多达上千人。

始皇七年，庄襄王母夏太后薨。孝文王后曰华阳太后，与孝文王会葬寿陵。夏太后子庄襄王葬芷阳，故夏太后独别葬杜东，曰："东望吾子，西望吾夫。后百年，旁当有万家邑。"

[译文]

秦始皇七年，庄襄王的生母夏太后去世了。孝文王的王后华阳太后已经和孝文王合葬在了寿陵。夏太后的儿子庄襄王葬在了芷阳，所以夏太后就单独埋葬在了杜县城东，她曾说过："在这个地方向东可以看到我的儿子，向西可以看到我的丈夫。相信在百年之后，附近一定会发展出一个有着万户人家的城市。"

始皇九年，有告嫪毐实非宦者，常与太后私乱，生子二人，皆匿之，与太后谋曰："王即薨，以子为后。"于是秦王下吏治①，具②得情实，事连相国吕不韦。九月，夷③嫪毐三族④，杀太后所生两子，而遂迁太后于雍。诸嫪毐舍人皆没其家而迁之蜀。王欲诛相国，为其奉先王功大，及宾客辩士为游说者众，王不忍致法⑤。

[注释]

①下吏治：交给法吏去审讯。②具：通"俱"，全部。③夷：诛灭。④三族：指父族、母族和妻族。⑤致法：给予法律制裁。

[译文]

秦始皇九年，有人告发嫪毐不是一个真正的宦官，常常和太后私通淫乱，还生有两个儿子，他们都被隐瞒起来了，嫪毐还和太后密谋说："假如秦王死了，就让我们的儿子继承王位。"于是，秦始皇立即下令将嫪毐交给法官审讯，弄清了事情的全部真相，此事牵连到了相国吕不韦。当年九月，秦始皇下令诛灭了嫪毐家的三族，太后所生的两个儿子也被杀掉，并把太后迁到雍地去住。嫪毐所有的门客一律被没收家产，迁往蜀地。秦始皇还想杀掉相国吕不韦，但由于吕不韦在先王面前贡献巨大，又有很多宾客辩士为他求情，所以嬴政不忍心严惩吕不韦。

秦王十年十月，免相国吕不韦。及齐人茅焦说秦王，秦王乃迎太后于雍，归复咸阳，而出文信侯就国①河南。

[注释]

①就国：到自己的封地去。

[译文]

秦始皇十年十月，罢免了吕不韦的相国职务。由于齐人茅焦的劝谏，秦始皇才到雍地去接太后回咸阳，但秦始皇把吕不韦赶出了京城，让他到自己的封地河南去。

岁余，诸侯宾客使者相望于道，请①文信侯。秦王恐其为变，乃赐文信侯书曰："君何功于秦，秦封君河南，食十万户？君何亲于秦，号称仲父？其与家属徙处蜀！"吕不韦自度稍侵②，恐诛，乃饮鸩③而死。秦王所加怒吕不韦、嫪毐皆已死，乃皆复归嫪毐舍人迁蜀者。

[注释]

①请：问候，拜见。②稍侵：惩治的程度越来越重。稍，渐。侵，惩罚。

③鸩：毒酒。

[译文]

在吕不韦到河南之后的一年多里，前来拜见吕不韦的各诸侯国的宾客使者络绎不绝。秦始皇害怕他发动叛乱，就写信给吕不韦说："你对秦国有什么功劳，秦国却把河南十万户封给你作食邑？你和秦王有什么亲情，却被尊称为仲父？你现在要和家人一起马上迁到蜀地去居住！"吕不韦考虑到自己的处境已越来越糟，害怕将来被杀头，就喝了毒酒自尽。秦始皇见自己所痛恨的吕不韦、嫪毐都已经死掉，就让那些迁徙到蜀地的嫪毐的门客又都回到了京城。

始皇十九年，太后薨，谥为帝太后，与庄襄王会葬茞阳①。

[注释]

①茞阳：即"芷阳"。

[译文]

秦始皇十九年，太后去世，谥号为帝太后，把她与庄襄王合葬在了芷阳。

太史公曰：不韦及①嫪毐贵，封号文信侯。人之告嫪毐，毐闻之。秦王验左右，未发。上之雍郊，毐恐祸起，乃与党谋，矫太后玺发卒以反蕲年宫。发吏攻毐，毐败亡走，追斩之好畤，遂灭其宗。而吕不韦由此绌②矣。孔子之所谓"闻"者③，其吕子乎。

[注释]

①及：带给。②绌：通"黜"，贬退。③"闻"者：这里指表里不一的人。"闻"，指骗取名望。

[译文]

太史公说：吕不韦给嫪毐带来了贵显，吕不韦也被封为文信侯。当有人告发嫪毐，嫪毐便知道了。秦始皇只是查问了太后周围的人，还没有对他动手。秦始皇到雍地祭天，嫪毐害怕大祸将要临头，就和他的党羽密谋，盗用太后的印信调集军队在蕲年宫发动叛乱。秦始皇立即发兵讨伐嫪毐，嫪毐战败而逃，士兵追到好畤将其斩首，接着又将嫪毐灭门。而吕不韦也因此事遭到贬斥。孔子所说的徒有虚名的人，大概指的就是吕不韦这样的人吧。

卷八十六

刺客列传

曹沫者,鲁人也,以勇力事鲁庄公。庄公好力①。曹沫为鲁将,与齐战,三败北②。鲁庄公惧,乃献遂邑之地以和。犹复以为将。

[注释]

①好力:好勇斗狠。②败北:战败逃跑。北,通"背"。

[译文]

曹沫是鲁国人,凭借勇猛、好斗给鲁庄公做事。庄公是个好斗的人。曹沫当鲁国的将军,领兵和齐国作战,三战三败逃。鲁庄公害怕了,于是就把遂邑献给齐国以求得和解。却仍然还让曹沫当将军。

齐桓公许与鲁会于柯而盟。桓公与庄公既盟于坛上,曹沫执匕首劫齐桓公。桓公左右莫敢动,而问曰:"子将何欲?"曹沫曰："齐强鲁弱，而大国侵鲁亦甚矣。今鲁城坏即压齐境，君其图之。"桓公乃许尽归鲁之侵地。既已言，曹沫投其匕首，下坛，北面就群臣之位，颜色不变，辞令如故。桓公怒，欲倍①其约。管仲曰："不可。夫贪小利以自快，弃信于诸侯，失天下之援，不如与之。"于是桓公乃遂割鲁侵地，曹沫三战所亡地尽复予鲁。

[注释]

①倍：通"背"，背弃，违背。

[译文]

齐桓公答应和鲁庄公在柯地会盟。当桓公和庄公在盟坛上订立盟约后，曹沫突然掏出匕首劫持了齐桓公。桓公的左右随从都不敢轻举妄动，桓公问曹沫："你想干什么？"曹沫说："齐国强大，鲁国弱小，而你们欺负鲁国也太过分了吧。而今，我们鲁国都城的城墙如果倒塌就会压在你们齐国的国土上，您还是仔细考虑考虑这个问题吧。"于是齐桓公只好答应全部归还所侵占的鲁国土地。等到话一说完，曹沫就扔掉匕首，走下盟坛，回到了臣子应该站的位置上，面不改色，言语自如。齐桓公很恼火，想要背弃刚才的承诺。管仲说："不能。如果贪图小利求得一时的痛快，就会在诸侯面前失去信用，进而就会失去天下人的支持，不如将先前所占领的土地归还给他们。"于是，齐桓公就归还了所侵占的鲁国土地，曹沫三次败仗所丢失的土地又全部得到了归还。

其后百六十有①七年而吴有专诸之事。

专诸者，吴堂邑人也。伍子胥之亡楚而如吴也，知专诸之能。伍子胥既见吴王僚，说以伐楚之利。吴公子光曰："彼伍员父兄皆死于楚，而员言伐楚，欲自为报私雠也，非能为吴。"吴王乃止。伍子胥知公子光之欲杀吴王僚，乃曰："彼光将有内志②，未可说以外事。"乃进专诸于公子光。

[注释]

①有：又。②内志：在国内夺取王位的意图。

[译文]

此事过了一百六十七年之后，吴国出现了专诸的事迹。

专诸是吴国堂邑人。伍子胥从楚国逃到了吴国，了解到专诸的本事。后来，伍子胥晋见吴王僚，大谈攻打楚国的好处。吴公子光说："伍子胥的父亲、哥哥都是被楚国国君杀死的，他劝说我们攻打楚国，是为了报自己的私仇，并不是帮我们吴国。"吴王听后，就不再考虑伐楚的事情。伍子胥察觉到了公子光有杀掉吴王僚的想法，就说："公子光这人有篡位之心，现在无法劝说他向外用兵。"于是就把专诸推荐给了公子光。

光之父曰吴王诸樊。诸樊弟三人：次曰馀祭，次曰夷眜，次曰季子札。诸樊知季子札贤而不立太子，以次传三弟，欲卒致国于季子札。诸樊既死，传馀祭。馀祭死，传夷眜。夷眜死，当传季子札；季子札逃不肯立，吴人乃立夷眜之子僚为王。公子光曰："使以兄弟次邪，季子当立；必以子乎，则光真適嗣①，当立。"故尝②阴养谋臣以求立。

[注释]

①適嗣：正妻所生的长子，即嫡长子。適，通"嫡"。②尝：通"常"。

[译文]

公子光的父亲是吴王诸樊。诸樊有三个弟弟：大弟叫馀祭，二弟叫夷眜，最小的弟弟叫季子札。诸樊知道季子札贤明，就不立太子，想依照次序传位三个弟弟，最后达到把王位传给季子札的目的。诸樊死后，王位传给了馀祭。馀祭死后，王位传给了夷眜。夷眜死后，王位本该传给季子札，但是，季子札却逃走了，不肯接受王位，吴国人只得立夷眛的儿子僚为吴王。公子光说："如果按兄弟的顺序依次传递王位的话，王位当属于我的叔父季子札；如果王位一定要传给下一代的话，作为吴王诸樊嫡长子的我才是真正合法的继承人，当立我为君。"因此，他就在暗中蓄养谋士来谋取王位。

光既得专诸，善客待之。九年而楚平王死。春，吴王僚欲因楚丧，使其二弟公子盖馀、属庸将兵围楚之灊；使延陵季子于晋，以观诸侯之变①。楚发兵绝吴将盖馀、属庸路，吴兵不得还。于是公子光谓专诸曰："此时不可失，不求何获！且光真王嗣，当立，季子虽来，不吾废也。"专诸曰："王僚可杀也。母老子弱，而两弟将兵伐楚，楚绝其后。方今吴外困于楚，而内空无骨鲠之臣②，是无如我何。"公子光顿首曰："光之身，子之身也。"

[注释]

①变：动态，动向。②骨鲠之臣：地位尊崇而又耿直敢言的大臣。

[译文]

公子光得到专诸以后，像对待宾客一样礼待他。吴王僚九年，楚平王去世。这年春天，吴王僚想趁着楚国办丧事的机会，派他的两个弟弟公子盖馀、属庸率领军队包围楚国的灊地，还派延陵季子出使晋国，以观察各诸侯国的动向。楚国出兵切断了盖馀、属庸的后路，吴国军队难以撤回。于是，公子光对专诸说："这个机会不能失去，不去努力争取，怎能有所收获！况且我是真正的王位继承人，应当被立为国王，即使我的叔父季子札再回来，他也不会废掉我。"专诸说："吴王僚是能被杀掉的。他的母亲年老，孩子年幼，两个弟弟又在带兵攻打楚国时，被切断了后路。当前吴国在外被楚国围困，而国内又没有地位尊崇、正直敢言的大臣。这时起事，王僚必无还手之力。"公子光磕头致谢说："我公子光的身体，也就是先生您的身体。"

四月丙子,光伏甲士于窟室①中,而具②酒请王僚。王僚使兵陈自宫至光之家,门户阶陛左右,皆王僚之亲戚③也。夹立侍,皆持长铍。酒既酣,公子光详为足疾,入窟室中,使专诸置匕首鱼炙④之腹中而进之。既至王前,专诸擘⑤鱼,因以匕首刺王僚,王僚立死。左右亦杀专诸,王人扰乱。公子光出其伏甲以攻王僚之徒,尽灭之,遂自立为王,是为阖闾。阖闾乃封专诸之子以为上卿。

[注释]

①窟室:地下室。②具:备办。③亲戚:亲信,亲近的人。④鱼炙:烧制好的鱼。⑤擘:剖,掰开。

[译文]

四月丙子这天,公子光先在地下室埋伏好身穿铠甲的武士,后置办酒席宴请吴王僚。吴王僚派出的卫兵,从王宫一直排列到了公子光的家里,连公子光家里的房门和台阶两旁也都站满了王僚的亲信。这些侍卫手持双刃刀,夹道站立。等喝酒喝到畅快的时候,公子光假装脚疼离开,进入地下室,让专诸把匕首放到一盘烧好的鱼的肚子里,然后把鱼呈上。专诸走到王僚面前,突然剖开鱼,趁势掏出匕首刺杀王僚,王僚当场毙命。专诸也被王僚的侍卫人员杀死,王僚的随从一时混乱不堪。公子光放出那些埋伏的武士,趁机攻击王僚的部下,将他们一举全歼,于是,公子光自立为吴王,他就是阖闾。阖闾封专诸的儿子做了上卿。

其后七十余年而晋有豫让之事。

豫让者,晋人也,故尝事范氏及中行氏,而无所知名。去而事智伯,智伯甚尊宠之。及智伯伐赵襄子,赵襄子与韩、魏合谋灭智伯，灭智伯之后而三分其地。赵襄子最怨智伯，漆其头以为饮器。豫让遁逃山中，曰："嗟乎！士为知己者死，女为说^①己者容。今智伯知我，我必为报雠而死，以报智伯，则吾魂魄不愧矣。"乃变名姓为刑人，入宫涂厕，中挟匕首，欲以刺襄子。襄子如厕，心动，执问涂厕之刑人，则豫让，内持刀兵，曰："欲为智伯报仇！"左右欲诛之。襄子曰："彼义人也，吾谨避之耳。且智伯亡无后，而其臣欲为报仇，此天下之贤人也。"卒醳^②去之。

[注释]

①说：通"悦"，喜欢，爱慕。②醳：通"释"，放。

[译文]

这件事以后七十多年，晋国发生了豫让刺杀赵襄子的事情。

豫让是晋国人，以前曾经为范氏和中行氏两家效力，没什么名声。后来豫让离开他们，去投奔智伯，智伯特别尊重宠爱他。后来，智伯攻打赵襄子，赵襄子却联合韩、魏共同灭掉了智伯，把智伯消灭以后，赵魏韩三家瓜分了他的领土。赵襄子最痛恨智伯，就把他的头割下来，把他的头盖骨做成了酒具。豫让潜逃到山中，发誓说："唉！士人要为自己的知己去死，女子应为欣赏自己的人梳妆打扮。现在，智伯就是我的知己，我的余生一定要用来为他报仇，以此来报答智伯的知遇之恩。这样，我的灵魂才会感到欣慰。"于是，豫让更名改姓，装成一个犯罪服刑的人，来到赵襄子的宫中，做起了打扫修整厕所的杂活，而身上却藏着匕首，意欲刺杀赵襄子。某日，赵襄子入厕方便，心中偶有所动，便派人审问修整厕所的人，这才发现原来就是豫让，并且其人衣服里面还藏着兵器。豫让说道："要替智伯报仇！"赵襄子的侍卫要杀掉豫让。赵襄子说："他是个义士啊，我小心地避开他就是了。况且智伯死后没有继承人，而他的旧臣却想着替他报仇，这是天下难得的贤人啊。"

赵襄子最终还是放了豫让。

居顷之，豫让又漆身为厉①，吞炭为哑，使形状不可知，行乞于市。其妻不识也。行见其友，其友识之，曰："汝非豫让邪？"曰："我是也。"其友为泣曰："以子之才，委质②而臣事襄子，襄子必近幸③子。近幸子，乃为所欲，顾不易邪？何乃残身苦形，欲以求报襄子，不亦难乎！"豫让曰："既已委质臣事人，而求杀之，是怀二心以事其君也。且吾所为者极难耳！然所以为此者，将以愧天下后世之为人臣怀二心以事其君者也。"

[注释]

①厉：同"癞"，麻风病。②委质：臣子向君或主献上礼物，表示献身。③近幸：亲近宠爱。

[译文]

过了不久，豫让又把漆涂在身上，弄得遍体癞疮，吞食火炭让声音变得嘶哑，把自己的外貌弄得面目全非，沿街乞讨。他的妻子见到他也没有认出他来。豫让路上偶遇朋友，被那人认了出来，朋友问道："您不是豫让吗？"豫让说："正是。"朋友一听便热泪长流，说道："凭您的才能，如果您委身侍奉赵襄子，他一定会亲近您。一旦他亲近了您，您再干您所想干的事，难道不是更容易了吗？您又何必如此摧残折磨自己，以此来向赵襄子报仇呢，用这样的方式来报仇，岂不是更加困难吗？"豫让答道："我托身投靠别人，而又想以此为手段杀掉人家，这是怀着二心侍奉主人。我目前的方式的确很难达到报仇的目的，但我仍然做出如此选择的原因，就是想让今天和后世的那些怀着二心侍奉主人的人感到羞愧！"

既去，顷之，襄子当出，豫让伏于所当过之桥下。襄子至桥，马惊，襄子曰："此必是豫让也。"使人问之，果豫让也。

于是襄子乃数①豫让曰:"子不尝事范、中行氏乎?智伯尽灭之,而子不为报雠,而反委质臣于智伯。智伯亦已死矣,而子独何以为之报雠之深也?"豫让曰:"臣事范、中行氏,范、中行氏皆众人②遇我,我故众人报之。至于智伯,国士③遇我,我故国士报之。"襄子喟然叹息而泣曰:"嗟乎豫子!子之为智伯,名既成矣;而寡人赦子,亦已足矣。子其自为计,寡人不复释子!"使兵围之。豫让曰:"臣闻明主不掩人之美,而忠臣有死名之义。前君已宽赦臣,天下莫不称君之贤。今日之事,臣固伏诛④,然愿请君之衣而击之,焉以致报雠之意,则虽死不恨。非所敢望也,敢布腹心!"于是襄子大义之,乃使使持衣与豫让。豫让拔剑三跃而击之,曰:"吾可以下报智伯矣!"遂伏剑自杀。死之日,赵国志士闻之,皆为涕泣。

[注释]

①数:列举罪过而责之。②众人:一般人。③国士:国内的杰出人物。④伏诛:服罪,认为自己该死。

[译文]

不久,赵襄子要外出,豫让便潜藏在赵襄子必经的桥下。赵襄子来到桥上,马却受惊了,赵襄子说:"这一定是因为豫让。"派人查问,果然是豫让。于是赵襄子就历数豫让的罪行说:"你不是曾经侍奉过范氏、中行氏吗?智伯把他们都灭掉了,也没见你有任何动作,你反而投奔了智伯。可是,为什么独独在智伯死后,你却如此坚定地为他报仇呢?"豫让答说:"我侍奉范氏、中行氏的时候,他们都把我当做常人相待,所以我也像常人那样来回报他们。而智伯就不一样了,他把我当国士看待,所以我就用国士的方式来报答他。"赵襄子听后喟然长叹,流着眼泪说:"豫让先生啊!你为智伯报仇,事到今日也算成名了;而我屡次宽恕你,也算仁至义尽了。请你自己考虑吧,这次我不会再放过你了!"于是就命令士兵包围豫让。豫让说："我听说贤明的君主不会掩盖别人的美名，而忠臣也有为美名而死的道理。上次您宽恕了我，天下人都在称赞您的贤明。今天的事情，我本是死罪，但我有一个请求：我请求在您的衣服上刺上几剑，以此来象征我实现了为智伯报仇的愿望。如能这样，即使死了我也了无遗憾。我不敢奢望您能满足我的要求，但我还是大着胆子将我内心的想法和盘托出。"赵襄子高度评价豫让的想法，让人把自己的一件衣服递给了豫让。豫让拔出剑来，几次跳起朝赵襄子的衣服刺去。之后说道："我可以报答九泉之下的智伯了！"说完自刎而死。豫让自杀那天，赵国的志士听到这个消息，都感动得流下了眼泪。

其后四十余年而轵有聂政之事。

聂政者，轵深井里人也。杀人避仇，与母、姊如齐，以屠为事。

[译文]

这件事过后四十多年，轵邑发生了聂政刺侠累的事件。

聂政是轵邑深井里人。他因为杀人而躲避仇家，就和母亲、姐姐逃到齐国，以屠宰为业。

久之，濮阳严仲子事韩哀侯，与韩相侠累有郤。严仲子恐诛，亡去，游求人可以报侠累者。至齐，齐人或言聂政勇敢士也，避仇隐于屠者之间。严仲子至门请，数反①，然后具酒自畅聂政母前。酒酣，严仲子奉黄金百溢②，前为聂政母寿。聂政惊怪其厚，固谢严仲子。严仲子固进，而聂政谢曰："臣幸有老母，家贫，客游以为狗屠，可以旦夕得甘毳③以养亲。亲供养备，不敢当仲子之赐。"严仲子辟人，因为聂政言曰："臣有仇，而行游诸侯众矣；然至齐，窃闻足下义甚高，故进百金者，将用为大人粗粝之费,得以交足下之欢④,岂敢以有求望邪!"聂政曰:"臣所以降志辱身居市井屠者,徒幸以养老母;老母在,政身未敢以许人也。"严仲子固让,聂政竟不肯受也。然严仲子卒备宾主之礼而去。

[注释]

①数反:多次前来拜访。②溢:通"镒",古代重量单位。一镒为二十两,也有说二十四两。③甘毳:香甜肥美的食品。毳,通"脆"。

[译文]

过了很久,濮阳的严仲子侍奉韩哀侯,和韩国国相侠累发生了矛盾。严仲子害怕被杀,就远走他乡。他游历四方,寻找能替他向侠累报仇的人。到了齐国,听人说聂政是个勇敢的人,因为躲避仇人而混迹于屠夫之间。严仲子登门求见,多次前去,总是无功而返。后来严仲子又在聂政家里置办酒宴,向聂政的母亲敬酒表达心意。酒兴正浓之时,严仲子还奉上黄金百镒,上前祝聂政的母亲长寿。聂政惊讶于礼物过于丰厚,就坚辞不受。严仲子却执意要给,聂政婉言谢绝道:"在下庆幸尚有老母健在,虽然我因贫穷而流落至此,以杀狗为业,但早晚毕竟可以买些好吃的东西来孝敬老母。家母眼下无衣食之忧,我不敢接受您的赏赐。"严仲子避开别人,趁机对聂政说:"在下身负仇恨,因而游遍众多诸侯国,所幸今日我到了齐国,私下了解到先生您最讲义气,所以我斗胆献上百金,是想为改善令堂大人的生活尽点微薄之力,也好以此讨得您的欢心,除此之外,实在不敢对您有过分的要求。"聂政说:"在下之所以低三下四,不顾体面,混迹街头,甘当屠夫,就是想能以此养活家母;因此,只要家母尚在,在下实在不能将自己交给别人。"严仲子虽然执意赠送,聂政最终也没能接受。尽管这样,严仲子还是尽到了宾主相见的礼数,才告辞离开。

久之，聂政母死。既已葬，除服①，聂政曰："嗟乎！政乃市井之人，鼓刀以屠；而严仲子乃诸侯之卿相也，不远千里，枉②车骑而交臣。臣之所以待之，至浅鲜③矣，未有大功可以称者。而严仲子奉百金为亲寿，我虽不受，然是者徒深知政也。夫贤者以感忿睚眦④之意而亲信穷僻之人，而政独安得嘿⑤然而已乎！且前日要⑥政，政徒以老母；老母今以天年终，政将为知己者用。"乃遂西至濮阳，见严仲子曰："前日所以不许仲子者，徒以亲在；今不幸而母以天年终。仲子所欲报仇者为谁？请得从事焉！"严仲子具告曰："臣之仇韩相侠累，侠累又韩君之季父也，宗族盛多，居处兵卫甚设，臣欲使人刺之，终莫能就。今足下幸而不弃，请益其车骑壮士可为足下辅翼者。"聂政曰："韩之与卫，相去中间不甚远。今杀人之相，相又国君之亲，此其势不可以多人，多人不能无生得失，生得失则语泄，语泄是韩举国而与仲子为雠，岂不殆哉！"遂谢车骑人徒。

[注释]

①除服：丧服期满。②枉：屈尊，绕远。③鲜：稀少。④睚眦：指小的仇恨。⑤嘿：通"默"，沉默。⑥要：通"邀"。

[译文]

又过了很长一段时间，聂政的母亲长辞人间，待安葬之后，服丧期满，聂政叹道："唉！我聂政无非是个平头百姓，干的是操刀屠宰的营生；而严仲子曾任诸侯的卿相，却不远千里，屈尊前来和我结交。我对待人家的礼数实在太过于冷淡薄情了，没有什么功劳足以回报人家。严仲子竟然拿出百金作为礼物来为老母祝寿，虽然我没有接受，可是这件事充分说明他对我有着深刻的理解。严仲子因为微小的冤仇，而来结交我这个草民，我又怎能一味地装聋作哑呢？况且当初严仲子来邀请我时，我是因为老母在世才没有答应。而今老母已寿终正寝，我也到了该为赏识我的人效力的时候了。"

于是聂政就西去濮阳，见到了严仲子，说："以前，在下之所以没答应您的邀请，是因家母在世；如今家母既然已经辞世，在下想知道您要报复的仇人是谁，我要着手为您办理这件事！"严仲子详细地告诉聂政说："在下的仇人是韩国的国相侠累，侠累又是韩国国君的叔父，家族人多势众，居住的地方更是戒备森严，我也曾派人前去行刺，然而始终没能得手。如今既然有了您，那就让我为您多多配备人力，好做您的帮手。"聂政说："韩国和卫国之间距离本来就不太远，如今我前去行刺韩国的国相，国相又是国君的长辈，这种情势决定了参与此事的人员不宜太多，人多了难免发生意外，一出意外就会走漏风声，一旦走漏风声，那就等于您是韩国人民的公敌，这难道不太危险了吗！"于是，聂政谢绝了所有的随从人马。

聂政乃辞，独行杖剑至韩，韩相侠累方坐府上，持兵戟而卫侍者甚众。聂政直入，上阶刺杀侠累，左右大乱。聂政大呼，所击杀者数十人，因自皮面决眼，自屠出肠，遂以死。

[译文]

于是，聂政辞别严仲子，只身一人手持长剑赶到韩国都城，此时，韩国国相侠累正好在家闲坐，相府上下手持刀枪的护卫众多。聂政径直闯入，跨上台阶结果了侠累的性命，左右侍卫大乱。聂政气贯长虹，一气击杀几十人，并趁势用剑划破自己的面容，挖出自己的眼珠儿，剖开自己的腹部，以致肠子暴露于外，他选择了这样的方式走向了死亡。

韩取聂政尸暴于市，购问莫知谁子。于是韩县购之，有能言杀相侠累者予千金。久之莫知也。

[译文]

韩国把聂政的遗体放置在街头，详加追查也没问出此人到底是谁。于是韩国又悬赏寻找认识凶手遗体的人,谁能说出杀死丞相侠累的人到底是谁,就赏给千金。过了很久,仍然无人知道。

政姊荣闻人有刺杀韩相者,贼不得,国不知其名姓,暴其尸而县之千金,乃於邑①曰:"其是吾弟与?嗟乎,严仲子知吾弟!"立起如韩,之市,而死者果政也。伏尸哭极哀,曰:"是轵深井里所谓聂政者也。"市行者诸众人皆曰:"此人暴虐吾国相,王县购其名姓千金,夫人不闻与?何敢来识之也?"荣应之曰:"闻之。然政所以蒙污辱自弃于市贩之间者,为老母幸无恙,妾未嫁也。亲既以天年下世,妾已嫁夫,严仲子乃察举②吾弟困污之中而交之,泽厚矣,可奈何!士固为知己者死,今乃以妾尚在之故,重自刑以绝从③。妾其奈何畏殁身之诛,终灭贤弟之名!"大惊韩市人。乃大呼天者三,卒於邑悲哀而死政之旁。

[注释]

①於邑:通"呜咽",低声哭泣。②察举:赏识,选择。③绝从:避免让亲属受连累获罪。从,连坐。

[译文]

聂政的姐姐聂荣听说有人刺杀了韩国的国相,凶手没有抓获就死了,国人不知道他的姓名,因此,暴尸街头,悬赏千金,叫人们辨认。聂荣伤心抽泣着说:"此人大概就是我弟弟吧!唉,严仲子真是了解我弟弟呀!"于是,她马上动身前往韩国都城,到韩国都城的街头一看,发现刺客果然就是聂政。聂荣便趴在聂政遗体上放声痛哭,悲伤至极。她说:"他就是轵邑深井里的聂政啊。"街上的行人们纷纷说:"此人残杀了我们的国相,我们的君王眼下正悬赏千金来追查他的身份,夫人您难道没听说吗?您怎敢前来认尸?"聂荣说:"悬赏之事我当然知道。然而,我弟弟聂政昔日之所以忍受羞辱,混迹市井贩夫走卒之间,就是因为当时家母尚在,我还待字闺中。等到家母辞世，我已嫁人，严仲子先生发现并结交了正处于穷困低贱处境中的我弟弟，严仲子先生对我弟弟的情谊如此深厚，我弟弟还能怎么样呢！勇士本来就应该为知己牺牲性命，如今因为我还活在世上，他才如此严重毁坏自己的面容和身体，以免连累到我。事情既然如此，我怎能因贪生怕死，而永远埋没弟弟的盖世英名！"聂荣的话语深深震撼了韩国都城的民众。之后，聂荣多次呼唤苍天，终因悲伤过度而死于聂政遗体之旁。

晋、楚、齐、卫闻之，皆曰："非独政能也，乃其姊亦烈女也。乡使①政诚知其姊无濡忍②之志，不重③暴骸之难，必绝险④千里以列其名，姊弟俱僇于韩市者，亦未必敢以身许严仲子也。严仲子亦可谓知人能得士矣！"

[注释]

①乡使：从前假如。乡，通"向"，从前，当初。②濡忍：容忍，忍耐。③不重：不顾，不惜。④绝险：渡越艰难险阻。绝，横渡。

[译文]

晋、楚、齐、卫等国的人听说此事，都说："不仅是聂政特别有本事，就连他姐姐也是位刚烈女子啊。假使当初聂政预料到他姐姐无法隐忍，不惧杀身之祸，千里跋涉前来为他扬名，以致于姐弟二人先后丧生在韩国的街市之上，那他估计也未必敢轻易对严仲子以身相许。严仲子真的可以称得上是个能识人、能赢得贤士的人啊！"

其后二百二十余年秦有荆轲之事。

荆轲者，卫人也，其先乃齐人，徙于卫，卫人谓之庆卿。而之燕，燕人谓之荆卿。

[译文]

此事之后约二百二十多年,秦国出现了荆轲刺秦的事情。

荆轲是卫国人,他的祖先是齐国人,后来迁到卫国,卫国人叫他庆卿。到燕国后,燕国人又叫他荆卿。

荆卿好读书击剑,以术说卫元君,卫元君不用。其后秦伐魏,置东郡,徙卫元君之支属于野王①。

[注释]

①野王:地名,今河南省沁阳市。

[译文]

荆卿喜爱读书、击剑,他曾用经国理政之术游说卫元君,只是没被卫元君采用。后来,秦国攻打魏国,在新占领地设置了东郡,把卫元君及其旁支亲属迁移到了野王。

荆轲尝游过榆次,与盖聂论剑①,盖聂怒而目之。荆轲出,人或言复召荆卿。盖聂曰:"曩者②吾与论剑有不称者,吾目之;试往,是宜去,不敢留。"使使往之主人,荆卿则已驾而去榆次矣。使者还报,盖聂曰:"固去也,吾曩者目摄③之。"

[注释]

①论剑:谈论剑术,含比试之意。②曩者:过去,这里指刚才。③摄:通"慑",吓唬。

[译文]

荆轲曾经游荡到过榆次,在那里和盖聂比试剑术,盖聂瞪了他一眼。荆轲随即离开,有人劝盖聂再把荆轲叫回来。盖聂说:"刚才我和他谈论剑术,有的地方他讲得不对,我就用眼瞪他;你去找找看吧,估计他应该已经离开榆次,不敢再在这里逗留了。"于是他派人到荆轲住的地方探问,荆轲果然已经乘车离开榆次了。派去的人说明情况，盖聂就说："我本来就断定他一定会走，因为刚才我瞪了他一眼。"

荆轲游于邯郸，鲁句践与荆轲博①，争道②，鲁句践怒而叱之，荆轲嘿而逃去，遂不复会。

[注释]

①博：类似下棋的一种游戏。②道：棋盘上的格子。

[译文]

荆轲来到了邯郸，鲁句践和荆轲下棋，在游戏的过程中，二人因为落子的位置发生了争执，鲁句践大怒，大声呵斥荆轲，荆轲一言不发悄然逃去，从此两人不再谋面。

荆轲既至燕，爱燕之狗屠及善击筑者高渐离。荆轲嗜酒，日与狗屠及高渐离饮于燕市，酒酣以往，高渐离击筑，荆轲和而歌于市中，相乐也；已而相泣，旁若无人者。荆轲虽游于酒人乎，然其为人沉深好书；其所游诸侯，尽与其贤豪长者相结。其之燕，燕之处士田光先生亦善待之，知其非庸人也。

[译文]

荆轲到燕国以后，和一个宰狗的屠户以及另一个擅长击筑的高渐离成为了好友。荆轲酷爱饮酒，天天就和屠夫及高渐离畅饮于燕国街市之上，喝得兴起之时，常常是高渐离击筑为声，荆轲就和着节拍在街市上高唱，以此为乐；一会儿过后，他们会相对哭泣，仿佛周围的人全是空气。荆轲虽说混迹于酒鬼之中，但他的为人却深沉稳重，并且平素喜欢读书；不论他游历到哪个诸侯国，和他来往的都是当地德高望众的人。他到了燕国之后，得到了燕国的隐士田光的友好相待，因为田光知道荆轲绝非平庸之辈。

居顷之，会燕太子丹质秦亡归燕。燕太子丹者，故尝质于赵，而秦王政生于赵，其少时与丹欢。及政立为秦王，而丹质于秦。秦王之遇燕太子丹不善，故丹怨而亡归。归而求为报秦王者，国小，力不能。其后秦日出兵山东以伐齐、楚、三晋，稍蚕食诸侯，且至于燕。燕君臣皆恐祸之至。太子丹患之，问其傅鞠武。武对曰："秦地遍天下，威胁韩、魏、赵氏，北有甘泉、谷口之固，南有泾、渭之沃，擅①巴、汉之饶；右陇、蜀之山，左关、殽之险，民众而士厉②，兵革有余。意有所出，则长城之南，易水以北，未有所定也。奈何以见陵之怨，欲批③其逆鳞哉！"丹曰："然则何由？"对曰："请入图之。"

[注释]

①擅：专有，据有。②士厉：士兵训练有素。厉，磨炼，训练。③批：触动，触犯。

[译文]

过了不久，恰逢在秦国当人质的太子丹逃回燕国。燕太子丹原来曾在赵国当人质，而秦王嬴政出生在赵国，小时候和太子丹关系很好。等到嬴政被立为秦王，太子丹又被派到秦国当人质。秦王对待燕太子丹很不友好，所以太子丹满腹怨气从秦国逃了回来。回来之后就寻找机会报复秦王，可燕国弱小，根本没有报复的能力。此后，秦国时常向东用兵，攻打齐、楚和三晋，不断蚕食侵吞各国领土，战火马上要烧到燕国境内。燕国君臣都惧怕大祸来临。太子丹为之忧虑，便向他的老师鞠武请教对策。鞠武说："秦国的土地遍及天下，威胁到韩国、魏国、赵国。秦国北有甘泉、谷口等坚固要塞，南有泾河、渭水流域等肥沃土地，并拥有富饶的巴郡、汉中地区；右有陇山、蜀山为屏障，左有崤山、函谷关为险阻，人口众多而军队又训练有素，武器装备充足。只要他们心思一动，长城以南，易水以北就都没有安宁的地方了。为什么您还因一点小小的怨恨而去触怒秦王呢!"太子丹说:"既然这样,那么我们该怎么办呢?"鞠武回答说:"还是让我再好好考虑考虑吧。"

居有间,秦将樊於期得罪于秦王,亡之燕,太子丹受而舍之。鞠武谏曰:"不可。夫以秦王之暴而积怒于燕,足为寒心,又况闻樊将军之所在乎?是谓'委肉当①饿虎之蹊'也,祸必不振②矣!虽有管、晏,不能为之谋也。愿太子疾遣樊将军入匈奴以灭口。请西约三晋,南连齐、楚,北购于单于,其后乃可图也。"太子曰:"太傅之计,旷日弥久,心惛然③,恐不能须臾。且非独于此也,夫樊将军穷困于天下,归身于丹,丹终不以迫于强秦而弃所哀怜之交,置之匈奴。是固丹命卒之时也。愿太傅更虑之。"鞠武曰:"夫行危欲求安,造祸而求福,计浅而怨深,连结一人之后交,不顾国家之大害,此所谓'资怨而助祸'矣。夫以鸿毛燎于炉炭之上,必无事矣。且以雕鸷之秦,行怨暴之怒,岂足道哉!燕有田光先生,其为人智深而勇沉,可与谋。"太子曰:"愿因太傅而得交于田先生,可乎?"鞠武曰:"敬诺。"出见田先生,道"太子愿图国事于先生也"。田光曰:"敬奉教。"乃造焉。

[注释]

①当:对着。②不振:没法拯救。振,救,挽救。③惛然:忧闷烦乱。惛,糊涂。

[译文]

过了一段时间,秦的将领樊於期因为得罪了秦王,逃到了燕国,燕太子丹收留了他,让他住下来。鞠武劝阻说:"此人不可留。考虑到秦王性情凶暴,且对燕国积有怨气,这就足以叫人担惊了,又怎能让他听到樊将军被我们收留的消息呢?这就叫做'把肉放在饿虎要经过的通道上',灾难一定无法挽回!真到那时,即使管仲、晏婴再世，也无力回天了。希望您尽快将樊将军送到匈奴那里去，以消除秦国攻打我们的借口。之后，我们可以向西与三晋联合，向南和齐国、楚国联合，向北与单于联合，这样，才有可能想出应对的办法来。"太子丹说："老师的计划，战线拉得太长，我的心忧闷烦乱，有只争朝夕之感。何况并不单单因为这个原因，樊将军在走投无路的情况下前来投奔我，我总不能因为害怕强秦而抛弃我所同情的朋友，把他送到匈奴那里去吧。即使到了我死的时候我也不会这样行事。希望老师替我考虑别的办法。"鞠武说："深陷危险之地却想求得安全，制造祸端却要祈求幸福，计谋粗浅却又怨恨深重，为了结交一个新朋友，竟不思考是否会给国家带来大的灾难，这就是人们常说的'助长怨气而加速祸患'。这就如同手持大雁的羽毛放于炭火之上，其结果可想而知。何况我们的对手是如雕鸷一样凶猛的秦国，他们如果发泄对燕国的怒气，后果难道还用多说吗！我们燕国有位田光先生，此人智谋深远而富于勇气，您可以找他商量。"太子丹说："希望通过老师您的引见结交田先生，可以吗？"鞠武说："愿遵从您的指示。"鞠武便去见田光，他说："太子希望跟您谋划国家大事。"田光说："请指教。"于是，田光就登门拜见太子丹。

太子逢迎，却行为导①，跪而蔽席。田光坐定，左右无人，太子避席而请曰："燕秦不两立，愿先生留意也。"田光曰："臣闻骐骥盛壮之时，一日而驰千里；至其衰老，驽马先之。今太子闻光盛壮之时，不知臣精已消亡矣。虽然，光不敢以图国事，所善荆卿可使也。"太子曰："愿因先生得结交于荆卿，可乎？"田光曰："敬诺。"即起，趋出。太子送至门，戒②曰："丹所报，先生所言者，国之大事也，愿先生勿泄也！"田光俛③而笑曰："诺。"偻行见荆卿，曰："光与子相善，燕国莫不知。今太子闻光壮盛之时,不知吾形已不逮④也。幸而教之曰:'燕秦不两立,愿先生留意也。'光窃不自外,言足下于太子也,愿足下过太子于宫。"荆轲曰:"谨奉教。"田光曰:"吾闻之,长者为行,不使人疑之。今太子告光曰'所言者,国之大事也,愿先生勿泄',是太子疑光也。夫为行而使人疑之,非节侠⑤也。"欲自杀以激荆卿,曰:"愿足下急过太子,言光已死,明不言也。"因遂自刎而死。

[注释]

①却行为导:倒退着走,为客人引路。②戒:通"诫",嘱咐,告诫。③俛:通"俯",低头。④不逮:不顶用,达不到,指力不从心。⑤节侠:有节操、讲义气的人。

[译文]

太子到门外迎接田光,倒退而行为田光引路,进屋就跪下来用袖子为田光掸去座位上的灰尘。田光坐定,左右退去,太子离开自己的座位向田光请教说:"燕国与秦国誓不两立,希望先生留意此事。"田光说:"我听人说,骏马在它健壮之时,一天能跑千里,可到它衰老之日,一匹劣马也能跑到它的前边。如今太子您只听说了我当年的能干,却不知道今天的我已精力衰竭。虽然我不能帮您谋划国事,但我的好朋友荆卿可以担当此任。"太子说:"我希望能通过您和荆卿先生认识,可以吗?"田光说:"遵命。"说完之后就站了起来,快步离开。太子丹把田光送到门口,叮嘱他说:"刚才我所讲的事情,先生您所说的话语,都是国家大事,万望先生不要泄露!"田光低头笑着说:"那是当然。"田光弯着腰去见荆卿,说:"我与您私交甚好,燕国无人不知。如今太子丹听说了我年轻时的本事,却不知道如今我已力不从心了,他召见我并且对我说道:'燕国和秦国势不两立,希望先生留意此事。'我自以为和您不见外,就把您推荐给了太子,希望您前去宫中拜访太子。"荆轲说:

"愿意领教。"田光说:"我听说,有德行的人办事,不应让别人怀疑。刚才太子告诫我说,'我们所商谈的,都是国家大事,万望先生不要泄露',这表明太子对我不放心。一个人办事如让人怀疑,他就不算是有节操的侠士。"田光想以自杀来激励荆卿下决心,就说道:"希望您立即去见太子,就说我已经死了,我要以此表明我不会泄露机密。"之后,田光举剑自杀。

荆轲遂见太子,言田光已死,致光之言。太子再拜而跪,膝行流涕,有顷而后言曰:"丹所以诚田先生毋言者,欲以成大事之谋也。今田先生以死明不言,岂丹之心哉!"荆轲坐定,太子避席顿首曰:"田先生不知丹之不肖,使得至前,敢有所道,此天之所以哀燕而不弃其孤也。今秦有贪利之心,而欲不可足也。非尽天下之地,臣海内之王者,其意不厌①。今秦已虏韩王,尽纳其地。又举兵南伐楚,北临赵。王翦将数十万之众距漳、邺,而李信出太原、云中。赵不能支秦,必入臣,入臣则祸至燕。燕小弱,数困于兵,今计举国不足以当秦。诸侯服秦,莫敢合从。丹之私计,愚以为诚得天下之勇士使于秦,窥以重利,秦王贪,其势必得所愿矣。诚得劫秦王,使悉反诸侯侵地,若曹沫之与齐桓公,则大善矣;则不可,因而刺杀之。彼秦大将擅兵于外而内有乱,则君臣相疑,以其间诸侯得合从,其破秦必矣。此丹之上愿,而不知所委命,唯荆卿留意焉。"久之,荆轲曰:"此国之大事也,臣驽下,恐不足任使。"太子前顿首,固请毋让,然后许诺。于是尊荆卿为上卿,舍上舍。太子日造门下,供太牢具②,异物间进,车骑美女恣荆轲所欲,以顺适其意。

[注释]

①厌:通"餍",满足。②太牢具:具备牛、羊、豕三牲的筵席,古代招待宾朋的最高规格。

[译文]

于是，荆轲就前去拜见太子，告诉他田光已经自杀，并转达了田光的遗言。太子拜了两拜，跪在地上痛哭流涕，很长时间之后，他说道："我所以嘱咐田先生不要走漏风声，是为了成就所谋划的大事。谁知田先生却以自杀来表明他不会泄密，这哪是我的本意呢！"荆轲坐下之后，太子离开座席上前行礼，他说："田先生不知道我不成器，他创造了我和您相见的机会，让我能够当面向您陈述我内心的想法，这真是上天可怜我们燕国，而不忍抛弃我啊。如今秦国有贪利的野心，他们的欲望永远无法满足。不占尽天下所有的土地，不让天下所有的国王俯首称臣，秦国是不会满足的。现在秦国已俘虏了韩王，占领了韩国的土地。又发兵向南攻打楚国，向北逼近赵国。王翦率领的几十万大军已经抵达漳水、邺县一带，而李信又出兵太原和云中郡。赵国抵挡不住秦军，必定向秦国投降；赵国臣服秦国，那灾祸就将降临到我们燕国。我们燕国弱小，又经连年的战乱，我估计，即使调动全国的力量也不足以抵挡秦军的进攻。诸侯都害怕秦国，谁也不敢和燕国联合。我私下想，如果真能物色到一个勇士，派他前去秦国，用重利来诱惑秦王，秦王的贪心必然会为勇士提供动手的绝佳时机。一旦能够劫持秦王，让他全部归还所侵占的别国的土地，就像当年曹沫成功劫持齐桓公那样，这是我们期待的最佳结果；如果不行，就趁势杀死他。秦国的大将都领兵在外，而国内出了变乱，他们君臣之间就会产生猜疑，趁这个机会，东方各国就可以联合起来，就一定能够打败秦国。这是我的最大愿望，我却不知道该把这任务托付给谁，希望先生您多加考虑。"经过很长时间的沉默，荆轲说："这可是国家的大事，在下我笨拙不堪，恐怕难以胜任。"太子上前行礼，坚决请求荆轲不要推脱，荆轲这才答应了下来。于是，太子丹就封荆轲为上卿，让他住进了上等宾馆。太子丹每天都到荆轲的住所看望，为荆轲准备了牛、羊、猪三牲皆备的筵席，隔不久还会送一次奇珍异宝，车马美女更是任荆轲随心所欲享用，一切都以满足他的心意为目的。

久之，荆轲未有行意。秦将王翦破赵，虏赵王，尽收入其地，进兵北略地至燕南界。太子丹恐惧，乃请荆轲曰："秦兵旦暮渡易水，则虽欲长侍足下，岂可得哉！"荆轲曰："微①太子言，臣愿谒②之。今行而毋信，则秦未可亲也。夫樊将军，秦王购之金千斤，邑万家。诚得樊将军首与燕督亢之地图，奉献秦王，秦王必说见臣，臣乃得有以报。"太子曰："樊将军穷困来归丹，丹不忍以己之私而伤长者之意，愿足下更虑之！"

[注释]

①微：无，没有。②谒：请求，禀告。

[译文]

过了很长一段时间，荆轲仍然没有动身的意思。这时，秦的将领王翦已经攻破赵国的都城，俘虏了赵王，吞并了赵国的全部领土。秦军向北挺进，直逼燕国的南部边界。太子丹内心忧惧，就请求荆轲说："秦国的军队很快就要横渡易水，即使我想要长久地侍奉先生您，又怎能办得到呢！"荆轲说："您就是不说，我也早想和您计议这件事了。现在要到秦国去，我手里却没有能取信于秦王的东西，因而也就无法接近秦王。从秦国逃来的樊将军，被秦王以黄金千斤、封邑万户为条件来悬赏捉拿。如果我能得到樊将军的脑袋和燕国督亢地区的地图，将它们呈献给秦王，秦王一定会心里高兴而接见我，这样我就能够有机会为您效力。"太子丹说："樊将军因为走投无路才来投奔我，我不忍心为了自己的私利而伤害他的情感，希望您还是想别的办法吧！"

荆轲知太子不忍，乃遂私见樊於期曰："秦之遇将军可谓深①矣,父母宗族皆为戮没。今闻购将军首金千斤,邑万家,将奈何?"於期仰天太息流涕曰:"於期每念之,常痛于骨髓,顾计不知所出耳!"荆轲曰:"今有一言可以解燕国之患,报将军之仇者,何如?"於期乃前曰:"为之奈何?"荆轲曰:"愿得将军之首以献秦王,秦王必喜而见臣,臣左手把其袖,右手揕②其匈③,然则将军之仇报而燕见陵之愧除矣。将军岂有意乎?"樊於期偏袒扼捥④而进曰:"此臣之日夜切齿腐心也,乃今得闻教!"遂自刭。太子闻之,驰往,伏尸而哭,极哀。既已不可奈何,乃遂盛樊於期首函⑤封之。

[注释]

①深:狠,歹毒。②揕:刺。③匈:通"胸"。④捥,同"腕",手腕。⑤函:匣子,盒子。

[译文]

荆轲明白太子于心不忍,于是就私下去见樊於期,对他说:"秦国对待您可以说是残忍到了极点,您的父母、宗族都已被屠杀净尽。如今我听说秦国正用千斤黄金、万户封邑的重赏求取将军您的项上人头,您又有什么打算呢?"樊於期仰面长叹,流着眼泪说:"在下每念及此,就有痛彻骨髓之感,只是无计可施!"荆轲说:"现在我有一个办法不仅可以消除燕国的祸患,而且还能替将军您报仇,不知是否当讲?"樊於期走上前来说:"请问有何妙计?"荆轲说:"我愿借将军您的脑袋去献给秦王,秦王一定会高高兴兴地召见我,到那时候,我左手抓住秦王的衣袖,右手拿匕首直刺他的胸膛,这样不但可以替将军报仇雪恨,而且还可以一洗燕国被欺凌的耻辱,将军是否有这样的想法呢?"樊於期脱露半边肩膀,一只手紧握另外一只手的手腕,靠近荆轲说道:"这就是我捶胸顿足、朝思暮盼的好主意,现在终于听您说了出来!"说完他就拔剑自杀。听到这个消息,太子丹急忙驾车前来,他趴在樊於期的尸体上放声大哭，极其悲伤。既然事已至此，燕太子丹就把樊於期的人头用一个盒子装住，加上了封条。

于是太子豫求天下之利匕首，得赵人徐夫人匕首，取之百金，使工以药淬之，以试人，血濡缕，人无不立死者。乃装为遣荆卿。燕国有勇士秦舞阳，年十三杀人，人不敢忤视①。乃令秦舞阳为副。荆轲有所待，欲与俱；其人居远未来，而为治行。顷之，未发，太子迟之，疑其改悔，乃复请曰："日已尽矣！荆卿岂有意哉？丹请得先遣秦舞阳。"荆轲怒，叱太子曰："何太子之遣？往而不返者，竖子也！且提一匕首入不测之强秦，仆所以留者，待吾客与俱。今太子迟之，请辞决矣！"遂发。

[注释]

①忤视：用不顺从的眼光来看。忤，逆，抵触。

[译文]

当时，太子已预先在各地寻找锋利的匕首，最后从赵国徐夫人那里找到了一把，太子丹花了百金将它买下，又让工匠多次用毒药水为匕首淬火，用这把匕首刺人，只要刺出一点儿血丝，受伤的人无不立马死掉。于是太子丹就替荆轲收拾行装，准备送荆轲上路。燕国有个叫秦舞阳的勇士，十三岁就曾杀过人，周围的人谁都不敢用挑衅的眼光看他。太子丹就把他找来，让他做荆轲的副手。荆轲似乎还有所等待，想等那个人一起前往；只是那人住得很远，还没能赶到，但荆轲已替那个人准备好了行囊。又过了几天，荆轲还没动身，太子以为他有意拖延，怀疑他有反悔之意，就又去催促荆轲说："时日已经不多了，您有什么别的想法吗？不然的话，我先派秦舞阳出发好了。"荆轲闻言大怒，斥责太子说："您怎能如此安排？有去无回，那是笨蛋所为！何况这是手持匕首前去强大的秦国行刺秦王啊。我之所以逗留，为的是要等到一位朋友和我同去。现在既然太子您嫌我行动缓慢,那我就即刻上路!"于是,荆轲就出发了。

太子及宾客知其事者,皆白衣冠以送之。至易水之上,既祖,取道,高渐离击筑,荆轲和而歌,为变徵之声,士皆垂泪涕泣。又前而为歌曰:"风萧萧兮易水寒,壮士一去兮不复还!"复为羽声忼慨,士皆瞋目,发尽上指冠。于是荆轲就车而去,终已不顾。

[译文]

太子丹及知道这件事的宾客,都穿着白衣,戴着白帽来为荆轲送行。在易水河边,祭祀完毕,车马待发,这时,高渐离击筑,荆轲和着筑声高歌,声调苍凉悲壮,送行的人听了都热泪盈眶。荆轲又走上前去唱道:"风萧萧兮易水寒,壮士一去兮不复还!"接着又变为激昂慷慨的调子,让送行的人们个个听得怒目圆睁,头发直竖。唱完,荆轲绝尘而去,再也没有回头。

遂至秦,持千金之资币物①,厚遗秦王宠臣中庶子蒙嘉。嘉为先言于秦王曰:"燕王诚振怖大王之威,不敢举兵以逆军吏,愿举国为内臣,比②诸侯之列,给贡职如郡县,而得奉守先王之宗庙。恐惧不敢自陈,谨斩樊於期之头,及献燕督亢之地图,函封,燕王拜送于庭,使使以闻大王,唯大王命之。"秦王闻之,大喜,乃朝服,设九宾,见燕使者咸阳宫。荆轲奉樊於期头函,而秦舞阳奉地图柙,以次进。至陛,秦舞阳色变振恐,群臣怪之。荆轲顾③笑舞阳,前谢曰:"北蕃蛮夷之鄙人,未尝见天子,故振慴④。愿大王少假借⑤之,使得毕使于前。"秦王谓轲曰:"取舞阳所持地图。"轲既取图奏之,秦王发图,图穷而匕首见。

因左手把秦王之袖，而右手持匕首揕之。未至身，秦王惊，自引而起，袖绝。拔剑，剑长，操其室。时惶急，剑坚，故不可立拔。荆轲逐秦王，秦王环柱而走。群臣皆愕，卒起不意，尽失其度。而秦法，群臣侍殿上者不得持尺寸之兵；诸郎中执兵皆陈殿下，非有诏召不得上。方急时，不及召下兵，以故荆轲乃逐秦王。而卒惶急，无以击轲，而以手共搏之。是时侍医夏无且以其所奉药囊提⑥荆轲也。秦王方环柱走，卒惶急，不知所为。左右乃曰："王负剑！"负剑，遂拔以击荆轲，断其左股。荆轲废，乃引其匕首以擿秦王。不中，中桐柱。秦王复击轲，轲被八创。轲自知事不就，倚柱而笑，箕踞以骂曰："事所以不成者，以欲生劫之，必得约契以报太子也。"于是左右既前杀轲，秦王不怡者良久。已而论功，赏群臣及当坐者各有差。而赐夏无且黄金二百溢，曰："无且爱我，乃以药囊提荆轲也。"

[注释]

①币物：礼物。②比：相当，等于。③顾：回头。④振慑：震恐。慑，恐惧。⑤假借：通融，宽容。⑥提：投击。

[译文]

荆轲一到秦国，就用价值千金的礼物买通了秦王的宠臣中庶子蒙嘉。蒙嘉先在秦王面前为荆轲铺垫，他说："燕王的确为大王您的气概所折服，不敢出兵和我们的军队相抗衡，他愿意前来投降，举国做秦国的臣子，只想比照享受我们下面诸侯国的待遇，他们将像郡县一样给我们纳税，目的只是想保留他们的宗庙社稷。燕王因为害怕不敢亲自前来诉求，就恭敬地砍下了樊於期的脑袋，并献上了燕国督亢地区的地图，用盒子密封装好，已派人送来。临行前燕王还在朝堂上举行了仪式，叮嘱使者把情况认真向您报告，只等大王您的旨意了。"秦王一听，非常高兴，就换上朝服，设九宾大礼，在咸阳宫接见燕国的使者。荆轲捧着装有樊於期脑袋的木盒，秦舞阳捧着放有地图的匣子，两人依次进殿。当走到秦王宫殿台阶之下时，秦舞阳面色大变，浑身颤抖，秦国的大臣们都感觉很奇怪。荆轲回头笑着看了秦舞阳一眼，上前替他谢罪说："此人不过是北边藩属的蛮夷之人，从未见过天子，所以一见之下便因震撼而畏惧，望大王稍稍宽容他一下，让他能够完成这次出使的任务。"秦王对荆轲说："把秦舞阳所持的地图呈上来。"荆轲取过地图呈上，秦王将地图展开，图卷展到最后，里面的匕首就露了出来。荆轲趁势用左手抓住秦王的袖子，右手拿匕首刺向秦王。匕首未至身，秦王大惊，急忙站起来，袖子瞬间挣断。秦王拔剑，由于佩剑过长，他只是抓住了剑鞘。由于惊慌紧张，剑鞘似乎套得特紧，所以无法立即拔出。荆轲追赶秦王，秦王只得绕着柱子奔跑。大臣被此情景吓呆了，由于事情来得突然，现场的一切全都没了章法。而秦国的法律规定，殿上所有侍卫大臣都不允许携带任何兵器；所有手持武器的侍从人员也只能依序站在殿外守卫，没有秦王的命令，谁也不得进殿。当时情况危急，秦王来不及传唤侍卫，因此荆轲才能追着秦王跑。事出不意之间，殿上群臣一时也没有东西攻击荆轲，只有赤手空拳和荆轲搏斗。这时，有个叫夏无且的太医情急之下把他手里的药箱砸向荆轲。秦王正绕着柱子跑，仓猝之间，不知如何是好。这时有侍从大喊："王负剑！"秦王于是把剑挎到了背后，佩剑得以拔出，他持剑回击荆轲，砍断了他的左腿。荆轲瘫了下去，就举起他的匕首掷向秦王，没有投中秦王，只是击中了宫中的铜柱。秦王连刺荆轲，荆轲被刺中八处之多。荆轲明白事情难以成功了，就倚着柱子放声大笑，一边叉开两腿坐在地上，一边骂道："今天的事情之所以失败，是我想活捉你，逼着你订立条约，我要以此来回报燕太子。"这时，侍卫冲上前来杀死了荆轲，秦王为此心情不爽了很久。事后评论功过，赏赐群臣及处置应当办罪的官员都各有不同。赐给夏无且黄金二百镒，秦王说："无且因为爱我，才用药箱投击荆轲啊。"

于是秦王大怒，益发兵诣①赵，诏王翦军以伐燕。十月而拔蓟城。燕王喜、太子丹等尽率其精兵东保于辽东。秦将李信追击燕王急，代王嘉乃遗燕王喜书曰："秦所以尤追燕急者，以太子丹故也。今王诚杀丹献之秦王，秦王必解，而社稷幸得血食②。"其后李信追丹，丹匿衍水中，燕王乃使使斩太子丹，欲献之秦。秦复进兵攻之。后五年，秦卒灭燕，虏燕王喜。

[注释]

①诣：往，到……去。②血食：享受祭祀。因为祭祀时要杀牛、羊、豕三牲，所以叫血食。

[译文]

因而，秦王大发雷霆之怒，增派军队前往赵国，同时命令王翦率军北伐燕国。十月就攻下了燕的都城蓟城。燕王喜、太子丹等率领精锐部队退守辽东。秦将李信穷追燕王不舍，代王嘉就写信给燕王喜说："秦军之所以如此急切追击燕军，全是因为太子丹的缘故。您如果杀掉太子丹，把他献给秦王，秦王一定会放您一马，这样燕国或许能够得到保存。"后来，李信率军追击太子丹，太子丹藏在衍水河一带，燕王就派人杀了太子丹，准备把他献给秦王。但秦国还是照样攻打燕国。五年之后，秦国终于灭掉了燕国，俘虏了燕王喜。

其明年，秦并天下，立号为皇帝。于是秦逐太子丹、荆轲之客，皆亡。高渐离变名姓为人庸保①，匿作于宋子。久之，作苦，闻其家堂上客击筑，彷徨不能去。每出言曰："彼有善有不善。"从者以告其主，曰："彼庸乃知音，窃言是非。"家丈人召使前击筑，一坐称善，赐酒。而高渐离念久隐畏约无穷时，乃退，出其装匣中筑与其善衣，更容貌而前。举坐客皆惊，下与抗礼，以为上客。使击筑而歌，客无不流涕而去者。宋子传客之，闻于秦始皇。秦始皇召见，人有识者，乃曰："高渐离也。"秦皇帝惜其善击筑，重赦之，乃矐②其目，使击筑，未尝不称善。稍益近之，高渐离乃以铅置筑中，复进得近，举筑朴③秦皇帝，不中。于是遂诛高渐离，终身不复近诸侯之人。

[注释]

①庸保：帮工，伙计。②矐：熏瞎。③朴：抡物来砸人。

[译文]

第二年，秦王统一了天下，改号称为皇帝。秦始皇就下令追捕太子丹、荆轲的追随者，追随者都潜逃了。高渐离隐姓埋名在宋子这个地方的酒家当帮工。时间久了，高渐离就觉得很劳累，有一天，他忽然听到主人家的客人在堂上击筑，乐声让高渐离来回徘徊舍不得离开。他还不时作出评价："他弹得有好的地方，也有不好的地方。"侍从将高渐离的话转告了主人，说："那个下人似乎懂点音乐，刚才他在那里评论客人的击筑技巧。"主人就招呼高渐离上前击筑，一曲下来，赢得满堂喝彩，主人便赏给他酒喝。高渐离想到，自己如此心怀恐惧地东躲西藏，何时才是尽头呢？于是便退下堂来，从行囊中把自己的筑和漂亮的衣服取出，修饰换装后再次来到堂前。在座的宾客都大为吃惊，他们纷纷离开座位，以平等的礼节与高渐离相见，尊奉高渐离为上宾。请他击筑而歌，宾客们离去时，无不被乐声感动得眼含热泪。从此，整个宋子一带的人都轮流请他去做客，这消息最终传到了秦始皇那里。秦始皇传令召见，有人一见就认出他来，说："这人就是高渐离。"秦始皇欣赏高渐离的击筑技艺，但又不能轻易就赦免了他的死罪，于是就把他的两眼熏瞎，让他击筑，秦始皇每次都赞赏不已。渐渐地，高渐离可以靠近秦始皇了。于是，他就在筑里灌铅，等再次有机会靠近秦始皇时，便举起筑朝秦始皇砸去，可惜没有击中。因此，秦始皇杀了高渐离。从此以后，秦始皇终其一生再也没有接近过东方六国的人。

鲁句践已闻荆轲之刺秦王，私曰："嗟乎惜哉！其不讲于刺剑之术也！甚矣吾不知人也！曩者吾叱之，彼乃以我为非人也！"

[译文]

鲁句践听说荆轲行刺秦王的事后，私下说道："真的太可惜了！他不精通击剑的技术啊！我实在太不具备知人之明了！从前我还呵斥过他，他当然不会把我作为同路人来看待了！"

太史公曰：世言荆轲，其称太子丹之命，"天雨粟，马生角"也，太过；又言荆轲伤秦王，皆非也。始公孙季功、董生与夏无且游，具知其事，为余道之如是。自曹沫至荆轲五人，此其义①或成或不成，然其立意较②然，不欺其志，名垂后世，岂妄也哉！

[注释]

①义：义举，指行刺活动。②较：明，清楚。

[译文]

太史公说：社会上所流传的荆轲故事中，当说到太子丹的命运时，总说他曾经感动得"天上落下粮食来，马头上长出犄角来"，这种说法太夸张了。还说荆轲当时曾刺伤了秦王，这都是错误的。当初公孙季功、董生和夏无且有过交往，对这件事了解得比较详细，上面这些就是他们亲口告诉我的。从曹沫到荆轲一共五个人，他们的刺杀活动有的成功，有的失败，但他们的出发点都清晰明确，决不违背自己的良心。他们的名声能流传到后世，这难道是忽悠人的吗！

卷九十二

淮阴侯列传

　　淮阴侯韩信者，淮阴人也。始为布衣时，贫无行①，不得推择②为吏，又不能治生商贾③，常从人寄食饮，人多厌之者。常数从其下乡南昌亭长寄食，数月，亭长妻患之，乃晨炊蓐食。食时信往，不为具食。信亦知其意，怒，竟绝去。

[注释]

　　①无行：品行不好。②推择：推举选用。③治生商贾：以做生意维持生计。

[译文]

　　淮阴侯韩信是淮阴人。当初，他是布衣百姓，生活贫穷，也没有好的品行，既没被推选去做官的资格，又没有做买卖维持生计的能力，只好经常去别人家蹭饭，因此很讨人嫌。他总是到下乡的南昌亭亭长家里混饭，一混就是好几个月，亭长的妻子对他很反感，就故意提前备好早饭，把饭食端到床上去吃。等到正常开饭的时候，韩信到了，她却不给他准备饭食。韩信明白了他们的用意，一气之下，再也不到他们那里去了。

信钓于城下，诸母漂①，有一母见信饥，饭信，竟②漂数十日。信喜，谓漂母曰："吾必有以重报母。"母怒曰："大丈夫不能自食，吾哀王孙③而进食，岂望报乎！"

[注释]

①母：对老年妇女的尊称。漂：在水里冲洗丝棉之类的东西。②竟：到底，完毕。③王孙：公子，少年。

[译文]

一次，韩信在城下钓鱼，有几位老年妇女在河边漂洗衣物，其中一位老妇见韩信饥饿难忍，就拿出自己的饭食给韩信吃。几十天都是如此，直到老妇洗完衣物。韩信很感激，对那位老妇说："我将来一定重重报答您老人家。"老妇生气地说："作为一个男子汉，你连自己都不能养活，我是可怜你这位公子才给你饭吃，谁指望你报答啊！"

淮阴屠中少年有侮信者，曰："若①虽长大，好带刀剑，中情②怯耳。"众辱③之曰："信能死④，刺我；不能死，出我袴⑤下。"于是信孰视之，俯出袴下，蒲伏⑥。一市人皆笑信，以为怯。

[注释]

①若：你。②中情：内心，骨子里。③众辱：当众污辱。④能死：敢死，不怕死。⑤袴：通"胯"，两腿间。⑥蒲伏：同"匍匐"，跪在地上爬行。

[译文]

淮阴县有个年轻的屠夫侮辱韩信说："你小子虽然人高马大，喜欢带刀佩剑，其实你不过是个贪生怕死的小人。"他当众这样骂韩信："你小子要不怕死，就拿剑来刺我；如果怕死，就从我胯下爬过去吧。"在此情境之下，韩信仔细地打量了那人一番，低身趴在地上，从那人的胯下钻了过去。满街的人都嘲笑韩信，认定他胆小如鼠。

及项梁渡淮，信杖剑从之，居戏下，无所知名。项梁败，又属项羽，羽以为郎中。数以策干①项羽，羽不用。汉王之入蜀，信亡楚归汉，未得知名，为连敖。坐法②当斩，其辈十三人皆已斩，次至信，信乃仰视，适见滕公，曰："上③不欲就④天下乎？何为斩壮士！"滕公奇其言，壮其貌，释而不斩。与语，大说⑤之。言于上，上拜以为治粟都尉，上未知奇也。

[注释]

①干：求见。②坐法：因为犯法。③上：王。④就：取。⑤说：同"悦"，喜欢，高兴。

[译文]

等到项梁率军渡过了淮河，韩信就带着自己的剑从军，投在项梁的部下，却没有任何名气。项梁败亡后，韩信又跟随了项羽，项羽任命他做侍从角色的郎中。为了得到赏识，他曾多次向项羽献策，但都没有被采纳。当汉王刘邦入蜀时，韩信就脱离了项羽投奔刘邦。这次同样没有受到赏识，只被任命为负责粮草的连敖。后来他犯法被判处斩刑，同伙的十三人都已被斩，下面就该轮到韩信了，他恰在此时抬头仰视，正好看见滕公夏侯婴，韩信就说："汉王难道不想一统天下吗？为什么要斩杀壮士！"夏侯婴觉得此人出言不凡，又见此人相貌堂堂，就释放了他。夏侯婴和韩信对谈，十分欣赏，就把韩信推荐给了汉王刘邦，刘邦任命韩信为治粟都尉。但汉王并没有察觉韩信有什么过人之处。

信数与萧何语，何奇之。至南郑，诸将行道亡者数十人，信度①何等已数言上,上不我用,即亡。何闻信亡,不及以闻,自追之。人有言上曰:"丞相何亡。"上大怒,如失左右手。居一二日,何来谒②上,上且怒且喜,骂何曰:"若亡,何也?"何曰:"臣不敢亡也,臣追亡者。"上曰:"若所追者谁何?"曰:"韩信也。"上复骂曰:"诸将亡者以十数,公无所追;追信,诈也。"何曰:"诸将易得耳。至如信者,国士无双。王必欲长王汉中,无所事信;必欲争天下,非信无所与计事者。顾③王策安所决耳。"王曰:"吾亦欲东耳,安能郁郁久居此乎?"何曰:"王计必欲东,能用信,信即留;不能用,信终亡耳。"王曰:"吾为公以为将。"何曰:"虽为将,信必不留。"王曰:"以为大将。"何曰:"幸甚。"于是王欲召信拜之。何曰:"王素慢无礼,今拜大将如呼小儿耳,此乃信所以去也。王必欲拜之,择良日,斋戒,设坛场④,具礼,乃可耳。"王许之。诸将皆喜,人人各自以为得大将。至拜大将,乃韩信也,一军皆惊。

[注释]

①度:揣测,估计。②谒:进见,拜见。③顾:关键在于,就在于。④坛场:指拜将场所。坛,土台。

[译文]

韩信多次和萧何谈话,萧何认为韩信是个奇才。刘邦带兵进至南郑,半路上逃跑的各路将领多达几十人。韩信估计萧何等人已多次向汉王推荐自己,却不被重用,也逃跑了。萧何听说此事,来不及向刘邦报告,就亲自前去追赶韩信。有人对刘邦说:"丞相萧何也逃跑了。"刘邦十分生气,如同失去了自己的左右手。一两天之后,萧何晋见刘邦,刘邦既怒又喜,骂道:"你为什么要逃走?"萧何说:"臣岂敢逃跑,我是去追逃跑的人了。"汉王说:"你去追谁了呢?"萧何回答说:"韩信。"汉王又骂道:"逃跑的各路将领多达几十人,你哪个都没去追;为什么独独去追韩信,分明在说假话。"萧何说:"那些将领一抓一把。但韩信这样的人物,天下再也难找出第二个来。您如果真的打算就在汉中称王,自然用不着韩信;如果一定要争夺天下,除了韩信就再没有人可以和您共谋大事了。关键就看您怎么打算了。"刘邦说:"我当然也想向东进军啊,怎么能长此以往龟缩在这里呢?"萧何说:"您如果决意向东进军,就要重用韩信,韩信自然会留下来;如果韩信不被重用,他终究还是要逃跑的。"刘邦说:"那我就看在你的情面上让他做个将军吧。"萧何说:"即使让他做将军,韩信也一定不肯留下。"刘邦说:"那就任命他做大将军。"萧何说:"甚好。"于是刘邦就想召来韩信宣布任命。萧何说:"您向来对人轻慢无礼,如今任命大将军就像呼喊小孩儿一样草率,这正是韩信逃跑的原因啊。如果您打定主意要任命他,就要选择吉日良辰,亲自斋戒,修筑高坛,礼仪要完备之后才可以。"刘邦答应了萧何的要求。众将听到要拜大将都很高兴,人人都以为是自己要做大将军了。等到仪式开始之后,大家才知被任命的竟然是韩信,全军上下莫不惊诧。

信拜礼毕,上坐。王曰:"丞相数言将军,将军何以教寡人计策?"信谢①,因问王曰:"今东乡②争权天下,岂非项王邪?"汉王曰:"然。"曰:"大王自料勇悍仁强孰与项王?"汉王默然良久,曰:"不如也。"信再拜贺③曰:"惟信亦为大王不如也。然臣尝事之,请言项王之为人也。项王喑噁④叱咤,千人皆废⑤,然不能任属贤将,此特匹夫之勇耳。项王见人恭敬慈爱,言语呕呕⑥,人有疾病,涕泣分食饮,至使人有功当封爵者,印刓敝⑦,忍不能予,此所谓妇人之仁也。项王虽霸天下而臣诸侯,不居关中而都彭城。有背义帝之约,而以亲爱王,诸侯不平。诸侯之见项王迁逐义帝置江南,亦皆归逐其主而自王善地。项王所过无不残灭者,天下多怨,百姓不亲附,特⑧劫于威强耳。名虽为霸,实失天下心。故曰其强易弱。今大王诚能反其道，任天下武勇，何所不诛！以天下城邑封功臣，何所不服！以义兵从思东归之士，何所不散！且三秦王为秦将，将秦子弟数岁矣，所杀亡不可胜计，又欺其众降诸侯，至新安，项王诈坑秦降卒二十余万，唯独邯、欣、翳得脱，秦父兄怨此三人，痛入骨髓。今楚强以威王此三人，秦民莫爱也。大王之入武关，秋毫无所害，除秦苛法，与秦民约，法三章耳，秦民无不欲得大王王秦者。于诸侯之约，大王当王关中，关中民咸知之。大王失职入汉中，秦民无不恨者。今大王举而东，三秦可传檄而定也。"于是汉王大喜，自以为得信晚。遂听信计，部署诸将所击。

[注释]

①谢：谦让。②乡：同"向"，面向，面对着。③贺：赞同，嘉许。④喑噁：满怀怒气。⑤废：伏，偃伏，不敢动。⑥呕呕：温和的样子。⑦刓敝：磨得没有棱角。刓，磨损。⑧特：只不过。

[译文]

仪式结束之后，韩信被请入上座。刘邦说："萧丞相多次称道将军，将军用什么计策指教我呢？"一番谦让之后，韩信趁势问刘邦："如今我们要向东争夺天下，敌人难道不正是项羽吗？"刘邦说："对。"韩信说："您自己估计一下，在勇敢、强悍、仁厚、兵力等方面，您和项羽哪个更厉害？"刘邦沉默了半天，说道："我比不过项羽。"韩信起身拜了两拜，赞许地说："我也认为您比不上他。然而，我曾经在他手下做过事，请让我对您介绍一下项羽的为人吧。项羽发怒时的一声咆哮，就能吓倒成百上千的人，但他却不能任用有才能的将领，因此，项羽不过是有'匹夫之勇'罢了。项羽待人恭敬慈爱，言语温和，要是有人生病了，他会一边心疼地掉泪，一边将自己的饭食分给病人，可是等到有人立下战功，该加官进爵了，他却把大印把玩得失去了棱角，也舍不得封赠有功之人，这就是人们常说的'妇人之仁'啊。虽然眼下的项羽称霸天下，诸侯们对他俯首称臣，但是他不在关中而在彭城建都。他又违背了义帝当初的约定，把自己的亲信都分封为王，诸侯们对他心怀不满。诸侯们看到项羽把义帝赶到僻远的江南，也都回去驱逐自己的国君，占据好的地方自立为王了。项羽的军队所到之处，无不惨遭毁灭，因此，天下人怨声载道，百姓也不愿归附他，大家不过是迫于项羽眼下的威势，勉强服从罢了。项羽虽然号称霸主，实际上却失尽民心。所以说他的强势很容易就会转化为弱势的。如果您真的能够反其道而行之，重用勇敢善战的人才，还有什么敌人不可消灭呢？把天下的城邑分封给有功之臣，还会有什么人不心服口服呢？身为正义之师，又顺从将士们东归的心愿，还有什么样的敌人不能击溃呢？况且项羽分封在关中的三个诸侯王，都是原来秦朝的将领，多年来他们率领关中子弟东拼西杀，其间被杀死和丢失的士兵无可计数，后来他们又欺骗士兵投降项羽。结果到了新安，项羽用欺诈的手段活埋了已投降的二十多万秦兵，只留下了章邯、司马欣和董翳三人，致使秦地的父老乡亲对此三人恨之入骨。项羽却凭借着自己的武力，硬是将这三个人分封为王，其实秦地的百姓没有谁拥护他们。而您进入武关之后，秋毫无犯，废除了秦朝的严刑酷法，并与当地百姓约法三章，秦地百姓无不想要您在秦地做王。根据当初的约定，大王理当在那里做王，关中的百姓也都知晓此事。您被剥夺了在那里做王的权利且被远迁汉中，秦地百姓都因此十分痛恨项羽。如果您举兵东进，只要一道檄文就可平定三秦。"刘邦听后大喜，深感自己真正认识韩信太晚。就听从韩信的谋划，确定了各路将领下一步要攻击的目标。

八月，汉王举兵东出陈仓，定三秦。汉二年，出关，收魏、河南，韩、殷王皆降。合齐、赵共击楚。四月，至彭城，汉兵败散而还。信复收兵与汉王会荥阳，复击破楚京、索之间，以故楚兵卒不能西。

[译文]

汉高祖元年八月，刘邦经过陈仓出兵东进，平定了三秦。汉高祖二年，刘邦率兵东出函谷关，收服了魏地和河南地，韩王、殷王也先后投降。刘邦又联合齐国、赵国共同攻击项羽。四月，刘邦的军队攻到了彭城，之后兵败而还。韩信集结溃散的兵马与刘邦在荥阳会合，在京县、索亭之间大败楚军。从此楚军再也没能向西推进一步。

汉之败却彭城，塞王欣、翟王翳亡汉降楚，齐、赵亦反汉与楚和。六月，魏王豹谒归①视亲疾，至国，即绝②河关反汉，与楚约和。汉王使郦生说豹，不下。其八月，以信为左丞相，击魏。魏王盛兵蒲坂，塞临晋，信乃益为疑兵，陈船欲渡临晋，而伏兵从夏阳以木罂缶渡军，袭安邑。魏王豹惊，引兵迎信，信遂虏豹，定魏为河东郡。汉王遣张耳与信俱，引兵东，北击赵、代。后九月，破代兵，禽③夏说阏与。信之下魏破代，汉辄使人收其精兵，诣荥阳以距楚。

[注释]

①谒归：请假回家。②绝：断绝通路。③禽：同"擒"，捕捉。

[译文]

汉军在彭城败退之后，塞王司马欣、翟王董翳都背叛刘邦投降了项羽，齐国和赵国也背叛刘邦跟项羽讲和了。六月，魏王豹以母亲生病为由告假返乡，一到封国，立即切断黄河渡口，反叛汉王，并与楚军订约讲和。刘邦只得派郦食其前去游说魏豹，没有成功。这年八月，刘邦任命韩信为左丞相，攻打魏豹。魏豹把主力部队驻扎在蒲坂，堵塞了黄河渡口临晋关。韩信就增派疑兵，故意排开战船,做出要在临晋渡河的样子,而暗地让士兵借助木板木桶从夏阳浮水渡河,偷袭安邑。魏王豹惊慌失措,带领军队仓促迎战韩信,结果被韩信俘虏,刘邦平定了魏地,把它改为河东郡。刘邦又派张耳和韩信一起,领兵向东进发,向北攻打赵国和代国。在这年的闰九月,他们打垮了代国的军队,在阏与活捉了夏说。当韩信攻下魏国,摧毁代国后,刘邦就派人征调韩信的精锐部队,让他们开往荥阳去抵御楚军。

信与张耳以兵数万,欲东下井陉击赵。赵王、成安君陈馀闻汉且袭之也,聚兵井陉口,号称二十万。广武君李左车说成安君曰:"闻汉将韩信涉①西河,虏魏王,禽夏说,新喋血②阏与,今乃辅以张耳,议欲下赵,此乘胜而去国远斗,其锋不可当。臣闻千里馈粮,士有饥色,樵苏后爨③,师不宿饱。今井陉之道,车不得方轨,骑不得成列,行数百里,其势粮食必在其后。愿足下假臣奇兵三万人,从间道绝其辎重④;足下深沟高垒⑤,坚营勿与战。彼前不得斗,退不得还,吾奇兵绝其后,使野无所掠,不至十日,而两将之头可致于麾下。愿君留意臣之计。否,必为二子所禽矣。"成安君,儒者也,常称义兵不用诈谋奇计,曰:"吾闻兵法十则围之,倍则战。今韩信兵号数万,其实不过数千。能千里而袭我,亦已罢⑥极。今如此避而不击,后有大者,何以加之!则诸侯谓吾怯,而轻来伐我。"不听广武君策,广武君策不用。

[注释]

①涉:渡。②喋血:形容激战而流血很多。喋,通"蹀",践。③爨(cuàn):烧火做饭。④辎重:军需物资,此指粮草。⑤垒:战壕。⑥罢:通"疲"。

[译文]

韩信和张耳率领几万人马,准备从井陉口突破向东攻打赵国。赵王歇和成安君陈馀听说汉军将要来袭,就在井陉口屯兵,号称有大军二十万。广武君李左车向成安君陈馀建议说:"听说汉将韩信已经渡过西河,他们俘虏了魏王豹,活捉了夏说,新近又大战阏与,如今在张耳的帮助下,准备夺取赵国。他们乘胜前进、远离本土作战,其势锐不可当。然而,我听说粮草需要长途运送的,士兵们就会面带饥色,到该烧饭之时,才去砍柴割草,士兵就难有饱餐。井陉的道路,狭窄得难容两辆战车并行,骑兵不能排成行列,行进的军队往往要迤逦数百里,这样的情况之下,他们运送粮饷的队伍必然会远远地落在后边,希望您临时借我三万精兵,让我抄小路拦截他们的粮草;您就只管深挖战壕,高筑营垒,坚守不战。使他们向前求战不得,向后撤退不能,我的奇兵又切断了他们的后路,他们在荒野中抢掠不到任何东西,不出十天,我将把韩信和张耳的人头送到将军帐下。希望您仔细考虑我的计策。否则,我们一定会成为他二人的俘虏。"成安君陈馀是个刻板书生,总是宣称正义之师不可使用欺诈战术,他说:"我看兵书上说,十倍于敌人的兵力,就可以包围它,一倍于敌人的兵力,就可以同它交战。现在韩信的军队号称数万,实际不过几千。并且是长途跋涉而来,已经是疲惫之极了。如今避而不战,若他们的援军赶来,我们又将如何取胜?我们若不战,诸侯们都会认为我们胆怯,从此他们轻易就会前来攻打我们。"于是,陈馀不听从,李左车的计谋就没有被实施。

韩信使人间视①,知其不用,还报,则大喜,乃敢引兵遂下。未至井陉口三十里,止舍。夜半传发,选轻骑二千人,人持一赤帜,从间道萆②山而望赵军,诫曰:"赵见我走,必空壁③逐我,若疾入赵壁,拔赵帜,立汉赤帜。"令其裨将传飧,曰:

"今日破赵会食!"诸将皆莫信,详应曰:"诺。"谓军吏曰:"赵已先据便地为壁,且彼未见吾大将旗鼓,未肯击前行,恐吾至阻险而还。"信乃使万人先行,出,背水陈④。赵军望见而大笑。平旦⑤,信建大将之旗鼓,鼓行出井陉口,赵开壁击之,大战良久。于是信、张耳详弃鼓旗,走水上军。水上军开入之,复疾战。赵果空壁争汉鼓旗,逐韩信、张耳。韩信、张耳已入水上军,军皆殊死战,不可败。信所出奇兵二千骑,共候赵空壁逐利,则驰入赵壁,皆拔赵旗,立汉赤帜二千。赵军已不胜,不能得信等,欲还归壁,壁皆汉赤帜,而大惊,以为汉皆已得赵王将矣,兵遂乱,遁走,赵将虽斩之,不能禁也。于是汉兵夹击,大破虏赵军,斩成安君泜水上,禽赵王歇。

[注释]

①间视:暗中探听,窥伺。②草:通"蔽",隐蔽。③空壁:全军离营。④陈:同"阵",打仗时的战斗队列。⑤平旦:天刚亮。

[译文]

韩信派手下暗中打探,了解到陈馀没有采纳李左车的建议,回来报告,韩信大喜,于是才敢领兵进入井陉狭道。在距离井陉口还有三十里的地方,韩信令部队宿营。半夜传令集合,挑选了两千轻骑精兵,每人手持一面红旗,抄小道上山,埋伏起来观察赵军动向。韩信告诫士兵说:"交战之时,赵军见我军败走,一定会倾巢出动追赶,你们就趁此机会火速冲进赵营,拔掉赵军军旗,改插汉军军旗。"又让副将传令军队先吃些早点应付,并说:"等打垮了赵军再正式会餐。"将领们难以置信,只好假意应付道:"好。"韩信对身边的军官说:"赵军已率先在有利地形营造了防御工事,他们看不到我们大将的旗帜、仪仗,就不会攻击我军的先锋部队,他们是担心一旦开打,我们的后续部队到了险要的地方就会退回。"于是,韩信派出万人为先头部队,出了井陉口,背靠河水摆开阵势。

淮阴侯列传

赵军远远望见，哈哈大笑不已。天刚放亮，韩信的大将旗帜和仪仗锣鼓齐鸣地开出了井陉口。赵军打开营垒迎击汉军，战斗持续了很长时间。此时，韩信、张耳抛旗弃鼓假装败退，逃回到船上。船上的军队放他们进去，之后再和赵军激战。赵军看到汉军败退，果然倾巢出动抢夺汉军的旗鼓，想捉拿韩信、张耳。韩信、张耳已退到船上，他们的军队与赵军死战，赵军无法取胜。韩信事先派出去的那两千轻骑兵，待赵军倾巢出动夺取战利品之时，火速冲进敌军大营，拔掉赵军的旗帜，插上了两千面汉军大旗。赵军看到无法打败韩信的军队，更不能俘获韩信等人，就想退回营垒，看到自己的大营遍插汉军大旗，异常震惊，以为汉军已经全部俘获了赵王的将领。军队于是大乱，士兵纷纷逃亡，即使赵军将领斩杀逃兵，也无法阻止他们的溃逃。于是，汉兵前后夹击，彻底摧垮了赵军，俘虏了大批人马，陈馀也被杀死在泜水之上，赵王歇被生擒。

信乃令军中毋杀广武君，有能生得者购①千金。于是有缚广武君而致戏下者，信乃解其缚，东乡②坐，西乡对，师事之。

[注释]
①购：悬赏征求。②乡：通"向"，面向。

[译文]
韩信传令全军，不准杀害广武君李左车，谁能活捉他，就有千金重赏。很快就有人捆住广武君，把他送到了韩信的大帐中，韩信替李左车解开绳索，请他在上位面东而坐，自己则坐在对面，像待老师那样待李左车。

诸将效①首虏，毕贺，因问信曰："兵法'右倍②山陵，前左水泽'。今者将军令臣等反背水陈，曰'破赵会食'，臣等不服。然竟以胜，此何术也？"信曰："此在兵法，顾诸君不察耳。兵法不曰'陷之死地而后生，置之亡地而后存'？且信非得素③拊循④士大夫⑤也，此所谓'驱市人而战之'，其势非置之死地，使人人自为战；今⑥予之生地，皆走，宁尚可得而用之乎！"诸将皆服曰："善。非臣所及也。"

[注释]

①效：呈献，呈交。②倍：背靠，背向。③素：一向，平素。④拊循：抚慰，顺从。引申为受过训练，听从指挥。⑤士大夫：指一般将士。⑥今：若，假如。

[译文]

众将纷纷向韩信献上敌军首级和俘虏，向韩信祝贺胜利之后，大家趁机问韩信说："兵法上讲'行军布阵应该右边和背后靠山，前边和左边临水'，可您这次却令我们背靠河水布阵，还说'打垮赵军正式会餐'，当时我们觉得难以置信，没想到真的取得了胜利，您这是什么战术啊？"韩信说："这在兵法上也有，只是诸位没有留意罢了。兵法上不是说'陷之死地而后生，置之亡地而后存'吗？况且我现在率领的军队既不是我的旧部，和将士之间又没有很深的交情，这就好像'赶着一帮街头的百姓去打仗'。在这种形势下，我必须把将士们置于死地，让他们人人为保住性命而战；如果留有生路，估计士兵都要跑光了，怎么还能指望他们拼死战斗呢？"将领们都佩服地说："真高明啊。您的谋略不是我们能赶得上的啊。"

于是信问广武君曰："仆①欲北攻燕，东伐齐，何若而有功？"广武君辞谢曰："臣闻'败军之将，不可以言勇；亡国之大夫，不可以图存'。今臣败亡之虏，何足以权②大事乎！"信曰："仆闻之，百里奚居虞而虞亡，在秦而秦霸，非愚于虞而智于秦也，用与不用，听与不听也。诚令成安君听足下计，若信者亦已为禽矣。以不用足下，故信得侍耳。"因固问曰："仆委心归计③，愿足下勿辞。"广武君曰："臣闻'智者千虑，必有一失；愚者千虑，必有一得。'故曰'狂夫之言，圣人择焉'。顾恐臣计未必足用，顾效愚忠。夫成安君有百战百胜之计，一旦而失之，军败鄗下，身死泜上。今将军涉西河，虏魏王，禽夏说阏与，一举而下井陉，不终朝破赵二十万众，诛成安君，名闻海内，威震天下，农夫莫不辍耕释耒，褕衣④甘食，倾耳以待命者。若此，将军之所长也。然而众劳卒罢，其实难用。今将军欲举倦獘之兵，顿之燕坚城之下，欲战恐久力不能拔，情见势屈⑤，旷日粮竭，而弱燕不服，齐必距境以自强也。燕齐相持而不下，则刘项之权未有所分也。若此者，将军所短也。臣愚，窃以为亦过矣。故善用兵者不以短击长，而以长击短。"韩信曰："然则何由？"广武君对曰："方今为将军计，莫如案甲休兵，镇赵抚其孤，百里之内，牛酒日至，以飨士大夫，醳⑥兵，北首燕路，而后遣辩士奉咫尺之书，暴其所长于燕，燕必不敢不听从。燕已从，使喧言者⑦东告齐，齐必从风而服，虽有智者，亦不知为齐计矣。如是，则天下事皆可图也。兵固有先声而后实者，此之谓也。"韩信曰："善。"从其策，发使使燕，燕从风而靡。乃遣使报汉，因请立张耳为赵王，以镇抚其国。汉王许之，乃立张耳为赵王。

[注释]

①仆：自我谦称。②权：权衡。引申为计议。③委心归计：倾心听从你的计策。④褕衣：好衣裳。褕，美。⑤情见势屈：自己的短处就要暴露，威势要受到挫减。见，同"现"，出现。⑥醳（yì）：赏赐酒食。⑦喧言者：辩士。喧，大声说话。

[译文]

韩信问李左车说："在下想要向北攻打燕国，向东讨伐齐国，怎么做才能成功呢？"李左车推辞说："我听说'打了败仗的将领，没有资格谈论勇敢;亡了国的士大夫,没有资格谋划国家的生存'。而今我不过是个国亡兵败的俘虏,有何资格和您计议大事呢?"韩信说:"在下曾听人说,百里奚在虞国为臣而虞国灭亡了,到了秦国为臣秦国却能称霸,这并不是因为他在虞国愚蠢,而到了秦国就变聪明了,问题的关键在于国君对他到底重不重用,采不采纳他的意见。如果成安君陈馀真的采纳了您的计谋,恐怕我韩信早就被生擒了。他没采纳您的计谋,所以我才有机会聆听您的教导。"韩信诚恳地说:"我是真心想听从您的计谋,望您万勿推辞。"李左车说:"我听人说,'智者千虑,必有一失;愚者千虑,必有一得'。所以说,'狂夫之言,圣人择焉'。只是我担心自己的计谋不足以采用,但我愿意尽心竭力。陈馀本来有百战百胜的计谋,一旦不用,以至军队败于鄗城之下,自己身死泜水之上。而今,将军您兵渡黄河,先俘魏王,又在阏与生擒夏说,接着一举攻克井陉,不到一个早晨的时间就打垮了二十万赵军,斩杀了陈馀。您已名扬四海,威震天下了,吓得农夫们也都放下锄头,不再耕作,穿上精美的服饰,每天吃香喝辣,无奈地等待战争到来的消息。像这些,都是将军在策略上的长处。然而,眼下百姓辛苦,士卒疲惫,已经不具备什么战斗力了。如果将军率领疲惫的军队去打燕国,停留在燕国坚固的城池之下,想打吧,担心时间太长,兵力不足以取胜。实情一旦暴露呢,您的威势就会减弱,时间一久,军粮消耗殆尽,连弱小的燕国都难以降服,齐国也就一定会拒守边境,以图自强了。如果燕、齐两国久攻不下,刘邦和项羽双方的胜负就很难看出分晓了。如果这样,就是将军在战略上的短处了。我的见识虽然浅薄,但还是认为攻燕伐齐不妥。所以,善于用兵的人不会拿自己的短处攻击敌人的长处,而是拿自己的长处去攻击敌人的短处。"韩信说:"既然如此,我该如何处理呢?"李左车说:"站在将军的角度,您还不如按兵不动,安定赵国的社会秩序,抚恤阵亡将士的遗孤。这样方圆百里之内的百姓，就会每天送肉送酒来犒劳您的将士。之后，您再摆出向北进攻燕国的架势，而后派出说客，拿着书信，向燕国宣示我们战略上的长处，燕国岂敢不从？降伏燕国之后，您再派说客前去劝降齐国，齐国就会闻风而降。即使有睿智之士，也无法替齐国谋划了。如果这样，那么汉王一统天下的大事都可以谋求了。用兵之事本来就有先虚张声势，而后采取实际行动的，我说的就是这种情况。"韩信说："甚好。"就听从了李左车的计策，派遣使者出使燕国，燕国果然立刻降服。于是派人报告刘邦，并请求立张耳为赵王，让他来镇抚赵国。刘邦答应了他的请求，就立张耳为赵王。

楚数使奇兵渡河击赵，赵王耳、韩信往来救赵，因行定赵城邑，发兵诣汉。楚方急围汉王于荥阳，汉王南出，之宛、叶间，得黥布，走入成皋，楚又复急围之。六月，汉王出成皋，东渡河，独与滕公俱，从张耳军修武。至，宿传舍①。晨自称汉使，驰入赵壁②。张耳、韩信未起，即其卧内上夺其印符，以麾召诸将，易置③之。信、耳起，乃知汉王来，大惊。汉王夺两人军，即令张耳备守赵地，拜韩信为相国，收赵兵未发者击齐。

[注释]

①传舍：驿站，宾馆。②壁：兵营。③易置：更换，改换职位。

[译文]

楚国曾多次派出奇兵渡过黄河攻打赵国。张耳和韩信往来救援，在行军中趁机安定赵国的其他城邑，并调兵支援刘邦。这时，楚军正把汉王刘邦牢牢地围困在荥阳，刘邦就从南面突围，逃到了宛县、叶县一带，在那里收编了黥布的一些人马后，进入成皋，楚军又立刻包围了成皋。这年六月，刘邦逃出了成皋，东渡黄河，只有滕公夏侯婴一人跟着他前往张耳驻军的修武县。他们一到修武，就住进了旅馆。第二天早晨，他们自称是刘邦的使臣，向赵军的营垒奔去。张耳、韩信尚未起床，刘邦就在他们的卧室里夺取了他们的将印、兵符，随即召集众将，重新任命他们的职务。韩信、张耳起床后，才知道刘邦已到，十分震惊。刘邦夺取了他们两人的军权后，就命令张耳驻守赵地，任命韩信为相国，让他收集赵国还没有发往荥阳的士兵，向东攻打齐国。

信引兵东，未渡平原，闻汉王使郦食其已说下齐，韩信欲止。范阳辩士蒯通说信曰："将军受诏击齐，而汉独①发间②使下齐，宁有诏止将军乎？何以得毋行也！且郦生一士，伏轼掉三寸之舌，下齐七十余城，将军将数万众，岁余乃下赵五十余城，为将数岁，反不如一竖儒③之功乎？"于是信然之，从其计，遂渡河。齐已听郦生，即留纵酒，罢备汉守御。信因袭齐历下军，遂至临菑。齐王田广以郦生卖己，乃亨④之，而走高密，使使之楚请救。韩信已定临菑，遂东追广至高密西。楚亦使龙且将，号称二十万，救齐。

[注释]

①独：只，只不过。②间：暗中，秘密地。③竖儒：对读书人的蔑称。④亨：同"烹"，煮。

[译文]

韩信向东进兵，还没到平原县的黄河渡口，听说刘邦派出的郦食其已经说服齐王投降了。韩信打算不再进军。来自范阳的说客蒯通劝谏韩信说："将军是奉命去攻打齐国的，而汉王只不过私下派出了一个密使游说，就劝降了齐国，您不是还没有接到让您停止进军的命令吗？您怎么能停止前进呢！且郦食其不过是个书呆子，坐着车子，鼓动三寸不烂之舌，就收服齐国七十多座城池。而将军您率领数万大军，苦战一年多才攻克赵国五十多座城池。这不是说，您为将这么多年，还不如一个书呆子吗？"韩信认为他言之有理，就接受了他的建议，于是率军渡河。齐王为郦食其劝降之后，就挽留他开怀畅饮，完全撤除了防备汉军的设施。韩信乘机突袭了齐国驻扎在历下的军队，很快就打到了齐国的国都临菑。齐王田广认为郦食其出卖了自己，就把他煮死了，而后逃往高密，派出使者前往楚国向项羽求救。韩信平定临菑以后，就向东追赶田广，一直追到高密城西。项羽也派龙且率领兵马，号称有二十万大军，前来援救齐国。

齐王广、龙且并军与信战，未合①。人或说龙且曰："汉兵远斗穷战②，其锋不可当。齐、楚自居其地战，兵易败散。不如深壁，令齐王使其信臣招所亡城，亡城闻其王在，楚来救，必反汉。汉兵二千里客居，齐城皆反之，其势无所得食，可无战而降也。"龙且曰："吾平生知韩信为人，易与耳。且夫救齐不战而降之，吾何功？今战而胜之，齐之半可得，何为止！"遂战，与信夹潍水陈。韩信乃夜令人为万余囊，满盛沙，壅水上流，引军半渡，击龙且，详不胜，还走。龙且果喜曰："固知信怯也。"遂追信渡水。信使人决壅囊，水大至。龙且军大半不得渡，即急击，杀龙且。龙且水东军散走，齐王广亡去。信遂追北至城阳，皆虏楚卒。

[注释]

①合：交战。②穷战：全力以赴地作战。穷，尽，极。

[译文]

齐王田广和楚将龙且合兵与韩信作战，尚未开战，有人劝龙且说："汉军远离本土，必将顽强作战，其势锐不可当。我们齐楚两军在本土作战，士兵容易开小差逃跑。不如躲在自己的大营里坚守不出，让齐王田广派他的亲信大臣，前去沦陷的城邑安抚招纳，那些城邑的官员和百姓听说他们的国王还在，并且楚军又来救援，一定会起来反抗汉军。汉军远在离家两千里之外的他乡，齐地城邑的人又都纷纷起来反抗，如此情形之下，他们的粮草也就成了问题，这样用不着打仗就能迫使他们投降。"龙且说："我早就了解韩信的为人，他很容易对付。但是，我是奉命来援救齐国的，如果不战就能让韩信投降，那我还有什么功劳可言？如今通过打仗战胜韩信，我就能得到齐国一半的土地，我为什么不打呢？"于是决定开战，与韩信隔着潍水排开军阵。韩信就下令连夜赶做一万多条口袋，装满沙土，在上游堵住了潍水，自己带领军队刚有一半到达对岸，就发起了攻击，随后假装战败，往回撤军。龙且果然大喜，说道："我本来就知道韩信胆小如鼠。"于是就渡过潍水追赶韩信。韩信下令撤去堵塞潍水的沙袋，河水奔涌而来，龙且的军队大半难以渡水，韩信回师反击，杀死了龙且。驻扎在潍水东岸的龙且军队见势逃散，齐王田广也仓皇逃命。韩信趁势追赶败兵，直到城阳，俘虏了全部楚军士兵。

汉四年，遂皆降平齐。使人言汉王曰："齐伪诈多变，反覆之国也，南边楚，不为假王①以镇之，其势不定。愿为假王便。"当是时，楚方急围汉王于荥阳，韩信使者至，发②书，汉王大怒，骂曰："吾困于此，旦暮望若来佐我，乃欲自立为王！"张良、陈平蹑汉王足，因附耳语曰："汉方不利，宁能禁信之王乎？不如因而立，善遇之，使自为守。不然，变生③。"汉王亦悟，因复骂曰："大丈夫定诸侯，即为真王耳，何以假为！"乃遣张良往立信为齐王，征其兵击楚。

[注释]

①假王：王的暂时代理人。②发：打开。③变生：发生变故。

[译文]

汉高祖四年，韩信降服平定了整个齐国。韩信派人向刘邦请示说："齐国人狡诈善变，反复无常，南边又与楚国接壤，如不立一个代理的齐王来镇抚，局势很难稳定。我盼望您能让我做代理齐王。"此时，刘邦正被楚军牢牢围困在荥阳，韩信的使者到来，刘邦展读来函，勃然大怒，骂道："老子被困于此，日日夜夜等着你小子前来救援，你却想自立为王！"张良、陈平暗中踢刘邦的脚，趁势附在他的耳边说："目前我们处境不利，哪有办法禁止韩信称王呢？不如顺便立他为王，好好待他，让他镇守齐国。若不这样，估计会有变乱发生。"刘邦恍然大悟，就故意骂道："大丈夫平定了一个诸侯国，就该做真真正正的王，何必还要做个代理的王呢？"于是就派张良前往齐国，册立韩信为齐王，同时征调韩信所有的军队前去攻打楚军。

楚已亡龙且，项王恐，使盱眙人武涉往说齐王信曰："天下共苦秦久矣，相与戮力①击秦。秦已破，计功割地，分土而王之，以休士卒。今汉王复兴兵而东，侵人之分，夺人之地，已破三秦，引兵出关，收诸侯之兵以东击楚，其意非尽吞天下者不休，其不知厌足如是甚也。且汉王不可必②，身居项王掌握中数矣，项王怜而活之，然得脱，辄倍③约，复击项王，其不可亲信如此。今足下虽自以与汉王为厚交，为之尽力用兵，终为之所禽矣。足下所以得须臾④至今者，以项王尚存也。当今二王之事，权⑤在足下。足下右投则汉王胜，左投则项王胜。项王今日亡，则次取足下。足下与项王有故，何不反汉与楚连和，参分天下王之？今释此时，而自必于汉以击楚，且为智者固若此乎！"韩信谢曰："臣事项王，官不过郎中，位不过执戟，言不听，画⑥不用，故倍楚而归汉。汉王授我上将军印，予我数万众，解衣衣我，推食食我，言听计用，故吾得以至于此。夫人深亲信我，我倍之不祥，虽死不易。幸⑦为信谢项王！"

[注释]

①戮力：合力。②必：相信，信任。③倍：背弃。④须臾：片刻。引申为延续、拖延。⑤权：秤砣。比喻决定轻重的关键。⑥画：计策，谋略。⑦幸：希望。

[译文]

楚军失去龙且，这让项羽很担心，他派盱眙人武涉前去游说齐王韩信说："天下人长期以来都为秦朝的暴政所苦，大家才同心协力攻打它。而今秦朝已灭，我们也按照功劳的大小划分地盘，各路诸侯已被分封为王，战争得以休止。如今汉王又率兵东进，侵犯他人的地界，掠夺他人的封地，已经攻破三秦，又率军东出函谷关，集结各路诸侯的军队攻打楚国，按他的意图，如不吞并整个天下，看来是决不肯善罢甘休的，他的贪心居然到了如此的程度。况且汉王为人无信，他曾多次落到项王的手中，但项王怜悯他，每次都放他走人，然而一旦脱身，他往往立刻就背弃盟约，转而再次进攻项王。他的言而无信太夸张了吧。如今虽然您自认为和汉王有深交，竭尽全力为他效命，但最终也难免落个被他擒拿的结局。他之所以能让您活到今天，就是因为有项王在啊。当前刘、项的最终胜负，完全掌握在您的手里。您向右边站，刘邦就获胜；您向左边站，项王就获胜。假若项王今天被消灭，下一个被灭的就是您了。您和项王有老交情，为什么不离开刘邦与项王联合起来，来个三分天下自立为王呢？如今放过这一良机，只剩了站到刘邦那边攻打项王的一种选择，一个有大智慧的人，难道应该这样做吗？"韩信拒绝道："当初我跟着项王做事的时候，官职不过是个小小的郎中，职能不过是充当护卫，我说出的话不为项王所听，筹划的计策不为项王所用，所以我背叛项王投奔了汉王。汉王授予我上将军的印信，让我统领几万兵马，他脱下自己的衣服让我穿，分出自己的食物给我吃，对我是言听计从，所以我才能够有今天的地位。人家对我如此亲近、信任，我却背叛人家，显然不会有好的下场，因此，即使我死了也不会变心。盼望您转达我对项王的谢意！"

武涉已去，齐人蒯通知天下权在韩信，欲为奇策而感动之，以相人①说韩信曰："仆尝受相人之术。"韩信曰："先生相人何如？"对曰："贵贱在于骨法②，忧喜在于容色，成败在于决断，以此参③之，万不失一。"韩信曰："善。先生相寡人何如？"对曰："愿少间④。"信曰："左右去矣。"通曰："相君之面，不过封侯，又危不安。相君之背，贵乃不可言。"韩信曰："何谓也？"蒯通曰："天下初发难也，俊雄豪桀⑤建号壹呼，天下之士云合雾集，鱼鳞杂沓⑥，熛⑦至风起。当此之时，忧在亡秦而已。今楚汉分争，使天下无罪之人肝胆涂地，父子暴骸骨于中野，不可胜数。楚人起彭城，转斗逐北，至于荥阳，乘利席卷，威震天下。然兵困于京、索之间，迫西山而不能进者，三年于此矣。汉王将数十万之众，距巩、雒，阻山河之险，一日数战，无尺寸之功，折北不救，败荥阳，伤成皋，遂走宛、叶之间，此所谓智勇俱困者也。夫锐气挫于险塞，而粮食竭于内府，百姓罢极怨望，容容⑧无所倚。以臣料之，其势非天下之贤圣固不能息天下之祸。当今两主之命县⑨于足下。足下为汉则汉胜，与楚则楚胜。臣愿披腹心，输肝胆，效愚计，恐足下不能用也。诚能听臣之计，莫若两利而俱存之，参分天下，鼎足而居，其势莫敢先动。夫以足下之贤圣，有甲兵之众，据强齐，从燕、赵，出空虚之地而制其后。因民之欲，西乡为百姓请命，则天下风走而响应矣，孰敢不听！割大弱强，以立诸侯，诸侯已立，天下服听而归德于齐。案齐之故，有胶、泗之地，怀诸侯以德，深拱揖让，则天下之君王相率而朝于齐矣。盖闻天与弗取,反受其咎;时至不行,反受其殃。愿足下孰虑之。"

[注释]

①相人:给人看相。②骨法:人体骨骼的长相。③参:参详,判断。④少间:暂时回避。⑤桀:杰出,高出。⑥杂沓:众多的样子。⑦熛:火焰迸飞。⑧容容:摇摇;动荡不安的样子。⑨县:悬挂。

[译文]

　　武涉走后,齐国的辩士蒯通就来了,他知道天下胜负系于韩信一人之身,就寻思用奇计打动他,他以相面先生的身份规劝韩信说:"我曾经钻研过看相的技艺。"韩信说:"先生如何给人看相呢?"蒯通回答说:"判断一个人的贵贱要留意他的骨相,判断一个人的喜忧要察看他的气色,预测一个人的成败要关注他的决断能力。用此三项来为一个人看相,绝对会万无一失。"韩信说:"那好,就请先生您为我看个面相,如何?"蒯通回答说:"能否让您身边的人暂时回避一下呢?"韩信对身边的人说:"请你们先出去一下。"蒯通说:"看您的面相,最好的结果不过是能够封侯,并且还伴随着一定的风险。但从背相上看,您的尊贵无以言表了。"韩信说:"此话怎讲?"蒯通说:"当初,天下刚刚举兵起事之时,英雄豪杰纷纷建国称王,登高一呼,有志之士犹如云雾般聚合,仿佛鱼鳞般集结,如同火焰般迸发,好像狂风般骤起。那个时候,大家所关心的只是灭亡秦朝罢了。而今,楚汉纷争,使得天下无辜的百姓肝脑涂地,父子的尸骨遍布荒野,伤亡不可胜数。项羽从彭城起事,转战四方,追逐败兵,把战线推进到荥阳,乘胜进击,威震天下。然而,不久之后他的军队被困在京、索之间,滞留于西山之下,再也不能进攻,这种局面已经持续三年了。汉王刘邦凭借山河险阻,率领几十万人马固守巩县、洛阳,虽然每天都有数次恶战,但是也没能取得一丁点儿胜利，倒是被项羽打得大败，几乎无法自保。刘邦在荥阳兵败，在成皋受伤，只得南逃于宛、叶两县之间，这就是人们常说的他到了智慧和力量都用尽的时候了。而楚国将士的锐气由于长期困顿在险要关塞而被挫伤，仓库的粮食也消耗完了，百姓疲劳困苦，怨声载道，人心浮动，找不到任何依靠。依我看，不是大圣贤就不能平息天下的这场祸乱。当今刘、项二王的命运都攥在您的手里。您协助汉王，汉王就胜利；协助楚王，楚王就胜利。我愿意推心置腹、披肝沥胆，向您提供一条建议，只恐怕您不采纳啊。假如真能听从我的计策，那就不如让楚、汉双方都不受损害，同时存在，您和他们三分天下，鼎足而立。这种局面，刘邦、项羽谁也不敢轻举妄动。凭借您的智慧与才能，又拥有众多的人马装备，占据着强大的齐国，迫使燕、赵两国屈从，假如出兵到刘、项两军的空虚地带，牵制他们的后方，顺应百姓的心愿，向西去制止刘、项的争斗，替军民百姓请求他们停止战争，到那时，天下军民就闻风响应，谁还敢不听从呢！然后，您再分割大国的疆土，削弱强国的威势，用来分封诸侯。该封立的诸侯全部分封之后，天下人就会对您感恩戴德，俯首帖耳了。然后，您再固守齐国原有的疆土，占据胶河、泗水流域，用恩德感召诸侯，对他们恭谨有礼，到那时，全天下的君王就会争先恐后前来朝拜。我曾听人说'老天爷赐予的好处如果不接受，反而会受到惩罚；机会到了如果不有所行动，反而会遭受祸殃'。希望您仔细地考虑这件事。"

韩信曰："汉王遇我甚厚，载我以其车，衣我以其衣，食我以其食。吾闻之，乘人之车者载人之患，衣人之衣者怀人之忧，食人之食者死人之事，吾岂可以乡利倍义乎！"蒯生曰："足下自以为善汉王，欲建万世之业，臣窃以为误矣。始常山王、成安君为布衣时，相与为刎颈之交，后争张黡、陈泽之事，二人相怨。常山王背项王，奉项婴头而窜，逃归于汉王。汉王借兵而东下，杀成安君泜水之南，头足异处，卒为天下笑。此二人相与，天下至欢也。然而卒相禽者，何也？患生于多欲而人心难测也。今足下欲行忠信以交于汉王，必不能固于二君之相与也，而事多大于张黡、陈泽。故臣以为足下必汉王之不危己，亦误矣。大夫种、范蠡存亡越，霸句践，立功成名而身死亡，野兽已尽而猎狗亨。夫以交友言之，则不如张耳之与成安君者也；以忠信言之，则不过大夫种、范蠡之于句践也。此二人者，足以观矣。愿足下深虑之。且臣闻勇略震主①者身危，而功盖天下者不赏。臣请言大王功略：足下涉西河，虏魏王，禽夏说，引兵下井陉，诛成安君，徇赵，胁燕，定齐，南摧楚人之兵二十万，东杀龙且，西乡以报，此所谓功无二于天下，而略不世出②者也。今足下戴震主之威，挟不赏之功，归楚，楚人不信；归汉，汉人震恐：足下欲持是安归乎？夫势在人臣之位而有震主之威，名高天下，窃为足下危之。"韩信谢曰："先生且休矣，吾将念③之。"

[注释]

①震主：使君主感到威胁。②略不世出：世上再也没有这样的谋略。③念：考虑。

[译文]

韩信说："汉王给我了优厚的待遇，他的车子让我坐，他的衣服让我穿，他的食物让我吃。听人说，乘坐了别人的车子，就要替别人分担祸患，穿了别人的衣服，就要想着别人的忧愁，吃了别人的食物，就要为人家的事业效死，我怎么能够见利忘义呢！"蒯通说："您自认为和刘邦关系很好，想跟着他建立流传万世的功业，我私下认为您这种想法错了。当初常山王张耳、成安君陈馀还是平民百姓时，他们结成了生死与共的朋友，后来他们因为张黡、陈泽的事情发生争执，两人结下了仇恨。结果常山王张耳背叛项羽，捧着项婴的人头逃跑，前去投奔刘邦。刘邦让张耳领军东进，结果张耳打败了陈馀，把他杀死在泜水南岸。陈馀身首分离，被天下人耻笑。这两个人的交情，可以说是天下最要好的。然而最终都想把对方置于死地，这是为什么呢？其原因就在于人心贪得无厌而又难以猜度。如今您打算凭借着忠诚、信义与刘邦结交，可是，你们之间的交情远没张耳、陈馀当初的交情牢固，而你们之间的矛盾又远比张餍、陈泽之间的矛盾严重。所以我认为，您断定刘邦不会加害于您，其想法也是错误的。当初大夫文种、范蠡使濒临灭亡的越国得以延续，辅佐勾践称霸诸侯，勾践功成名就，文种、范蠡却一死一亡。野兽一旦打完了，猎狗将被烹杀。以朋友的交情而论，您和刘邦就比不上张耳与陈馀；以忠诚信义而论，您对于刘邦也赶不上文种、范蠡对于越王勾践。以上这两组事例，足够您断定是非的了。希望您深思熟虑。我听人说，勇力、谋略都盖过了君主的人，其处境将非常危险，功高盖世的人将得不到赏赐。请让我表一表大王您的功绩和谋略吧：您横渡西河，俘虏魏王，生擒夏说，率军夺取井陉，杀死陈馀，攻占赵国，以声威降服燕国，平定齐国，向南摧毁二十万楚国军队，向东杀死楚将龙且，而后又回到西边向刘邦报捷，您的功劳天下无双，计谋世间少有。现在您秉持让君主担心的威名，拥有无法封赏的功绩，归附项羽，项羽无法信任；归顺刘邦，刘邦震惊恐惧。您带着这样大的功绩和声威，哪里是您可去的地方呢？身为臣子而有着让君主感到害怕的威望，名望高于天下所有的人，我私下都为您感到担心。"韩信说："先生暂且打住吧，我会考虑的。"

　　后数日，蒯通复说曰："夫听者事之候①也，计者事之机也，听过计失而能久安者，鲜②矣。听不失一二③者，不可乱以言；计不失本末者，不可纷以辞。夫随④厮养之役⑤者，失万乘之权；

守儋石之禄⑥者，阙⑦卿相之位。故知者决之断也，疑者事之害也，审毫厘之小计，遗天下之大数，智诚知之，决弗敢行者，百事之祸也。故曰'猛虎之犹豫，不若蜂虿⑧之致螫；骐骥之跼躅⑨，不如驽马之安步；孟贲之狐疑，不如庸夫之必至也；虽有舜、禹之智，吟而不言，不如喑聋之指麾也'。此言贵能行之。夫功者难成而易败，时者难得而易失也。时乎时，不再来。愿足下详察之。"韩信犹豫不忍倍汉，又自以为功多，汉终不夺我齐，遂谢蒯通。蒯通说不听，已，详狂为巫。

[注释]

①候：征候，征兆。②鲜：少。③一二：十分之一二。④随：通"遂"，顺从。⑤厮养之役：贱役，奴仆。厮，劈柴。养，喂马。⑥儋石之禄：俸禄少。儋，同"担"，百斤为担。⑦阙：同"缺"，失掉，放过。⑧虿：马蝎子。⑨跼躅：徘徊不前。

[译文]

几天之后，蒯通又来游说韩信说："听取别人的劝告，才能预见事情变化的征兆；认真思考，才能成就大事。不听取正确的意见而能作出正确的判断、决策失误而能够久安的人，实在是太少有了。能听取他人意见十分之一二的人，别人就不可能用花言巧语去迷惑他；计谋筹划周密又不本末倒置的人，别人就不可能用闲言碎语干扰他。一个人甘为奴仆，就会失掉称王称帝的机会；一个人安于微薄俸禄，就得不到卿相的高位。所以说办事果断是聪明人的表现，犹豫不决是灾祸的开始。在细小的事情上白费心思，就会丢掉天下的大利；虽然能够明白事理，但却不敢采取行动，这是万事失败的根源。所以俗话说'猛虎犹豫不决，那它的攻击力还比不上马蜂、蝎子；骏马徘徊不前，那它的速度还赶不上慢步的劣马；勇士狐疑不定，那他还不如个踏踏实实的凡夫俗子；一个人即使有虞舜、夏禹的智慧，如果他闭口不言，那他的作用还不如会打手势的聋哑人'。这些俗语都说明了付诸行动的重要性。想要成就一件事情很难，而要想一件事情失败却很容易；机会难以抓住，丧失却很容易。机会啊机会，错过之后永不会再来。希望您仔细斟酌。"韩信还是犹豫不决，不忍心背叛刘邦，自认为功勋卓著，刘邦终究不会夺去自己的封国，于是谢绝了蒯通。蒯通的建议没被韩信采纳，后来，他就假装疯癫做巫师去了。

汉王之困固陵，用张良计，召齐王信，遂将兵会垓下。项羽已破，高祖袭夺齐王军。汉五年正月，徙齐王信为楚王，都下邳。

[译文]

后来刘邦又被项羽围困在了固陵，采用了张良的计策，征召齐王韩信，于是韩信率领部队与刘邦会师垓下。项羽被打败后，刘邦出其不意地夺取了齐王韩信的军权。汉高祖五年正月，改封齐王韩信为楚王，建都下邳。

信至国，召所从食漂母，赐千金。及下乡南昌亭长，赐百钱，曰："公，小人也，为德不卒①。"召辱己之少年令出胯下者以为楚中尉。告诸将相曰："此壮士也。方辱我时，我宁不能杀之邪？杀之无名②，故忍而就于此。"

[注释]

①为德不卒：好事不能做到底。②无名：没有意义，没必要。

[译文]

韩信到了封国，派人找来曾经给他饭吃的那位洗衣老妇，给了她千金。找到下乡南昌亭亭长，赏给他一百钱，说："您啊，是个小人，做好事有始无终。"又找到了曾经侮辱过他的年轻人，任命他做了个中尉，并告诉自己的将相们说："这人是位好汉。当初他侮辱我的时候，我难道不能杀死他吗？但我认为杀掉他没有任何意义，所以，为了成就事业我忍受了一时的侮辱。"

项王亡将钟离眜家在伊庐，素与信善。项王死后，亡归信。汉王怨眜，闻其在楚，诏楚捕眜。信初之国，行①县邑，陈兵出入。汉六年，人有上书告楚王信反。高帝以陈平计，天子巡狩②会诸侯，南方有云梦，发使告诸侯会陈："吾将游云梦。"实欲袭信，信弗知。高祖且至楚，信欲发兵反，自度无罪；欲谒上，恐见禽。人或说信曰："斩眜谒上，上必喜，无患。"信见眜计事。眜曰："汉所以不击取楚，以眜在公所。若欲捕我以自媚于汉，吾今日死，公亦随手亡矣。"乃骂信曰："公非长者！"卒自刭。信持其首，谒高祖于陈。上令武士缚信，载后车。信曰："果若人言，'狡兔死，良狗亨；高鸟尽，良弓藏；敌国破，谋臣亡'。天下已定，我固当亨！"上曰："人告公反。"遂械系信。至雒阳，赦信罪，以为淮阴侯。

[注释]

①行：巡视，巡察。②巡狩：天子数年到各诸侯国巡行视察一次，所到之处，各国诸侯要到指定地点朝见天子。

[译文]

项羽部将钟离眜老家在伊庐，与韩信一向交情不错。项羽死后，钟离眜逃出来归附韩信。刘邦恨钟离眜，听说他藏身在韩信的楚国，就命令韩信逮捕他。韩信刚到楚国不久，视察所属各县，出入都带着卫队。汉高祖六年，有人上书告发韩信谋反。刘邦采纳陈平的计谋，谎称自己要外出巡视南方的云梦泽，派出使者通知诸侯到陈县聚会，说："我要巡视云梦泽。"其实是想借此机会逮捕韩信，韩信不知此事。等刘邦快要到楚国时，韩信曾想起兵反叛，但又认为自己没有任何过错；想去朝见刘邦，但又怕被逮捕。有人建议韩信说："杀了钟离昧去朝见皇上，皇上一定会很高兴，您也就没有祸患了。"韩信去找钟离昧商量。钟离昧说："刘邦之所以不攻打楚国，是因为我在您这里，您想逮捕我取悦刘邦，我今天死，您的死期也就临近了。"于是他骂韩信道："您真不厚道！"最后自刎而死。韩信拿着他的人头，到陈县去拜见刘邦。刘邦命令武士捆绑了韩信，押在随行的车上。韩信说："真被人言中了啊，'狡兔死，良狗烹；高鸟尽，良弓藏；敌国破，谋臣亡'。现在天下已经太平，是我死的时候了！"刘邦说："有人告发你谋反。"于是就给韩信带上刑具。到了洛阳，刘邦又赦免了韩信的罪行，改封他为淮阴侯。

信知汉王畏恶其能，常称病不朝从①。信由此日夜怨望，居常鞅鞅②，羞与绛、灌等列。信尝过樊将军哙，哙跪拜送迎，言称臣，曰："大王乃肯临臣！"信出门，笑曰："生乃与哙等为伍！"上常从容③与信言诸将能不，各有差。上问曰："如我能将几何？"信曰："陛下不过能将十万。"上曰："于君何如？"曰："臣多多而益善耳。"上笑曰："多多益善，何为为我禽？"信曰："陛下不能将兵，而善将将，此乃信之所以为陛下禽也。且陛下所谓天授，非人力也。"

[注释]

①不朝从：不朝见，不跟从出行。②鞅鞅：通"怏怏"，不满意、不服气、郁闷失意的样子。③从容：自然，不经心的样子。

[译文]

韩信知道刘邦对自己的才能又恨又怕，就经常借口生病不参加朝会，也不跟从刘邦出行。韩信心中满是怨恨，在家也闷闷不乐，觉得自己和周勃、灌婴处于同等地位是一种羞耻。韩信曾经去拜访将军樊哙，樊哙对韩信迎来送往都用跪拜的礼节，说话时也自称臣子，说："大王您怎么肯光临臣下的寒舍。"韩信从樊哙家里出来后,哑然失笑道:"没想到我这辈子竟然和樊哙这般人为伍了。"刘邦经常语气平淡地和韩信议论各位将军才能的高低,认为每人各有长短。刘邦问韩信:"像我这样的才能能统率多少兵马?"韩信说:"陛下最多不过能统率十万兵马。"刘邦说:"那您呢?"韩信回答说:"在下是越多越好。"刘邦笑着说:"您越多越好,为什么还被我俘虏了?"韩信说:"陛下不能带兵,却善于驾驭将领,这就是我被陛下俘虏的原因。更何况陛下的功业为上天所赐,不是人力能做到的。"

  陈豨拜为钜鹿守,辞于淮阴侯。淮阴侯挈①其手,辟②左右与之步于庭,仰天叹曰:"子可与言乎?欲与子有言也。"豨曰:"唯将军令之。"淮阴侯曰:"公之所居,天下精兵处也;而公,陛下之信幸臣③也。人言公之畔④,陛下必不信;再至,陛下乃疑矣;三至,必怒而自将。吾为公从中起,天下可图也。"陈豨素知其能也,信之,曰:"谨奉教!"汉十年,陈豨果反。上自将而往,信病不从。阴使人至豨所,曰:"弟⑤举兵,吾从此助公。"信乃谋与家臣夜诈诏赦诸官徒奴,欲发以袭吕后、太子。部署已定,待豨报。其舍人得罪于信,信囚,欲杀之。舍人弟上变,告信欲反状于吕后。吕后欲召,恐其党⑥不就,乃与萧相国谋,诈令人从上所来,言豨已得死,列侯群众皆贺。相国绐⑦信曰:"虽疾,强⑧入贺。"信入,吕后使武士缚信,斩之长乐钟室。信方斩,曰:"吾悔不用蒯通之计,乃为儿女子⑨所诈,岂非天哉!"遂夷信三族。

[注释]

  ①挈:拉。②辟:退避。让周围的人离开。③信幸臣:亲信,宠幸的臣子。④畔:通"叛"。⑤弟:但,只管。又写作"第"。⑥党:通"傥",倘若、万一。⑦绐:欺骗。⑧强:勉强坚持。⑨儿女子:老娘儿们和小孩子。

[译文]

陈豨被任命为钜鹿郡守,来向淮阴侯韩信辞行。韩信拉着他的手,打发开左右侍从,在庭院里漫步,仰天长叹说:"您能听我说说知心话吗?有许多话想跟您谈谈。"陈豨说:"将军请便。"韩信说:"您所管辖的地区,是天下精兵兵源地;而您呢,又是陛下所信任、宠幸的大臣。如果有人告发说您谋反,陛下一定不会相信;如果有人再次告发,陛下就该起疑心了;如果有人第三次告发,陛下必然会大怒,并且会亲自率兵前去征剿您。到那时,我为您在京城做内应,天下就可以取得了。"陈豨一向知道韩信的才干,对他的话深信不疑,说道:"愿意遵从您的指教!"汉高祖十年,陈豨果然反叛。刘邦亲自率兵征剿,韩信借口有病没有一同前去。而暗中派人给陈豨传话说:"您只管起兵,有我在这里协助您。"韩信就和家臣商量,夜里假传诏书赦免在各个官府服役的罪犯和奴婢,打算发动他们去袭击吕后和太子。一切都部署完毕,单等陈豨的消息。而这时一位家臣得罪了韩信,韩信把他囚禁起来,打算杀掉他。他的弟弟向吕后上书告发了韩信准备谋反的事实。吕后打算召韩信入宫,又怕他不来,就和萧相国谋划,最后决定假传命令,说有人从刘邦那里回来报告,说是陈豨已被处死,列侯群臣都应进宫祝贺。萧相国骗韩信说:"即使有病,也要坚持着进宫祝贺。"韩信刚一入宫,吕后立即命令武士把韩信捆起来,在长乐宫的钟室把他杀掉了。韩信临刑时说:"我真恨自己没有采纳蒯通的计谋,以至今日被老娘儿们和小孩子所骗,这难道不是天意吗?"接着吕后诛灭了韩信的三族。

高祖已从豨军来,至,见信死,且喜且怜之,问:"信死亦何言?"吕后曰:"信言恨不用蒯通计。"高祖曰:"是齐辩士也。"乃诏齐捕蒯通。蒯通至,上曰:"若教淮阴侯反乎?"对曰:"然,臣固教之。竖子不用臣之策,故令自夷①于此。如彼竖子用臣之计,陛下安得而夷之乎!"上怒曰:"亨之。"通曰:"嗟呼,冤哉亨也!"上曰:"若教韩信反,何冤?"对曰:"秦之纲绝而维弛②,山东大扰,异姓并起,英俊乌集。秦失其鹿,天下共逐之,于是高材疾足者先得焉。跖之狗吠尧,尧非不仁,狗因吠非其主。当是时,臣唯独知韩信,非知陛下也。且天下锐精持锋欲为陛下所为者甚众,顾力不能耳。又可尽亨之邪?"高帝曰:"置③之。"乃释通之罪。

[注释]

①自夷:自取灭亡。夷,灭尽,杀光。②纲绝而维弛:比喻国家法度败坏,政权瓦解。纲,网上大绳。维,系车盖的绳。③置:赦罪,释放。

[译文]

汉高祖从平版陈豨的军中回到京城,见韩信已死,既高兴又有一丝怜惜,他问道:"韩信临死时说过什么话?"吕后说:"韩信说很后悔当初没有采纳蒯通的计谋。"高祖说:"那人是齐国的辩士。"于是,高祖就诏令齐国捕捉蒯通。蒯通被带到京城,高祖问他:"是你教唆淮阴侯反叛的吗?"蒯通回答说:"是的,我的确教过他,可惜那小子不采纳我的计策,所以最后他才会自取灭亡。假如那小子采纳我的计策,陛下怎么能够灭掉他呢?"高祖勃然大怒,说道:"把他给我煮了。"蒯通说:"哎呀,煮死我,冤枉啊!"高祖说:"你教唆韩信造反,煮了你有什么冤枉?"蒯通说:"秦朝政权瓦解、法度败坏的时候,中原大乱,各路诸侯纷纷起兵,英雄豪杰如同鸟儿一般聚在一起。秦朝失去了它的政权,天下英杰都来抢夺,只有才智出众、行动敏捷的人才能得到它。盗跖的狗对着尧狂叫,并不是尧没有仁德,而因为他不是狗的主人。在那个时候,我只知道有个韩信,并不知道有陛下您啊。况且当时天下像您一样手持利刃想当皇帝的人太多了,只是力不从心罢了。您能把他们都煮了吗?"

高祖说:"放了他好了。"于是就赦免了蒯通。

太史公曰:吾如淮阴,淮阴人为余言,韩信虽为布衣时,其志与众异。其母死,贫无以葬,然乃行营①高敞地,令其旁可置万家。余视其母冢②,良然。假令韩信学道谦让,不伐③己功,不矜其能,则庶几④哉,于汉家勋可以比周、召、太公之徒,后世血食⑤矣。不务出此,而天下已集⑥,乃谋叛逆,夷灭宗族,不亦宜乎!

[注释]

①行营:四处寻找、谋求。②冢:坟墓。③伐:夸耀,自满。④庶几:差不多。⑤血食:指享受后代子孙的祭祀。古代祭祀,宰杀牲畜做祭品,所以叫血食。⑥集:安定。

[译文]

太史公说:我曾经到过淮阴,淮阴人对我说,当韩信还是平民百姓之时,他的志向就与众不同。他的母亲去世时,家中无钱葬埋,可他还是到处寻找地势较高而又宽敞的地方作为母亲的坟地,坟地周围的空地可以安置万户人家。我去考察过他母亲的坟地,情况的确如此。假使韩信当初能够谦恭退让,不炫耀自己的功勋,不自夸自己的才能,那就差不多了。那他在汉朝的功勋就可以和周朝的周公、召公、太公这些人相媲美,也就可以永远享受后世子孙的祭祀了。可是,他却不这样,而是在天下已经安定的时候图谋叛乱,结果宗族被灭,这难道不是罪有应得吗!

卷一百七

魏其武安侯列传

魏其侯窦婴者,孝文后从兄①子也。父世观津人。喜宾客。孝文时,婴为吴相,病免。孝景初即位,为詹事。

[注释]

①从兄:堂兄。

[译文]

魏其侯窦婴,是孝文帝窦皇后堂兄的儿子。他的父辈一直住在观津。魏其侯喜欢结交宾客。孝文帝时,窦婴任吴国国相,因病免职。汉景帝即位之初,他又担任詹事。

梁孝王者,孝景弟也,其母窦太后爱之。梁孝王朝,因昆弟燕饮。是时上未立太子,酒酣,从容①言曰:"千秋之后传梁王。"太后欢。窦婴引卮酒进上,曰:"天下者,高祖天下,父子相传,此汉之约也,上何以得擅传梁王!"太后由此憎窦婴。

窦婴亦薄其官,因病免。太后除窦婴门籍②,不得入朝请。

[注释]

①从容:随便,不在意。②门籍:宫门守卫处所持有的允许出入宫门的花名册。

[译文]

梁孝王是汉景帝的弟弟,深受母亲窦太后的宠爱。有一次梁孝王入朝,汉景帝以兄弟的身份和他一起吃饭。这时汉景帝还没有立太子。酒意正浓时,汉景帝随口说道:"等我死之后就把皇位传给梁王。"窦太后听了非常高兴。窦婴便端起一杯酒敬皇上,说道:"汉室的天下是高祖打下的,父死子继,这是我们汉朝的规矩,皇上您怎么能把皇位擅自传给梁王!"窦太后因此就憎恨窦婴。窦婴也嫌自己的官职太小,就推托有病辞了职。窦太后趁机将出入宫门花名册上窦婴的名字给画掉了,不准他进宫拜见皇帝。

孝景三年,吴楚反,上察宗室诸窦毋如窦婴贤,乃召婴。婴入见,固辞谢病不足任。太后亦惭。于是上曰:"天下方有急,王孙宁可让邪?"乃拜婴为大将军,赐金千斤。婴乃言袁盎、栾布诸名将贤士在家者进之。所赐金,陈之廊庑①下,军吏过,辄②令财③取为用,金无入家者。窦婴守荥阳,监齐、赵兵。七国兵已尽破,封婴为魏其侯。诸游士宾客争归魏其侯。孝景时每朝议大事,条侯、魏其侯,诸列侯莫敢与亢礼④。

[注释]

①廊庑:古代堂下周围的屋子。廊,走廊。庑,廊下的屋子。②辄:就,随即。③财:通"裁",裁度。④亢礼:行对等之礼。亢,通"抗",对等。

[译文]

汉景帝三年,吴、楚等七国叛乱,皇上考虑到刘氏宗室和窦姓全族里没有一个人像窦婴那样贤能,于是就召见窦婴。窦婴入朝拜见皇上，他以有病为借口推说自己不能胜任。窦太后听后也为以往的举动感到有些惭愧。这时皇上就说："眼下国家正处危难之中，贵族成员怎能躲避呢？"于是任命窦婴为大将军，赏赐给他黄金千斤。窦婴就趁此向皇上推荐了袁盎、栾布等闲居在家的一些名将、贤士。窦婴把皇上所赏赐的黄金，都摆在走廊和穿堂里，每当有手下人从这里经过，他就让他们根据自己的需求随便取用，他本人一点都没往家里带。窦婴驻守荥阳，监督节制讨伐齐赵两地的各路兵马。平定七国的叛乱之后，皇上封窦婴为魏其侯。很多游说之士、宾客都争相投奔魏其侯。汉景帝时每次朝廷讨论军政大事，其他列侯都不能与条侯周亚夫、魏其侯窦婴行对等之礼。

孝景四年，立栗太子，使魏其侯为太子傅。孝景七年，栗太子废，魏其数争不能得。魏其谢病，屏居①蓝田南山之下数月，诸宾客辩士说之，莫能来。梁人高遂乃说魏其曰："能富贵将军者，上也；能亲将军者，太后也。今将军傅太子，太子废而不能争；争不能得，又弗能死。自引谢病，拥赵女，屏闲处而不朝。相提而论②，是自明扬主上之过。有如两宫螫③将军，则妻子毋类④矣。"魏其侯然之，乃遂起，朝请如故。

[注释]

①屏居：避人不见而在家闲居。②相提而论：互相对比来说。③螫：与"蜇"同义，本指蜂、蝎子等以毒针刺人，这里是恼怒、加害的意思。④毋类：绝种，被杀光。

[译文]

汉景帝四年，立栗姬生的刘荣为太子，让魏其侯担任太子太傅。汉景帝七年，太子刘荣被废，魏其侯多次劝阻都没成功。从此，魏其侯就推说有病，在蓝田县南山下隐居了好几个月，很多宾客、游说之士都去劝说他，但他就是不来朝供职。这时梁地一个叫高遂的人这样劝说窦婴："能让您富贵的是皇上，和您最亲近的是太后。您身为太子太傅，太子被废黜您却不能劝阻，劝阻不成您又不能去死。自己却推说有病，怀抱着能歌善舞的美女，躲避在家，闲居而不上朝。把这两件事对比起来看，这是向外人展示您自己的正确，暴露皇上的过失。假如皇上和太后都要加害于您，那您的妻子儿女将被全部杀光。"窦婴认为他说得有理，立刻从闲居之地赶回，像过去一样上朝供职了。

桃侯免相，窦太后数言魏其侯。孝景帝曰："太后岂以为臣有爱，不相魏其？魏其者，沾沾自喜①耳，多易②。难以为相，持重。"遂不用，用建陵侯卫绾为丞相。

[注释]

①沾沾自喜：指骄傲自满，自我欣赏。沾沾，诩诩，得意自满的样子。②多易：草率不稳重。易，轻。

[译文]

在桃侯刘舍被免去丞相职务后，窦太后多次建议让魏其侯窦婴任丞相。汉景帝说："太后您难道认为我是有所吝啬才不让魏其侯当丞相的吗？窦婴这个人，容易骄傲自满，为人轻率，难以出任丞相，不堪担此重任。"于是就没有选用窦婴，而是任命建陵侯卫绾担任丞相。

武安侯田蚡者，孝景后同母弟也，生长陵。魏其已为大将军后，方盛，蚡为诸郎，未贵，往来侍酒魏其，跪起如子姓①。及孝景晚节②，蚡益贵幸，为太中大夫。蚡辩有口③，学《槃盂》诸书，王太后贤之。孝景崩，即日太子立，称制，所镇抚多有田蚡宾客计策。蚡弟田胜，皆以太后弟，孝景后三年封蚡为武安侯，胜为周阳侯。

[注释]

①子姓：子弟，侄子。②晚节：晚年。③辩有口：善于辩论，有口才。

[译文]

武安侯田蚡，是汉景帝王皇后的同母异父的弟弟，出生于长陵。当窦婴已经当上了大将军，声名显赫之时，田蚡还只是个普通的郎官，没有地位，经常到窦婴家里陪酒，那时他见到窦婴，跪下、站起的样子完全像个晚辈。到了汉景帝的晚年，田蚡因受皇上的宠爱而越来越显赫，被任用为太中大夫。田蚡能言善辩，攻读过《槃盂》等各种书籍，王太后认为他很有才能。汉景帝去世后，太子刘彻当天继位，王太后摄政，当时镇压、安抚的一系列决策，很多都来自田蚡及门下宾客。因为田蚡和他的弟弟田胜都是王太后的弟弟，在汉景帝去世三年之后，田蚡被封为武安侯，田胜被封为周阳侯。

武安侯新欲用事为相，卑下宾客，进名士家居者贵之，欲以倾①魏其诸将相。建元元年，丞相绾病免，上议置丞相、太尉。籍福说武安侯曰："魏其贵久矣，天下士素归之。今将军初兴，未如魏其，即上以将军为丞相，必让魏其。魏其为丞相，将军必为太尉。太尉、丞相尊等耳，又有让贤名。"武安侯乃微言太后风②上，于是乃以魏其侯为丞相，武安侯为太尉。籍福贺魏其侯，因吊③曰："君侯资性④喜善疾恶⑤，方今善人誉君侯，故至丞相；然君侯且疾恶，恶人众，亦且毁君侯。君侯能兼容⑥，则幸久；不能，今以毁去矣。"魏其不听。

[注释]

①倾：压倒，超过。②风：吹风，暗示。同"讽"。用含蓄的话暗示。③吊：警告。④资性：资质，性情，天性。⑤喜善疾恶：喜欢好人好事，痛恨坏人坏事。疾，恨。⑥兼容：指对好人、坏人都不得罪。

[译文]

　　武安侯田蚡获封后,并不满足,他想要的是丞相职务,所以他总是表现出一副礼贤下士的样子,推荐了一些闲居的名士出来做官,想以此来压倒窦婴等将相们。汉武帝建元元年,丞相卫绾因病免职,皇上正在物色新的丞相和太尉人选。这时,籍福对田蚡说:"窦婴掌权已经很久了,天下士人一向都归附于他。而您刚刚发达,还无法和魏其侯一争高低,假如皇上要任命您做丞相,您一定要把这个位置让给窦婴。窦婴当了丞相,您一定会当太尉。太尉和丞相的地位爵禄是同级的,这样您还可以落个让贤的美名。"田蚡就私下把自己的想法告诉了太后,让太后暗示皇上,于是汉武帝便任命窦婴做丞相,任命田蚡做太尉。此时,籍福先去向窦婴祝贺,接着又告诫他说:"您的性情是喜欢好人,痛恨坏人,现在好人称赞您,所以您当了丞相,然而您又非常痛恨坏人,世上的坏人很多,他们一定会诋毁您。如果您能同时拉拢得住好人和坏人,那么您就可以久居相位;如果不能,您很快就会因为受人诽谤而被免职。"窦婴没有接受他的告诫。

　　魏其、武安俱好儒术,推毂①赵绾为御史大夫,王臧为郎中令。迎鲁申公,欲设明堂,令列侯就国②,除关,以礼为服制,以兴太平。举適③诸窦宗室毋节行者,除其属籍。时诸外家为列侯,列侯多尚④公主,皆不欲就国,以故毁日至窦太后。太后好黄老之言,而魏其、武安、赵绾、王臧等务隆推⑤儒术,贬道家言,是以窦太后滋不说⑥魏其等。及建元二年,御史大夫赵绾请无奏事东宫。窦太后大怒,及罢逐赵绾、王臧等,而免丞相、太尉,以柏至侯许昌为丞相,武强侯庄青翟为御史大夫。魏其、武安由此以侯家居。

[注释]

①推毂：推车，这里指推荐。②就国：返回自己的封地。国，指封地。③举適：检举，揭发。適，通"谪"，贬黜。④尚：多指高攀婚姻。⑤隆推：极力鼓吹，推崇抬高。⑥滋不说：越来越讨厌。

[译文]

魏其侯窦婴和武安侯田蚡都喜欢儒家学说，他们推荐赵绾当了御史大夫，推荐王臧担任郎中令。并把鲁国的儒生申培接到京师来，打算建立明堂，让列侯们都到自己的封地去，废除了诸侯国与京师之间的关卡，依照礼法来定制礼服样式，以此证明太平盛世的来临。他们还检举窦氏宗族与刘氏宗室成员中品质不好的人，取消他们的贵族资格。当时，那些外戚多是列侯，大都娶公主为妻，都不愿到自己的封地去，因此，他们天天在窦太后面前说窦婴和田蚡等人的坏话。窦太后喜欢黄老学说，而窦婴、田蚡、赵绾、王臧等人则大力推崇儒家学说，贬低道家观点，因此窦太后越来越不喜欢窦婴等人。到了建元二年，御史大夫赵绾建议皇上不要让窦太后再裁决政事。窦太后勃然大怒，便罢免并驱逐了赵绾、王臧等人，还废了丞相窦婴和太尉田蚡的职位，任命柏至侯许昌为丞相，任命武强侯庄青翟为御史大夫。窦婴、田蚡从此只能以列侯的身份闲居在家。

武安侯虽不任职，以王太后故，亲幸，数言事多效，天下吏士趋势利者，皆去魏其归武安。武安日益横。建元六年，窦太后崩，丞相昌、御史大夫青翟坐丧事不办①，免。以武安侯蚡为丞相，以大司农韩安国为御史大夫。天下士郡诸侯愈益附武安。

[注释]

①不办：办得不好，不完备。

[译文]

武安侯田蚡虽然不再任职，但由于姐姐是王太后，皇上对他依然宠爱，对皇上提出的建议也多被采纳，趋炎附势的官吏和士人都离开了魏其侯窦婴而归附武安侯田蚡。田蚡的骄横日盛一日。建元六年，窦太后去世，丞相许昌和御史大夫庄青翟因为丧事办得不好，都被罢免。田蚡出任丞相，任命大司农韩安国担任御史大夫。天下的士人、各郡郡守、各诸侯国的诸侯王就更加趋附田蚡了。

武安者，貌侵①，生贵甚②。又以为诸侯王多长③，上初即位，富于春秋，蚡以肺腑为京师相，非痛折节④以礼诎⑤之，天下不肃。当是时，丞相入奏事，坐语移日⑥，所言皆听。荐人或起家⑦至二千石，权移主上。上乃曰："君除吏已尽未？吾亦欲除吏。"尝请考工地益宅，上怒曰："君何不遂取武库！"是后乃退。尝召客饮，坐其兄盖侯南乡，自坐东乡，以为汉相尊，不可以兄故私桡⑧。武安由此滋骄，治宅甲诸第，田园极膏腴，而市买⑨郡县器物相属⑩于道。前堂罗钟鼓，立曲旃；后房妇女以百数。诸侯奉金玉狗马玩好，不可胜数。

[注释]

①貌侵：矮小丑陋，其貌不扬。侵，通"寝"。②生贵甚：生在权贵之家。③多长：多数人的年纪都比自己大。④折节：打击，压制。⑤诎：通"屈"。⑥移日：日影移动了位置，表示时间之长。⑦起家：由家居无职位提拔起。⑧私桡：私自降低身份。桡，通"挠"，曲，屈尊。⑨市买：采买。⑩属：连。

[译文]

武安侯田蚡短小丑陋，虽然其貌不扬，但是却生于权贵之家。他认为诸侯王们大都比自己年长，皇上刚刚即位，年纪又很轻，自己是凭借和皇上的亲属关系才得以担任丞相，如果不狠狠地打压一下那些诸侯，用礼法来让他们屈服，那么他们就不会服服帖帖。当时，田蚡入朝奏事，坐着与皇帝说话，一聊就是大半天，皇帝对他言听计从。他所推荐的人有的甚至直接从平头百姓提拔到二千石级别,田蚡把皇帝的权力都过渡到了自己的手里。于是皇上问田蚡:"你要任命的官吏完了没有啊?我也想任命几个呢。"田蚡还曾经要求皇帝把考工官署的地盘划给自己扩建住宅,皇上生气地说:"你怎么不把国家兵器库也拿走啊!"从此以后田蚡才有所收敛。他曾经在家请客吃饭,让他哥哥盖侯王信面向南坐,自己却坐在了面朝东的主位上,他认为自己是汉朝的丞相,地位尊贵,不能因为王信是兄长,自己就私自降低自己的身份。田蚡越来越骄横,他建造的房子比所有权贵家的房子都豪华,他的田地庄园也比别人家的都肥沃,替他到各郡县采买各种物品的人,在道路上连绵不绝。他家的前堂摆放着钟鼓,插着曲柄长伞;他家后院的美女数以百计。各地诸侯送给他的金银珠宝、狗马器物,多得数也数不清。

魏其失窦太后,益疏①不用,无势②,诸客稍稍③自引④而怠傲,唯灌将军独不失故⑤。魏其日默默⑥不得志,而独厚遇⑦灌将军。

[注释]

①疏:指被疏远。②势:权势。③稍稍:渐渐。④自引:自动退去,不再上门。⑤故:故态,老样子。⑥默默:郁闷不高兴的样子。⑦厚遇:优厚对待。

[译文]

没有了窦太后的庇护,窦婴更为皇上所疏远,因而也不受重用,没有了权势,门下的宾客逐渐自行退去,有的甚至对他懈怠傲慢,只有灌夫还是老样子。窦婴终日郁郁不得志,也只对灌夫特别厚爱。

灌将军夫者,颍阴人也。夫父张孟,尝为颍阴侯婴舍人,得幸，因进之至二千石，故蒙①灌氏姓为灌孟。吴楚反时，颍阴侯灌何为将军，属太尉，请灌孟为校尉。夫以千人与父俱。灌孟年老，颍阴侯强请之，郁郁②不得意，故战常陷坚，遂死吴军中。军法，父子俱从军，有死事，得与丧归。灌夫不肯随丧归，奋曰："愿取吴王若③将军头，以报父之仇。"于是灌夫被甲持戟，募军中壮士所善愿从者数十人。及出壁门，莫敢前。独二人及从奴十数骑驰入吴军，至吴将麾下，所杀伤数十人。不得前，复驰还，走入汉壁，皆亡其奴，独与一骑归。夫身中大创十余，适有万金良药，故得无死。夫创少瘳④，又复请将军曰："吾益知吴壁中曲折，请复往。"将军壮义之，恐亡夫，乃言太尉，太尉乃固止之。吴已破，灌夫以此名闻天下。

[注释]

①蒙：冒，顶着。②郁郁：愁闷的样子。③若：或者。④少瘳：稍微好一点。瘳，痊愈。

[译文]

灌夫将军是颍阴人。灌夫的父亲叫张孟，曾经做过颍阴侯灌婴的宾客，深得灌婴的赏识，官渐渐做到了二千石的级别，因此张孟就改用灌氏家的姓叫灌孟了。吴楚等七国叛乱时，灌婴的儿子颍阴侯灌何任将军，是太尉周亚夫的部下，他向周亚夫推荐灌孟担任校尉。这时灌夫以千夫长的身份也和父亲一同出征。灌孟当时年事已高，是因了颍阴侯灌何的坚持他才得以成行，所以灌孟总是闷闷不乐，因此在战场上常常攻击敌军的坚固阵地，结果战死在吴军阵前。军法规定，父子一起从军，若有一人战死，另一人可以伴着灵柩一道回家。但灌夫不愿随父亲的灵柩回去，而是悲愤地说："我要砍下吴王刘濞或者他手下大将的人头，来为父亲报仇。"于是灌夫就披甲拿戟，召集了军中几十个与他关系好又愿意跟随他的勇士。刚出营门，一些人就不敢走了。只有两人和灌夫自己家里跟来的十多个奴仆一起冲向吴军阵地，一直攻到了一位吴国将军的大旗之下，砍死砍伤几十个敌军士卒。实在不能再继续前进了，就又飞快地撤回到自己营地，所带去的家奴全都战死了，只有一个士兵跟着他回来了。灌夫身上有大的伤口十多处，恰好带有良药在身，所以才没死去。灌夫的伤势稍好一点，他又向灌何请求说："我现在更了解吴军大营里的情况了，请您让我再去冲杀一次吧。"灌何既敬佩他的勇敢又敬佩他的孝义，但担心灌夫这样会丧命，便把情况向太尉周亚夫作了汇报，周亚夫也坚决不让他冒险出击。等到吴军被打败，灌夫因而也名闻天下了。

颍阴侯言之上，上以夫为中郎将。数月，坐法去。后家居长安，长安中诸公莫弗称之。孝景时，至代相。孝景崩，今上初即位，以为淮阳天下交，劲兵处，故徙夫为淮阳太守。建元元年，入为太仆。二年，夫与长乐卫尉窦甫饮，轻重不得，夫醉，搏甫。甫，窦太后昆弟也。上恐太后诛夫，徙为燕相。数岁，坐法去官，家居长安。

[译文]

回来后，灌何把灌夫的情况报告给了汉景帝，景帝就任命灌夫当中郎将。几个月之后，灌夫因为犯法而被免官。后来灌夫把家搬到了长安，长安城中的那些有地位的人没有不称赞他的。汉景帝时，灌夫当上了代国的国相。景帝去世，汉武帝刚即位，皇上认为淮阳是天下的交通枢纽，必须驻扎重兵，因此就调灌夫担任淮阳太守。建元元年，又把灌夫调到朝廷任太仆。第二年，灌夫与长乐宫的卫尉窦甫一起喝酒，由于意见不同发生了争执，灌夫借着酒劲殴打了窦甫。窦甫是窦太后的弟弟。皇上担心窦太后诛杀灌夫，就调他去燕国担任国相。几年以后，灌夫又因犯法被免官，闲居长安。

灌夫为人刚直使酒，不好面谀①。贵戚诸有势在己之右，不欲加礼，必陵②之；诸士在己之左，愈贫贱，尤益敬，与钧③。稠人广众，荐宠下辈。士亦以此多之。

[注释]

①面谀：当面奉承人，说讨人喜欢的话。②陵：侵犯，欺辱。③与钧：亢礼，和他们礼数平等。钧，通"均"。

[译文]

灌夫为人刚正直爽，好借酒发疯，不喜欢当面奉承人。对那些地位比他高、权力比他大的皇亲国戚，他不但不想对他们加以礼遇，反而还想办法欺负他们；而对那些地位比自己低的士人，越是贫贱的，他越是尊敬，跟他们平等交往。在大庭广众之中，他总推荐、赞扬那些比自己地位低的人。士人们也因此常常赞美灌夫。

夫不喜文学①，好任侠②，已然诺。诸所与交通，无非豪桀大猾。家累③数千万，食客日数十百人。陂④池田园，宗族宾客为权利，横于颍川。颍川儿乃歌之曰："颍水清，灌氏宁；颍水浊，灌氏族。"

[注释]

①文学：学术。②任侠：指打抱不平。③累：累积，具有。④陂：堤塘。

[译文]

灌夫不喜欢学术，爱行侠仗义，凡承诺的事情一定办到。他所来往的人，都是些带有某种侠义之气的人士。他家中的钱财有几千万，每天的食客多达几十甚至上百人。他家里有大量的良田、池塘，他的宗族和宾客就借着他的势力，在颍川一带横行霸道。颍川有一首儿歌这样唱道："颍水清清，灌氏安宁；颍水浑浊，灌氏灭族。"

灌夫家居虽富，然失势，卿相侍中①宾客益衰。及魏其侯失势，亦欲倚灌夫引绳批根②生平慕之后弃之者。灌夫亦倚魏其而通列侯宗室为名高。两人相为引重，其游如父子然。相得欢甚，无厌，恨相知晚也。

[注释]

①侍中：侍候皇帝的近臣。②引绳批根：弹压，打击。

[译文]

灌夫家庭虽然富有，但是由于失去了权势，所交往的人中，像卿相、侍中那样有身份的贵宾越来越少。等到魏其侯窦婴也失去权势之后，他就想依靠灌夫去报复那些曾在自己得势时巴结自己，现在又抛弃自己的人。而灌夫也想靠窦婴去结交列侯宗室来抬高自己的名声。两人彼此借重，关系处得如同父子那样密切。他们愉快地交往，似乎不会厌倦，只是觉得相互认识得太晚了。

灌夫有服①，过②丞相。丞相从容曰："吾欲与仲孺过魏其侯，会仲孺有服。"灌夫曰："将军乃肯幸临况③魏其侯，夫安敢以服为解④！请语魏其侯帐具，将军旦日蚤临。"武安许诺。灌夫具语魏其侯如所谓武安侯。魏其与其夫人益市牛酒，夜洒扫⑤，早帐具至旦。平明，令门下候伺。至日中，丞相不来。魏其谓灌夫曰："丞相岂忘之哉？"灌夫不怿⑥，曰："夫以服请，宜往。"乃驾，自往迎丞相。丞相特⑦前戏许⑧灌夫，殊无意往。及夫至门，丞相尚卧。于是夫入见，曰："将军昨日幸许过魏其，魏其夫妻治具，自旦至今，未敢尝食。"武安鄂，谢曰："吾昨日醉，忽忘与仲孺言。"乃驾往，又徐行，灌夫愈益怒。及饮酒酣，夫起舞属丞相，丞相不起，夫从坐上语侵之。魏其乃扶灌夫去，谢丞相。丞相卒饮至夜，极欢而去。

[注释]

①有服：有丧服在身。②过：拜访。③临况：光临，惠顾。况，通"贶"，恩赐。④解：推辞，推脱。⑤埽：扫。⑥怿：喜悦，高兴。⑦特：只不过。⑧戏许：随便说说。

[译文]

一次，灌夫在服丧期间到田蚡家串门，田蚡随便说了一句："我本来想和您一起去拜访魏其侯，不巧您正在服丧。"灌夫说："将军您竟然愿意屈尊惠顾魏其侯，我灌夫怎能因服丧而推辞呢！请让我先去通知窦婴置办筵席，敬请您明日一早大驾光临。"田蚡答应了。灌夫把田蚡的话原原本本地转告了窦婴。窦婴马上和夫人去采买了许多肉食和美酒，半夜就起来打扫卫生，准备酒席，一直忙到天亮。天刚亮，就让府中守门的人静候田蚡。可等到中午，也不见丞相田蚡的身影。窦婴问灌夫："丞相难道忘记了这件事吗？"灌夫很不高兴，说："我灌夫不顾丧服在身请他前来，而他至今不到，我应该再去看看。"于是灌夫就亲自驾车，前往迎接田蚡。田蚡原来只不过是信口开河，根本无意前往。等到灌夫来到门前，田蚡还在睡觉。于是灌夫进门去问田蚡，说："昨天承蒙您答应惠顾魏其侯，魏其侯夫妇为您备办了酒席，从早晨到现在，他们还没敢动一下筷子呢。"田蚡有些惊讶，连忙道歉说："我昨天喝醉了，忘记了跟您说过的话。"言毕，田蚡驾车前往，但路上磨磨蹭蹭，灌夫心里就更加生气。等喝到兴奋之时，灌夫舞蹈了一番，之后就邀请丞相田蚡接续，可田蚡竟安坐不动，灌夫就在自己的座位上讽刺田蚡。窦婴一见便换起灌夫离开了座席，自己代灌夫向田蚡道歉。田蚡也不再计较，一直喝到很晚，才尽兴离开。

丞相尝使籍福请①魏其城南田。魏其大望②曰："老仆虽弃，将军虽贵，宁可以势夺乎！"不许。灌夫闻，怒，骂籍福。籍福恶两人有郤③，乃谩④自好谢丞相曰："魏其老且死，易忍，且待之。"已而武安闻魏其、灌夫实怒不予田，亦怒曰："魏其子尝杀人，蚡活之。蚡事魏其无所不可，何爱数顷田？且灌夫何与也？吾不敢复求田！"武安由此大怨灌夫、魏其。

[注释]

①请：索求。②大望：大为不满。望，怨。③郤：通"隙"，隔阂，矛盾。④谩：编好话。

[译文]

田蚡曾经派籍福去向魏其侯索要城南的田地。魏其侯满怀愤恨地说："在下虽然被朝廷弃用，田将军虽然飞黄腾达，但也不能依仗权势硬夺我的田地吧！"就没答应此事。灌夫知道后也很生气，大骂籍福。籍福不希望窦婴、田蚡因这件事闹僵，就私下编了一套好话向丞相田蚡道歉："魏其侯马上就要老死了，您应稍加忍耐，等一段再要城南的田地吧。"不久之后，田蚡了解到原来窦婴、灌夫不给他城南田地的真实原因是因为不满，于是也很生气地说："魏其侯的儿子曾经杀人，是我救了他的命。我对待他魏其侯尽心竭力，他为何如此看重那几顷田地？再说这事与他灌夫有何关系？我再不敢要这块田地了！"田蚡从此就十分痛恨灌夫、窦婴。

元光四年春，丞相言灌夫家在颍川，横甚，民苦之，请案①。上曰："此丞相事，何请。"灌夫亦持丞相阴事，为奸利，受淮南王金与语言。宾客居间②，遂止，俱解。

[注释]

①案：通"按"，逮捕查办。②居间：居中调停。

[译文]

元光四年的春天，丞相田蚡在皇上面前说，灌夫的家人在颍川横行霸道，百姓深受其害，请求皇上下令查办。皇上说："这是丞相职权之内的事，何必请示。"灌夫此时也抓住了丞相田蚡的一些隐私，掌握了他办坏事以谋取私利的事实，以及曾接受淮南王的贿赂并说了一些不该说的话等。由于两家宾客们从中调解，双方才停止攻击，彼此和解。

夏，丞相取①燕王女为夫人，有太后诏，召列侯宗室皆往贺。魏其侯过灌夫，欲与俱。夫谢曰："夫数以酒失得过②丞相，丞相今者又与夫有郄。"魏其曰："事已解。"强与俱。饮酒酣，武安起为寿，坐皆避席伏。已③魏其侯为寿，独故人避席耳，余半膝席。灌夫不悦。起行酒，至武安，武安膝席曰："不能满觞。"夫怒，因嘻笑曰："将军贵人也，属之！"时武安不肯。行酒次至临汝侯，临汝侯方与程不识耳语，又不避席。夫无所发怒，乃骂临汝侯曰："生平毁程不识不直一钱，今日长者为寿，乃效女儿呫嗫④耳语！"武安谓灌夫曰："程、李俱东西宫卫尉，今众辱程将军，仲孺独不为李将军地乎？"灌夫曰："今日斩头陷匈⑤，何知程李乎！"坐乃起更衣⑥，稍稍去。魏其侯去，麾灌夫出。武安遂怒曰："此吾骄灌夫罪。"乃令骑留⑦灌夫。灌夫欲出不得。籍福起为谢，案灌夫项令谢。夫愈怒，不肯谢。武安乃麾骑缚夫置传舍，召长史曰："今日召宗室，有诏。"劾灌夫骂坐不敬，系⑧居室。遂按其前事，遣吏分曹⑨逐捕诸灌氏支属，皆得弃市罪。魏其侯大愧，为资使宾客请，莫能解。武安吏皆为耳目，诸灌氏皆亡匿，夫系，遂不得告言武安阴事。

[注释]

①取：同"娶"。②得过：得罪。③已：过后。④呫嗫：低声耳语。⑤陷匈：穿胸。匈，通"胸"。⑥更衣：上厕所。⑦留：拘捕，扣押。⑧系：关押。⑨分曹：分批，分班。

[译文]

　　这年夏天，田蚡娶燕王的女儿做夫人，太后下令，叫列侯宗族都前去祝贺。窦婴去找灌夫，想和他一起去。灌夫推辞说："我多次因醉酒冒犯丞相，丞相近来又和我有矛盾。"窦婴说："事情不是都和解了吗。"窦婴于是就硬拉灌夫同去。酒酣之际，田蚡起身给大家敬酒，在坐的宾客都离开自己的席位，跪伏在地，以示尊敬。过了一会儿，窦婴也起身为大家敬酒，这次只有窦婴的老朋友们离开了座席，其余半数的人只是稍微欠身直腰跪起。灌夫心内很不高兴，他起身逐一敬酒，敬到田蚡面前时，田蚡只稍稍欠了一下身子说："不能再喝满杯了。"灌夫更加生气，便用一种嘲弄的口气说："您是贵人，这杯您必须喝干！"田蚡置之不理。灌夫的酒敬到临汝侯灌贤面前时，灌贤正在跟程不识说悄悄话，没有离开座席表示尊敬。灌夫满腔怒火正无处发泄，便大骂灌贤道："你平时私下经常把程不识贬得一文不值，今天老子来给你敬酒，你却像个丫头片子一样啰唆个没完！"田蚡对灌夫说："程将军和李广将军都是东西两宫的卫尉，现在你当众辱骂程将军，难道就不能给李将军留点面子吗？"灌夫说："今天拼出一死，我哪里还管什么程不识和李广！"座中人见情景尴尬，纷纷假装上厕所，悄悄往外溜。窦婴也要离开，想带灌夫出去。这时田蚡怒吼道："这都是我纵容灌夫的结果。"于是便命令手下的骑从卫士扣押灌夫。灌夫即使想走也不能脱身了。籍福便起身代灌夫向田蚡道歉，并按着灌夫的脖子让他向田蚡赔罪。灌夫大怒，坚决不肯。田蚡便指挥武士捆了灌夫关在客房中，并叫来自己的长史吩咐道："今天我是奉太后诏令邀请各位宗室贵族前来做客。"于是便让长史弹劾灌夫在筵席上骂人，侮辱了太后的诏命，犯下大不敬罪，并把灌夫关押在监狱里。接着追查灌夫以前所犯的罪行，派遣官吏分批逮捕灌氏的所有直系旁系亲属，都判处死刑，并将尸体暴露街头示众。窦婴内心很愧疚，于是就花钱让人前去找田蚡求情，没能奏效。田蚡的下属四处捉拿灌夫的党羽，灌夫的党羽都躲藏起来了，灌夫被关在狱中，因此也就无法向皇上告发田蚡违法乱纪的行为了。

魏其锐身①为救灌夫。夫人谏魏其曰："灌将军得罪丞相，与太后家忤②，宁可救邪？"魏其侯曰："侯自我得之，自我捐③之，无所恨④。且终不令灌仲孺独死，婴独生。"乃匿其家，窃出上书。立召入，具言灌夫醉饱事，不足诛。上然之，赐魏其食，曰："东朝廷辩之。"

[注释]

①锐身：奋身，积极活动。②忤：顶撞，对着干。③捐：抛弃。④恨：遗憾。

[译文]

窦婴奋不顾身，积极营救灌夫。他的夫人劝他说："灌将军开罪于丞相，和太后家的人对着干，怎么能营救得了？"窦婴说："侯爵的封号是我自己挣来的，现在我即使把它舍弃了，也没有什么可遗憾的。我无论如何也不能让灌夫独自去死，而我却安然无恙。"于是就背着家人，偷偷上书给汉武帝。汉武帝马上召窦婴进宫，窦婴向皇上详细汇报了灌夫醉酒出丑之事，认为这事还不足以判处死刑。皇上认为他言之有理，就留窦婴一起用餐，说道："明日到东宫去，把这件事公开辩论清楚。"

魏其之东朝，盛推灌夫之善，言其醉饱得过，乃丞相以他事诬罪之。武安又盛毁灌夫所为横恣，罪逆不道。魏其度不可奈何，因言丞相短。武安曰："天下幸而安乐无事，蚡得为肺腑，所好音乐狗马田宅。蚡所爱倡优①巧匠之属，不如魏其、灌夫日夜招聚天下豪桀壮士与论议，腹诽而心谤，不仰视天而②俯画地,辟倪③两宫间,幸天下有变,而欲有大功。臣乃不知魏其等所为。"于是上问朝臣:"两人孰是?"御史大夫韩安国曰:"魏其言灌夫父死事,身荷戟驰入不测之吴军,身被数十创,名冠三军,此天下壮士,非有大恶,争杯酒,不足引他过以诛也。魏其言是也。丞相亦言灌夫通奸猾,侵细民,家累巨万,横恣颍川,凌轹④宗室,侵犯骨肉,此所谓'枝大于本,胫大于股,不折必披⑤',丞相言亦是。唯明主裁之。"主爵都尉汲黯是魏其;内史郑当时是魏其,后不敢坚对;余皆莫敢对。上怒内史曰:"公平生数言魏其、武安长短,今日廷论,局趣⑥效辕下驹,吾并斩若属⑦矣。"即罢起入,上食太后。太后亦已使人候伺,具以告太后。太后怒,不食,曰:"今我在也,而人皆藉⑧吾弟,令我百岁后,皆鱼肉之矣。且帝宁能为石人邪?此特帝在,即录录⑨;设⑩百岁后,是属宁有可信者乎?"上谢曰:"俱宗室外家,故廷辩之。不然,此一狱吏所决耳。"是时郎中令石建为上分别言两人事。

[注释]

①倡优:音乐声色。②而:则。③辟倪:暗中窥探。④凌轹:欺凌,践踏。⑤披:分开,裂。⑥局趣:同"局促",畏首畏尾的样子。⑦若属:尔等。若,你,你们。⑧藉:作践,践踏。⑨录录:无感情、无主见的样子。⑩设:假如。

[译文]

第二天,窦婴来到东宫,极言灌夫的优点,说他只是酒后失态,而丞相田蚡却借机拿别的事诬陷灌夫。田蚡则全力诋毁灌夫,说他骄横放纵,犯了大逆不道的罪行。窦婴无计可施,只好对田蚡进行人身攻击。田蚡反击道:"现在天下太平无事,我得以托身为皇家的肺腑至亲,我贪求的是声色犬马外加田产土地,我喜欢的是歌舞优伶外加能工巧匠,哪里像窦婴和灌夫那样,招集天下豪杰壮士,整日在家里议论时政,满腹牢骚,心怀不满,不是仰观天象就是俯察地理,在皇上与太后间暗中窥探,巴不得出些什么事端,他们好趁此下手成事。我真弄不清魏其侯他们到底要做什么!"皇上就问在场的大臣说:"他们两人谁说得有理?"御史大夫韩安国说:"魏其侯说灌夫的父亲为国战死,灌夫挺着长矛冲入吉凶未测的吴军中,身负几十处创伤,威名冠绝三军,这是难得的勇士,如果没有更大的罪过,只是酒后失态,不能借用别的事情来处死他。魏其侯的话是对的。然而丞相又说灌夫结交歹徒,鱼肉百姓,积累数万家产,在颍川横行霸道,欺凌皇室,触犯贵族,这就是俗话所说的'树枝比树干大,小腿比大腿粗,不砍断它就一定会损害主干',如此说来,丞相的话也不无道理。还望皇上定夺。"主爵都尉汲黯认为魏其侯说得对。而内史郑当时开始认为魏其侯说得对,但后来却不敢坚持。其余的人都不敢说出自己的看法。武帝怒斥郑当时说:"你平日里总在说魏其侯、武安侯的长短优劣,今天让你公开发表看法,你却畏首畏尾,像刚卸去套的小马驹,我真想把你们全都杀掉。"说完起身罢朝,侍奉太后进餐去了。这时太后也早已派人探听情况,那人把廷辩的经过向太后做了详细报告。太后很生气,不愿进食,对皇上说:"眼下我还活着,他们就敢欺负我弟弟,假若我不在了,他们必定如同宰割鱼肉那样宰割我弟弟。再说,皇上您怎么能像石人一样无动于衷呢?现在皇上您还年轻,就如此毫无主见;那么等您去世之后,这帮人中,还有一个可以信任的吗?"皇上急忙向太后解释说:"因为他们的身份都是外戚,所以我才让他们在朝廷上公开辩论。否则,派一个狱吏就可以把事情给解决了。"这时郎中令石建向皇上分别陈述了魏其侯、武安侯两个人的事情。

　　武安已罢朝,出止车门,召韩御史大夫载,怒曰:"与长孺共一老秃翁,何为首鼠两端①?"韩御史良久谓丞相曰:"君何不自喜②?夫魏其毁君,君当免冠解印绶归,曰'臣以肺腑幸得待罪,固非其任,魏其言皆是'。如此,上必多③君有让,不废君。魏其必内愧,杜门龁舌④自杀。今人毁君,君亦毁人,譬如贾竖女子争言,何其无大体⑤也!"武安谢罪曰:"争时急,不知出此。"

[注释]

①首鼠两端:畏首畏尾,左右为难。②不自喜:当时的习惯用语,意思是不好好想想,不知道好歹。③多:称赞,赞赏。④龁舌:咬着舌头,指无话可说。⑤无大体:没有身份。

[译文]

退朝以后,田蚡从停车门出来,招呼韩安国乘自己的车,田蚡生气地说:"我和你共同对付一个秃老头,你为什么那样模棱两可?"韩安国过了半天才搭话说:"您怎么不认真想想呢?魏其侯毁谤您时,您应当摘下帽子、解下印绶,归还给皇上,做出一种引咎辞职的姿态,并说:'我是凭借和皇上有亲戚关系才幸得为相,本来就不称职,魏其侯批评的话都是对的。'假如您这样做了,皇上必定会赞赏您为人谦让,反而不会罢免您。魏其侯也会因此无地自容,回到家就会闭门咬舌自杀。然而,现在别人诋毁您,您也诋毁了别人,就好像商贩、女人间吵架一样,是何等不识大体啊!"田蚡听后惭愧地说:"只怪当时太性急了,没有想到应该这样做。"

于是上使御史簿责①魏其所言灌夫,颇不雠②,欺谩③。劾系都司空。孝景时,魏其常受遗诏,曰"事有不便,以便宜论上"。及系,灌夫罪至族,事日急,诸公莫敢复明言于上。魏其乃使昆弟子④上书言之,幸得复召见。书奏上,而案尚书大行无遗诏。诏书独藏魏其家,家丞封。乃劾魏其矫先帝诏,罪当弃市。五年十月,悉论灌夫及家属。魏其良久乃闻,闻即恚⑤,病痱⑥，不食欲死。或闻上无意杀魏其，魏其复食，治病。议定不死矣，乃有蜚语⑦为恶言闻上，故以十二月晦论弃市渭城。

[注释]

①薄责：以书面文字进行责备。②不雠：与事实不相符。雠，相当，相对。③欺谩：说谎骗人。④昆弟子：指侄子。⑤恚：恼怒。⑥病痱：中风。⑦蜚语：流言。蜚，同"飞"。

[译文]

于是，汉武帝就派御史以书面文字责问窦婴，说他所汇报的情况和灌夫的所作所为并不相符，指责窦婴欺君。经有司弹劾，把窦婴关在都司空的监狱里。在汉景帝时，窦婴曾经接到过景帝赐给他的诏书，诏书给予窦婴这样的特权，'日后如遇有不利的情况，可以见机行事，直接向皇帝奏明'。当窦婴被逮捕，灌夫判灭族之罪时，情况日渐紧急，大臣们谁也不敢再向皇帝说明这件事的真相。窦婴便让自己的侄子上书皇帝，禀明家有先帝遗诏，希望得到皇上的破例召见。奏书呈上后，皇上派人到尚书省查对原始档案，却找不到先帝曾给过窦婴遗诏的证据。这道诏书只是封藏在窦婴的家中，是由窦婴的家丞盖印封存的。于是窦婴便被弹劾伪造先帝诏书，其罪当公开处死。元光五年十月，灌夫和他整个家族全部被处决。狱中的窦婴很久之后才知道了这一消息，大为恼怒，中了风，打算绝食而死。后来听说皇上没有杀自己的意思，他才开始进食，并延请医生治病。果然，汉武帝已经与人议定不杀窦婴了，但是，忽然又有一段对窦婴不利的话传到了汉武帝的耳朵里，因此，在当年十二月的最后一天，汉武帝下令，在渭城将窦婴斩首示众。

其春，武安侯病，专呼服谢罪。使巫视鬼者视之，见魏其、灌夫共守，欲杀之。竟死①。子恬嗣。元朔三年，武安侯坐衣襜褕②入宫，不敬。

[注释]

①竟死:就这样死去了。②襜褕:短衣,平时穿的衣服。

[译文]

同年春天,武安侯田蚡患病了,嘴里不停地说着谢罪的话。传令能看见鬼魂的巫师前来诊断,巫师说是看见了魏其侯和灌夫两个人的鬼魂共同监守着田蚡,想要杀死他。结果田蚡就这样死去了。儿子田恬继承了他的爵位。元朔三年,武安侯田恬因穿短衣入宫,犯了不敬之罪,封爵被废除。

淮南王安谋反觉①,治②。王前朝,武安侯为太尉,时迎王至霸上,谓王曰:"上未有太子,大王最贤,高祖孙,即宫车晏驾③,非大王立当谁哉!"淮南王大喜,厚遗④金财物。上自魏其时不直武安,特⑤为太后故耳。及闻淮南王金事,上曰:"使武安侯在者,族矣。"

[注释]

①觉:发觉。②治:被追究查办。③晏驾:死亡的讳称。④遗:赠送。⑤特:只,就是。

[译文]

后来,淮南王刘安谋反的事情暴露了,汉武帝让人追查此事。发现淮南王上次来朝的时候,武安侯田蚡正任太尉,当时,到霸上迎接淮南王的田蚡说道:"皇上没有太子,您最贤明,又是高祖的孙子,假如皇帝突然驾崩,不立您做皇帝还能立谁呢!"刘安听了十分高兴,送给了田蚡很多金银财物。而汉武帝自从窦婴遭田蚡诬陷之时就不赞成田蚡,也不认为他说得有理,只是因为有太后在罢了。等听到田蚡接受刘安的金银财物之事暴露时,汉武帝说道:"如果田蚡还活着的话,这肯定是要灭族的。"

太史公曰：魏其、武安皆以外戚重①，灌夫用②一时决策而名显。魏其之举③以吴楚，武安之贵在日月之际。然魏其诚不知时变，灌夫无术④而不逊，两人相翼⑤，乃成祸乱。武安负贵而好权，杯酒责望⑥，陷彼两贤。呜呼哀哉！迁怒及人，命亦不延。众庶不载⑦，竟被恶言。呜呼哀哉！祸所从来矣！

[注释]

①重：受重用。②用：因。③举：提拔、重用。④无术：不懂得如何处世做人。⑤相翼：互相袒护、依傍。⑥责望：怨恨。⑦载：拥护。

[译文]

太史公说：窦婴和田蚡都以外戚的身份而被重用，而灌夫只是因为一次冒险而扬名天下。窦婴的显贵是因平定吴、楚等七国叛乱有功，而田蚡的发达则是巧妙地利用了汉武帝和王太后的关系。但是，窦婴却不会根据时局的变化来调整自己，灌夫更是不学无术还粗野无礼，他们两个互相借重，才最终酿成了这场杀身之祸。田蚡依仗自己位高势重而又擅于玩弄权术，就因杯酒的嫌隙，就害死了两位重要人物。可悲啊可悲！灌夫因田蚡而迁怒于灌贤，结果反而害了自己的性命。灌夫不受百姓的拥戴，最后被田蚡以叛逆的罪名陷害，可悲啊可悲！祸患就是这样生发出来的啊！

卷一百九

李将军列传

李将军广者,陇西成纪人也。其先曰李信,秦时为将,逐得燕太子丹者也。故槐里,徙成纪。广家世世受①射。孝文帝十四年,匈奴大入萧关,而广以良家子从军击胡,用②善骑射,杀首虏多,为汉中郎。广从弟③李蔡亦为郎,皆为武骑常侍,秩八百石。尝④从行,有所冲陷折关及格猛兽,而文帝曰:"惜乎,子不遇时!如令子当高帝时,万户侯岂足道哉!"

[注释]

①受:接受,继承。②用:因。③从弟:堂兄弟。④尝:通"常",每每。

[译文]

李广将军是陇西郡成纪县人。他的祖先名叫李信,在秦朝曾任将军,当年就是他追赶燕太子丹并得到了太子丹的首级。他老家原来在槐里县,后来迁到了成纪。李广家世代传习射箭技法。汉文帝十四年,匈奴大举入侵萧关,李广便以"良家子"的身份参军抗击匈奴，因为他善于骑射，斩杀敌人的首级和俘获的敌人数量都较多，所以被任命为中郎。李广的堂弟李蔡当时也在皇帝身边任职为郎，他们两人都是皇帝的骑兵侍从，官阶为八百石。李广常跟随皇帝出行，多次冲锋陷阵、格杀猛兽。汉文帝褒扬李广说："真可惜啊！你生不逢时，如果你生逢高祖之时，博取个万户侯岂不易如反掌！"

及孝景初立，广为陇西都尉，徙为骑郎将。吴楚军时，广为骁骑都尉，从太尉亚夫击吴楚军，取旗，显功名昌邑下。以梁王授广将军印，还，赏不行。徙为上谷太守，匈奴日以合战。典属国公孙昆邪为上泣曰："李广才气，天下无双，自负其能，数与虏敌战，恐亡之。"于是乃徙为上郡太守。后广转为边郡太守，徙上郡。尝为陇西、北地、雁门、代郡、云中太守，皆以力战为名。

[译文]

汉景帝即位后，李广被任命为陇西郡的都尉，后改任为皇帝的骑郎将。吴、楚七国叛乱时，李广任骁骑都尉，跟随太尉周亚夫前去讨伐叛军，曾夺取了敌方的主将之旗，因此，李广在昌邑城声名显赫。由于梁孝王曾经把将军的印信授给李广，回朝后，汉景帝就没有再封赏他。而是调他去上谷做太守，匈奴每天都来和他交战。典属国公孙昆邪哭着对皇上说："李广的才气，天下无人可比，他依仗自己有本领，多次和敌人正面交锋，我真担心哪一天会失去这员良将。"于是景帝就调李广到上郡任太守。后来李广转任边境各郡，曾在陇西、北地、雁门、代郡、云中等地当过太守，不论在哪里，他都以作战勇猛而闻名。

匈奴大入上郡，天子使中贵人①从广勒②习兵击匈奴。中贵人将骑数十纵③,见匈奴三人,与战。三人还射,伤中贵人,杀其骑且尽。中贵人走广。广曰:"是必射雕者也。"广乃遂从百骑往驰三人。三人亡④马步行,行数十里。广令其骑张左右翼,而广身自射彼三人者,杀其二人,生得一人,果匈奴射雕者也。已缚之上马,望匈奴有数千骑。见广,以为诱骑,皆惊,上山陈⑤。广之百骑皆大恐,欲驰还走。广曰:"吾去大军数十里,今如此以百骑走,匈奴追射我立尽。今我留,匈奴必以我为大军之诱,必不敢击我。"广令诸骑曰:"前!"前未到匈奴陈二里所,止,令曰:"皆下马解鞍!"其骑曰:"虏多且近,即有急,奈何?"广曰:"彼虏以我为走,今皆解鞍以示不走,用坚其意。"于是胡骑遂不敢击。有白马将出护其兵,李广上马与十余骑奔射杀胡白马将,而复还至其骑中,解鞍,令士皆纵马卧。是时会暮,胡兵终怪之,不敢击。夜半时,胡兵亦以为汉有伏军于旁欲夜取之,胡皆引兵而去。平旦,李广乃归其大军。大军不知广所之,故弗从。

[注释]

①中贵人:宫中受宠的宦官。②勒:控制,统领。③纵:放马驰骋。④亡:通"无",丢失。⑤陈:同"阵"。

[译文]

匈奴大举入侵上郡,而景帝却派了一名宦官跟李广一起训练军队。一次,这位宦官领着几十名骑兵放马奔驰,突然遇到三个匈奴人,就与他们交手,结果三个匈奴人放箭射伤了宦官,几乎杀光了他带的那些骑兵。宦官逃回到李广那里,李广说:"这一定是射雕手。"于是,李广立即带上数百名骑兵前去追赶那三个匈奴人。那三个人没有骑马,只是步行,已走了几十里路。李广命令他的骑兵左右散开,两侧包抄,他亲自去射杀那三个人,射死了两个,活捉了一个,他们果然是匈奴的射雕手。他们把那人捆绑好,准备上马,却远远望见有几千名匈奴骑兵朝这里赶来。匈奴骑兵也看到了李广他们,以为是汉军的诱敌骑兵,很是吃惊,慌忙跑上山去布好阵势。李广的百名骑兵也都大为惊恐,想赶快逃走。李广说:"这里距离我们的大军几十里开外,凭着我们这百十人往回逃,匈奴追上来就会把我们射死。现在我们留下不走,匈奴兵一定以为我们是大军派来诱敌上当的,一定不敢轻易攻击我们。"李广向骑兵下令:"前进!"一直到了离匈奴阵地差不多只有二里的地方停下来,下令说:"全体下马,解下马鞍!"兵士说:"敌人那么多,又离得这么近,倘若敌人突然向我们杀过来,我们怎么办?"李广说:"那些敌人原以为我们必然会逃跑,现在我们都解下马鞍表示不会逃走,这样就能让他们坚信我们是诱敌之兵。"就这样匈奴骑兵始终不敢过来攻击李广。后来有一名骑白马的匈奴将领出阵来整理自己的队伍阵式,李广立即上马,带着十几名骑兵一起飞驰过去将他射死,很快又回到自己的骑兵队里,解下马鞍,让士兵们都下马并放开马缰,自己躺在地上休息。这时天色渐晚,匈奴军队始终觉得李广这队人马奇怪,不敢轻易进攻。到了半夜,匈奴兵更是怀疑汉朝有大批伏兵就在附近,想趁夜偷袭他们,因此他们就领兵赶紧撤离了。天亮时,李广才回到他的大军营中。大部队不知道李广到哪里去了,所以都按兵不动。

居久之,孝景崩,武帝立,左右以为广名将也,于是广以上郡太守为未央卫尉,而程不识亦为长乐卫尉。程不识故与李广俱以边太守将军屯。及出击胡,而广行无部伍行陈,就善水草屯,舍止,人人自便,不击刀斗以自卫,莫府①省约②文书籍事,然亦远斥候,未尝遇害。程不识正部曲行伍营陈,击刀斗,士吏治军簿至明,军不得休息,然亦未尝遇害。不识曰:"李广军极简易,然虏卒犯之,无以禁也;而其士卒亦佚③乐,咸乐为之死。

我军虽烦扰,然虏亦不得犯我。"是时汉边郡李广、程不识皆为名将,然匈奴畏李广之略,士卒亦多乐从李广而苦程不识。程不识孝景时以数直谏为太中大夫。为人廉,谨于文法。

[注释]

①莫府:即"幕府",莫,通"幕"。②省约:简化。③佚:通"逸",安逸,安闲。

[译文]

很久之后,汉景帝驾崩,汉武帝即位。左右大臣都说李广是位名将,于是朝廷将李广从上郡太守调任未央宫卫尉,此时,程不识正担任长乐宫卫尉。程不识过去和李广一样都曾以边郡太守的身份屯驻边关。出击匈奴的时候,李广的部队行军之时不成行列,只是靠近水草丰美的地方安营扎寨,驻扎之后,士兵也是各随其便,夜里也不敲击刁斗打更巡逻,幕府之中更是简化各种公文,但李广会将哨兵布置在很远的地方,所以他的部队未曾遭遇过偷袭。而程不识对于部队的编制、行军队列、排兵布阵等的要求都很严格,夜里打更巡逻,严格按照规章治理军队,军队整日劳碌,也未曾遇到过危险。程不识说:"李广治兵非常简单,如遇敌人突袭,恐怕他就难以招架了。他的士卒平时生活得优哉游哉,所以,每到作战之时,士兵个个奋不顾身。我带兵虽然苦于军务纷繁,但是敌人对我却不可能偷袭得手。"那时李广、程不识都是汉朝边关的名将,但是匈奴人害怕李广的谋略,士兵也大多以跟随李广为快而以跟随程不识为苦。在汉景帝时,程不识曾因为屡次直言进谏被任命为太中大夫,他为人清廉,严格执行朝廷的各项规章。

后汉以马邑城诱单于,使大军伏马邑旁谷,而广为骁骑将军,领属护军将军。是时单于觉之,去,汉军皆无功。其后四岁,广以卫尉为将军,出雁门击匈奴。匈奴兵多,破败广军,生得广。单于素闻广贤,令曰:"得李广必生致之。"胡骑得广,广时伤病,置广两马间,络①而盛卧广。行十余里,广详死,睨②其旁有一胡儿骑善马,广暂③腾而上胡儿马,因推堕儿,取其弓,鞭马南驰数十里,复得其余军,因引而入塞。匈奴捕者骑数百追之,广行取胡儿弓,射杀追骑,以故得脱。于是至汉,汉下④广吏。吏当⑤广所失亡多,为虏所生得,当斩,赎为庶人。

[注释]

①络:结网。②睨:斜视。③暂:突然,骤然。④下:交付。⑤当:判断,判决。

[译文]

后来,汉朝用马邑城引诱匈奴单于,派大军埋伏在马邑两旁的山谷中,而李广以卫尉的身份充任骁骑将军,受护军将军韩安国统领。这时单于发觉了汉军的计谋,离马邑还有百余里就撤军了。汉军一无所获。四年之后,李广以未央宫卫尉的身份被任命为将军,由雁门郡出兵向北击杀匈奴。由于匈奴兵多,李广的军队被击破,李广被生擒。单于很早就听说李广很有才能,下令说:"俘获李广一定要将他活着押解回来。"匈奴兵俘获了李广,当时李广受伤生病,匈奴人就在两匹马之间搭成一副担架,让李广在上面睡。走了十多里之后,李广假装死去,斜眼瞥见旁边的一个匈奴人骑着一匹好马,李广突然一纵身跳上那匈奴人的马背,趁势把胡人推下马去,夺了他的弓箭,扬鞭策马向南奔驰了数十里,终于找到自己的残部,于是带领他们返回了关内。当时匈奴出动几百名骑兵在后面追赶他,李广边逃边用那只夺来的弓箭射杀追来的胡兵,最终得以逃脱。等李广回到京城,朝廷把李广交给军法吏处置。执法官认为李广的部队损伤太多,他自己又被敌人活捉,应该斩首,李广花钱赎了死罪,被免职为平民百姓。

顷之，家居数岁。广家与故颍阴侯孙屏野居蓝田南山中射猎。尝夜从一骑出，从人田间饮。还至霸陵亭，霸陵尉醉，呵止广。广骑曰："故李将军。"尉曰："今将军尚不得夜行，何乃故也！"止广宿亭下。居无何，匈奴入杀辽西太守，败韩将军，后韩将军徙右北平，死，于是天子乃召拜广为右北平太守。广即请霸陵尉与俱，至军而斩之。

[译文]

　　转瞬之间，李广已经在家闲居多年。李广在家时和颍阴侯灌婴的孙子灌强一起隐居在蓝田山里，常到山中打猎。某天夜里，李广带着一名随从外出，到野外去找一个人喝酒。回来时，走到霸陵附近的亭子旁，正好遇见喝醉酒的霸陵县尉，县尉大声呵斥李广，让他停下。李广的随从说："这是过去的李将军。"县尉说："今日的将军尚且不许夜间通行，何况是过去的呢！"便拦住了李广，让他在霸陵亭子里过了一夜。没过多久，匈奴进犯，杀死辽西太守，打败了韩安国的守军，韩将军被调任为右北平的太守，数月后，韩将军病死。于是，汉武帝就重新起用李广，任命他为右北平太守。李广随即请求让霸陵尉和自己一起赴任，一到军中就把那人给杀了。

　　广居右北平，匈奴闻之，号曰"汉之飞将军"，避之数岁，不敢入右北平。
　　广出猎，见草中石，以为虎而射之，中石没镞，视之石也。因复更射之，终不能复入石矣。广所居郡闻有虎，尝自射之。及居右北平射虎，虎腾伤广，广亦竟射杀之。

[译文]

　　李广驻守右北平，匈奴听到这一消息后，送给他一个名号，叫"汉之飞将军"，连续多年躲着他，不敢轻易入侵右北平。
　　李广外出打猎，看见草里有一块石头，误以为是老虎，就举箭射去，结果整个箭头都射进石头里去了，过去一看，才知自己射中的是石头。李广便重新再射，却始终不能再把箭头射进石头里了。李广驻守过各郡，只要听说哪里有老虎，就会亲自去射杀。驻守右北平时，一次射虎，老虎跳起来咬伤了李广，但李广最终还是把老虎射死了。

广廉，得赏赐辄分其麾下，饮食与士共之。终广之身，为二千石四十余年，家无余财，终不言家产事。广为人长，猿臂，其善射亦天性也，虽其子孙他人学者，莫能及广。广讷口①少言，与人居则画地为军陈，射阔狭以饮。专以射为戏，竟死。广之将兵，乏绝之处，见水，士卒不尽饮，广不近水；士卒不尽食，广不尝食。宽缓不苛，士以此爱乐为用。其射，见敌急②，非在数十步之内，度不中不发，发即应弦而倒。用此，其将兵数困辱，其射猛兽亦为所伤云。

[注释]

①讷口：说话笨拙，不善言辞。②急：逼近。

[译文]

李广为官清廉，每次得到赏赐总是分给他的部下，有了美酒佳肴也总是和士兵共享。李广一生，做了四十多年二千石级别的官员，家里没有多余的财物，也从来不谈家产方面的事情。李广身材高大，两臂很长并且灵活，他的射箭技术更多来自天赋，别的人即便是他的子孙向他学习射箭，也没一个人能赶得上他。李广说话笨拙，不爱多言，与别人在一起时总是喜欢在地上画军阵，然后比赛射箭，根据箭术的高低，罚人喝酒。李广特别喜欢玩这种射箭游戏，一直到死都是如此。李广带兵，即使在缺粮少水之时，见到水，不到每一个士兵都解渴，李广决不会喝水；不到每一个士兵都完全吃饱，李广也决不会吃饭。李广对士兵宽厚仁爱，从不苛刻，士兵都愿意为他效力。李广遇到敌人迫近需射箭时，如果不在数十步之内，估计射不中敌人就暂不放箭。但只要放箭，敌人就会应声而倒。因为有这种放敌人来跟前的习惯，他带兵时多次被敌人围困，射猛兽时也曾为猛兽所伤。

居顷之，石建卒，于是上召广代建为郎中令。元朔六年，广复为后将军，从大将军军出定襄，击匈奴。诸将多中首虏率①，以功为侯者，而广军无功。后二岁，广以郎中令将四千骑出右北平，博望侯张骞将万骑与广俱，异道。行可数百里，匈奴左贤王将四万骑围广。广军士皆恐，广乃使其子敢往驰②之。敢独与数十骑驰，直贯胡骑，出其左右而还，告广曰："胡虏易与耳。"军士乃安。广为圜陈③外向，胡急击之，矢下如雨。汉兵死者过半，汉矢且尽。广乃令士持满毋发，而广身自以大黄射其裨将，杀数人，胡虏益解。会日暮，吏士皆无人色，而广意气自如，益治军。军中自是服其勇也。明日，复力战，而博望侯军亦至，匈奴军乃解去。汉军罢，弗能追。是时广军几没，罢归。汉法，博望侯留迟后期，当死，赎为庶人。广军功自如，无赏。

[注释]

①率：规定，标准。②驰：飞马攻击。③圜陈：圆形的兵阵。圜，通"圆"。

[译文]

没过多久，石建死了，于是汉武帝召见李广，让他接替石建任郎中令。元朔六年，李广又被任为后将军，跟随大将军卫青从定襄出塞，讨伐匈奴。在这次战斗中，许多将领因斩敌首级与俘获敌兵的数量符合标准而加官晋爵，而李广却无功而返。两年之后，李广以郎中令身份率领四千骑兵从右北平出发，博望侯张骞率领一万骑兵与李广同时出征，兵分两路出击。大约前进了几百里之后，李广的部队突然被匈奴左贤王所率领的四万骑兵包围,李广的士兵很惊恐,李广立即派他的儿子李敢骑马冲击敌阵。李敢和几十名骑兵飞驰而去,直接插向敌军,在敌军的左右两翼穿行了一遍,然后返回军营,向李广报告说:"胡人容易对付!"士兵们的情绪这才稳定下来。李广把自己的四千骑兵布置成了一个面向四周的圆形军阵,此时,胡人发起猛烈进攻,一时箭如雨下。汉兵死亡过半,手中的箭消耗殆尽。于是李广就命令士兵拉满弓向外,而不要放箭,李广亲自用大黄弩弓射向匈奴的副将,接连杀死了好几个,匈奴军这才渐渐散开。这时天色向晚,李广士兵个个面无人色,而李广却从容自然,整顿军队也是精力十足。通过这次战斗,全军更加佩服他的胆识。第二天,李广的军队再次恶战,直到博望侯的军队赶来救援,匈奴军才撤兵而去。由于汉军已是疲惫不堪,所以也无力追击。这次战斗,李广部几乎全军覆没,只好撤回。依照法律,博望侯张骞因救援迟缓,其罪当死,张骞用钱赎罪,被革职为民。李广功过相抵,也没有得到任何封赏。

初,广之从弟李蔡与广俱事孝文帝。景帝时,蔡积功劳至二千石。孝武帝时,至代相。以元朔五年为轻车将军,从大将军击右贤王,有功中率,封为乐安侯。元狩二年中,代公孙弘为丞相。蔡为人在下中,名声出广下甚远,然广不得爵邑,官不过九卿;而蔡为列侯,位至三公。诸广之军吏及士卒或取封侯。广尝与望气王朔燕语,曰:"自汉击匈奴而广未尝不在其中,而诸部校尉以下,才能不及中人,然以击胡军功取侯者数十人,而广不为后人,然无尺寸之功以得封邑者,何也?岂吾相不当侯邪?且固命也?"朔曰:"将军自念,岂尝有所恨①乎?"广曰:"吾尝为陇西守,羌尝反,吾诱而降,降者八百余人,吾诈而同日杀之。至今大恨独此耳。"朔曰:"祸莫大于杀已降,此乃将军所以不得侯者也。"

[注释]

①恨：遗憾，后悔。

[译文]

当初，李广的堂弟李蔡和李广一起侍奉文帝。到景帝时，李蔡凭着年头资历已经慢慢升迁到了二千石的级别。到了武帝时，李蔡做到了代国的国相。元朔五年，李蔡以轻车将军的身份，跟随大将军卫青攻打匈奴右贤王，由于战功符合规定，被封为乐安侯。元狩二年，他接替公孙弘任丞相。论才干，李蔡只在下等里的中档，声望也和李广相差很远，然而李广却未得裂土封侯，官位也没超过九卿；李蔡却被封为侯爵，官位也到了三公。李广属下的不少军官乃至士兵有的人也被封了侯。一次，李广曾和善于观望气数的王朔私下闲谈，他对王朔说："自从大汉朝开始讨伐匈奴以来，我几乎参与了每一次战斗，在我的部下里，才能还够不上中等，由于和胡人作战有功被封侯的已有几十人了，而我李广才智都不在人后，可时至今日我却没有丁点儿的军功让我能得到尺寸大的封地，这是什么原因呢？莫非是我的'面相'不好，不能封侯吗？还是我命中注定的呢？"王朔说："将军您自己回想一下，可曾有令您感到悔恨的事情？"李广说："我在陇西做太守时，有一次羌人反叛，我诱骗他们投降，投降的有八百多人，我用欺诈手段在当天就把他们全部杀掉了。直到今天，我仍悔恨不已。"王朔说："杀死已经投降的人，其祸患最大，这就是将军您得不到封侯的原因。"

后二岁，大将军、骠骑将军大出，击匈奴。广数自请行，天子以为老，弗许；良久乃许之，以为前将军。是岁，元狩四年也。

[译文]

又过了两年，大将军卫青、骠骑将军霍去病率大军出征，北击匈奴。李广多次请求随行，武帝都认为他年事已高，没有答应；过了很久才准许，让他做前将军。这一年是元狩四年。

广既从大将军青击匈奴，既出塞，青捕虏知单于所居，乃自以精兵走之，而令广并于右将军军，出东道。东道少①回远，而大军行水草少，其势不屯行。广自请曰："臣部为前将军，今大将军乃徙令臣出东道；且臣结发而与匈奴战，今乃一得当②单于，臣愿居前，先死单于。"大将军青亦阴受上诫，以为李广老，数奇③，毋令当单于，恐不得所欲。而是时公孙敖新失侯，为中将军从大将军，大将军亦欲使敖与俱当单于，故徙前将军广。广时知之，固自辞于大将军。大将军不听，令长史封书与广之莫府，曰："急诣④部，如书。"广不谢大将军而起行，意甚愠怒而就部，引兵与右将军食其合军出东道。军亡导⑤，或失道，后大将军。大将军与单于接战，单于遁走，弗能得而还。南绝幕⑥，遇前将军、右将军。广已见大将军，还入军。大将军使长史持糒醪遗广，因问广、食其失道状，青欲上书报天子军曲折。广未对，大将军使长史急责广之幕府对簿。广曰："诸校尉无罪，乃我自失道，吾今⑦自上簿。"

[注释]

①少：稍，略微。②当：对。③数奇：命运不好。数，命运。奇，不偶，不逢时。④诣：到……去。⑤导：向导。⑥幕：通"漠"，沙漠。⑦今：将。

[译文]

李广得以跟随卫青出征，到了边塞之后，卫青捉到了俘虏，知道了单于住在什么地方，就自己带领精兵奔向单于的所在地，而命令李广率部和右将军的队伍合并，从东路出兵。东路距离稍远，而中路大军所走的道路由于水草较少，中途必将快马加鞭不可能稍作停留。李广对卫青说："我所带的是先锋军，现在大将军您却命令我从东路进军；我刚成年时就开始和胡人作战，今天好不容易才有机会能与单于面对面，我愿做前锋，愿为捉拿单于而战死。"皇帝曾暗中嘱咐大将军卫青说，李广年事已高，且命运不济，千万不要让他与单于对阵，否则此番出兵将难达到目的。当时，卫青的恩人公孙敖刚刚丢掉了侯爵之位，正以校尉的身份随卫青北征，卫青想让公孙敖和自己一起同单于对阵以立军功，所以，才把前将军李广调开。虽然李广当时知道内情，但还是坚决要求大将军卫青收回成命。卫青不答应，便要长史直接把命令封好送到李广的军营，对他说："请遵照命令，马上赶到右将军的军营去。"李广没向大将军卫青告辞，就气愤地回到了自己的军部，领兵与右将军赵食其的部队合并，从东路出发了。由于右路军中没有向导，不时迷路，结果没能在大将军卫青规定的时间到达。卫青与单于交战，单于逃走，卫青不能抓获，就回来了。卫青向南穿过沙漠之后，才遇到了前将军李广和右将军赵食其。李广见了卫青，就生气地回到自己军中去了。卫青派长史给李广送来了一些干饭浓酒，长史趁势询问李广和赵食其迷路的情况，说卫青要向天子详细报告此次出兵的细节。李广没有答话，卫青就派长史急切命令李广到大将军的军帐里回答问题。李广说："我的部下在此事上没有责任，都是我自己迷失了道路，我将亲自写材料说明缘由。"

　　至莫府，广谓其麾下曰："广结发与匈奴大小七十余战，今幸从大将军出接单于兵，而大将军又徙广部行回远，而又迷失道，岂非天哉！且广年六十余矣，终不能复对刀笔之吏。"遂引刀自刭。广军士大夫一军皆哭。百姓闻之，知与不知，无老壮皆为垂涕。而右将军独下吏，当死，赎为庶人。

[译文]

李广到了卫青的军帐,对跟随他前去的部下说:"我从成年到如今和匈奴打了大小七十多仗,这次有幸跟随大将军出征同单于交战,可又被大将军给调到了一条绕远的道路上去,而我又迷失道路,这难道不是天意吗!况且我已是六十多岁的人了,无论如何也不能再去面对那些刀笔吏的讯问。"于是,李广拔刀自刎。李广部下所有的将士都为之痛哭。百姓听到了这个消息,不论他们是否认识李广,也不论他们是老是幼,无不为李广而痛哭流涕。右将军赵食其单独被交给执法官吏,其罪当死,他用钱财赎罪,被革职为民。

广子三人,曰当户、椒、敢,为郎。天子与韩嫣戏,嫣少不逊①,当户击嫣,嫣走。于是天子以为勇。当户早死,拜椒为代郡太守,皆先广死。当户有遗腹子名陵。广死军时,敢从骠骑将军。广死明年,李蔡以丞相坐侵孝景园堧地,当下吏治,蔡亦自杀,不对狱,国除。李敢以校尉从骠骑将军击胡左贤王,力战,夺左贤王鼓旗,斩首多,赐爵关内侯,食邑二百户,代广为郎中令。顷之,怨大将军青之恨②其父,乃击伤大将军,大将军匿讳之。居无何,敢从上雍,至甘泉宫猎。骠骑将军去病与青有亲,射杀敢。去病时方贵幸,上讳③云鹿触杀之。居岁余,去病死。而敢有女为太子中人,爱幸,敢男禹有宠于太子,然好利,李氏陵迟④衰微矣。

[注释]

①不逊:不礼貌,放肆。②恨:不听从。③讳:掩盖。④陵迟:日渐低平。

[译文]

李广有三个儿子,名叫李当户、李椒和李敢,都当过汉武帝的郎官。一次，皇上和男宠韩嫣嬉戏，韩嫣动作有点放肆，李当户立即上去打韩嫣，韩嫣吓得逃走了。因此，汉武帝很欣赏李当户的勇敢。李当户死得早，李椒被任命为代郡太守，他们两人都死在李广之前。李当户有个遗腹子叫李陵。李广在军中自刎而死之时，李敢是骠骑将军霍去病的部下。李广死后第二年，作为丞相的李蔡，因为侵占了汉景帝陵园范围内的土地而获罪，要送交法吏查办，李蔡不愿对质受审，也自杀了，他的封地被取消。李敢以校尉的身份跟随骠骑将军霍去病出击匈奴左贤王，由于作战勇敢，夺得了左贤王的战鼓和军旗，并斩杀很多敌人的首级，而被封为关内侯，得到二百户食邑，还接替父亲李广任郎中令。不久，由于李敢怨恨大将军卫青逼得李广含恨而死，就打伤了卫青，卫青却把这件事隐瞒了下来，没有声张。过了不久，李敢跟随武帝去雍县，后又到甘泉宫打猎。卫青的外甥骠骑将军霍去病，就找了个机会射死了李敢。当时，皇上正宠爱霍去病，就隐瞒真相，谎称李敢是被鹿撞死的。又过一年多，霍去病也死了。李敢有个女儿是太子的侍妾，很受太子的宠爱，李敢的儿子李禹也很受太子的宠爱，但他贪财好利，从此，李氏家族就越来越衰败了。

　　李陵既壮，选为建章监，监诸骑。善射，爱士卒。天子以为李氏世将，而使将八百骑。尝深入匈奴二千余里，过居延视地形，无所见虏而还。拜为骑都尉，将丹阳楚人五千人，教射酒泉、张掖以屯卫胡。

[译文]

　　李陵成年之后，被选为建章宫监，负责监管建章宫的骑兵。他善于射箭，爱护士兵。皇帝认为李家世代为将，就让李陵担任八百骑兵的头目。李陵曾深入匈奴境内两千多里，穿过居延海，侦察那里的地形，没有遇见敌人就回来了。后来，李陵被封为骑都尉，统率丹阳的五千楚兵，驻扎在酒泉、张掖一带，教练他们骑射，以防匈奴入侵。

数岁，天汉二年秋，贰师将军李广利将三万骑击匈奴右贤王于祁连天山，而使陵将其射士步兵五千人出居延北可千余里，欲以分匈奴兵，毋令专走贰师也。陵既至期还，而单于以兵八万围击陵军。陵军五千人，兵矢既尽，士死者过半，而所杀伤匈奴亦万余人。且引且战，连斗八日，还未到居延百余里，匈奴遮狭绝道，陵食乏而救兵不到，虏急击招降陵。陵曰："无面目报陛下。"遂降匈奴。其兵尽没，余亡散得归汉者四百余人。

[译文]

又过了几年，到了汉武帝天汉二年的秋天，贰师将军李广利率领三万骑兵在祁连山出击匈奴右贤王，武帝派李陵率领他的五千步兵弓箭手，赶到了居延海以北大约一千里的地方，想以此分散匈奴的兵力，免得他们集中全部兵力专攻李广利。李陵到了预定的期限时引兵撤退，单于用八万大军包围拦击李陵。李陵军队只有五千人，箭矢已经射光，士兵牺牲大半，但他们也杀死了一万多匈奴士兵。李陵军边退边战，连战八天，待退到离居延海还有一百多里的地方时，匈奴军队将李陵他们拦截在了地势险狭之处。李陵的军队内无粮草外无救兵，匈奴士兵加紧进攻，并劝李陵投降。李陵说："我没脸面再去见皇上了！"于是，就投降了匈奴。李陵的部队几乎全部覆灭，逃回来的不过四百多人。

单于既得陵，素闻其家声，及战又壮，乃以其女妻陵而贵之。汉闻，族陵母妻子。自是之后，李氏名败，而陇西之士居门下者皆用为耻焉。

［译文］

单于得到李陵之后，由于原来就知道李陵家的名声，加上李陵作战十分勇敢，就把自己的女儿嫁给了李陵，使得李陵很显贵。汉朝朝廷闻知此事，就杀了李陵的全家。从此以后，李家的名声败落，陇西一带曾为李氏门下宾客的人，都以曾出入李家为耻。

太史公曰：传曰"其身正，不令而行；其身不正，虽令不从"。其李将军之谓也？余睹李将军悛悛①如鄙人，口不能道辞。及死之日，天下知与不知，皆为尽哀。彼其忠实心诚信于士大夫也。谚曰"桃李不言，下自成蹊②"。此言虽小，可以喻大也。

［注释］

①悛悛：谨厚的样子。②蹊：小路。

［译文］

太史公说：《论语》上说"如果一个人行为端正，即使不发号施令，下属也会自觉执行；如果自身行为不正，即使发出号令，也不会有人听从"。这句话说的就是李广将军这样的人吧？我所看到的李广将军，老实忠厚，简直像个乡下粗人，说话也不动听。可在他死的时候，普天之下的人，不论是否和他认识，都为他悲痛。可能是他的忠实赢得了士大夫们的信任吧。俗话说"桃树李树虽不会说话，但树下照样会被人踩出一条小路"。这话虽然浅显，却能说明一个大道理。

卷一百二十九

货殖列传

《老子》曰:"至治之极,邻国相望,鸡狗之声相闻,民各甘其食,美其服,安其俗,乐其业,至老死不相往来。"必①用此为务②,挽③近世涂④民耳目,则几无行矣。

[注释]

①必:如果,假若。②务:追求。③挽,通"晚",即后代。④涂:堵塞。

[译文]

《老子》中说:"最理想、最太平的政治局面是,两国虽彼此相邻,鸡鸣狗叫的声音互相都听得到,但人们都以各自现有的生活条件、生活环境为美,不再有其他向往、其他企求,所以能知足常乐,到老死也不互相往来。"如果一定把《老子》所说的这些话当做追求的目标,那么,后世的统治者要想把国家治理好,就只能把老百姓的眼睛、耳朵都堵起来,否则是怎么也行不通的。

太史公曰：夫神农以前，吾不知已。至若《诗》、《书》所述虞夏以来，耳目欲极①声色之好，口欲穷刍豢之味，身安逸乐，而心夸矜②势能③之荣。使俗之渐④民久矣，虽户说以眇论⑤，终不能化。故善者因⑥之，其次利道⑦之，其次教诲之，其次整齐之，最下者与之争。

[注释]

①极：尽，看尽。②夸矜：夸耀，显摆。③势能：权势和才能。④渐：浸染，熏染。⑤眇论：微妙的理论。眇，通"妙"。⑥因：顺着。⑦道：同"导"。

[译文]

太史公说：神农氏以前的情况，我不清楚。至于像《诗经》、《尚书》所描述的虞舜、夏禹以来的情况，则说明人们的耳朵总想听到最好听的音乐，眼睛总想看到最好看的景色，嘴巴总想尝遍各种美味，身体安于逸乐，内心追求权位势力，以发号施令为荣。老百姓受这种风气熏染已经很久了，即使你用老子学说中那些美妙的理论对老百姓挨门逐户地去劝说开导，也是改变不了的。所以，善于治理国家的人最好的办法是顺其自然而变化，其次是借有利的形势而加以引导，再经过说理、规劝，并辅之规章、法律的约束让老百姓去奉行，最坏的做法是与民争利。

夫山西饶①材②、竹、榖、纑、旄、玉石；山东多鱼、盐、漆、丝、声色；江南出楠、梓、姜、桂、金、锡、连、丹沙、犀、玳瑁、珠玑、齿革；龙门、碣石北多马、牛、羊、旃裘、筋角；铜、铁则千里往往山出棋置：此其大较③也。皆中国人民所喜好，谣俗被服饮食奉生送死之具也。故待④农而食之，虞而出之，工而成之，商而通之。此宁有政教发征期会哉？人各任其能，竭其力，以得所欲。故物贱之征贵，贵之征贱，各劝其业，乐其事，若水之趋下，日夜无休时，不召而自来，不求而民出之。岂非道之所符，而自然之验邪？

[注释]

①饶：富有。②材：木材。③大较：大略，大概。④待：依靠。

[译文]

关中盛产木材、竹子、穀木、野麻、旄牛尾、玉石；崤山以东产鱼、盐、漆、丝、美女；江南出产楠木、梓树、生姜、桂花、金、锡、铅、朱砂、犀牛、玳瑁、珠子、象牙兽皮；龙门、碣石山以北地区盛产马、牛、羊、毡裘、兽筋兽角；出产铜、铁的矿山，千里之间星罗棋布：以上是大致情况。这些都是中原地区的人所喜好的，是他们日常用来养生、送死的东西。所以，要靠农民耕种，才会有可吃的东西；要靠虞人把山林湖海中的物产开发出来；要靠工匠把原材料制成各种器物；要靠商人贸易，使物品流通起来，互通有无。这难道是有什么命令把它们征调安排得这样好吗？人们都是凭着自己的才能，耗尽自己的力量，来满足自己的欲望。所以，一种产品的价格如果太低了，那就意味着将要变贵；一种产品的价格太高了，那就意味着将要变贱。人们各自努力从事自己的职业，乐于从事自己的工作，就像水从高处流向低处那样，昼夜不停，不用谁召唤就自己来到，不用谁要求就会主动生产出来。这难道不是符合了自然规律，而得以自由发展的证明吗？

《周书》曰："农不出则乏其食，工不出则乏其事，商不出则三宝①绝，虞不出则财匮少。"财匮少而山泽不辟②矣。此四者，民所衣食之原③也。原大则饶，原小则鲜④。上则富国，下则富家。贫富之道，莫之夺⑤予，而巧者有余，拙者不足。故太公望封于营丘，地潟卤，人民寡，于是太公劝其女功，极技巧，通鱼盐，则人物归之，繦至而辐凑。故齐冠带衣履天下，海岱之间,敛袂而往朝焉。其后齐中衰,管子修之,设轻重九府,则桓公以霸,九合诸侯,一匡天下;而管氏亦有三归,位在陪臣,富于列国之君。是以齐富强至于威、宣也。

[注释]

①三宝:指食、事、财物。②辟:开辟。③原:通"源",源泉。④鲜:少,物资匮乏。⑤夺:改变。

[译文]

《周书》里说:"农民不种田,社会就会缺乏粮食;工匠不做工,社会就会缺少器具;商人不经营,吃的、用的和钱财这三种宝物就会断绝来路;虞人不开发山泽,资源就会短缺。"物资短缺,山泽就不能进一步开发了。农、工、商、虞这四个行业,是人民衣食的来源。源头开辟得大,人民的衣食就丰饶;源头开辟得小,人民的物资就匮乏。源头大了,上可以富国,下也可以富家。贫富的原理,没有谁能够改变它。运作得好就能发财致富,运作得不好就要赔本受穷。想当初,姜太公被封在营丘时,那里多是盐碱地,人口稀少,姜太公就鼓励妇女纺织刺绣,充分发挥她们的技艺,使齐国的纺织、刺绣等手工技艺达到了无与伦比的程度;又让人们把鱼类、海盐销售到其他各个国家去,使当时其他各个国家的人民纷纷投奔齐国,就像钱串穿连的铜钱或辐条集中一样,一个接一个,络绎不绝。因此,天下各国的冠带衣履都是齐国制造的,北海、东海与泰山之间的各小国诸侯都毕恭毕敬地去朝拜齐国。西周后期,齐国一度衰落,后来管仲重新治理齐国,实行了许多新的经济政策,并设立管理金融货币的官府,使齐桓公得以称霸天下,齐国多次召集诸侯会盟,以稳定当时的局面;而管仲本人也得到了三归,官位虽只是大夫,却比各诸侯国的君主还要富有。从此,齐国富强一直延续到威王、宣王时期。

故曰："仓廪①实而知礼节，衣食足而知荣辱。"礼生于有而废于无。故君子富，好行其德；小人富，以适②其力。渊深而鱼生之，山深而兽往之，人富而仁义附③焉。富者得势益彰，失势则客无所之，以而不乐，夷狄益甚。谚曰："千金之子，不死于市。"此非空言也。故曰："天下熙熙，皆为利来；天下壤壤④，皆为利往。"夫千乘之王，万家之侯，百室之君，尚犹患贫，而况匹夫编户之民乎！

[注释]

①仓廪：仓库。②适：放纵。③附：附着，增益。④壤壤：通"攘攘"，纷乱的样子。

[译文]

所以就有人说："仓库的东西满了，人们才会懂得礼节；丰衣足食了，人们才会知道什么是荣辱。"礼产生在富有以后，而废弃在贫穷之时。因此，思想崇高的人富有后往往爱做好事；品德低下的人富有后，就会肆意逞强，横行于社会。江河深，鱼就会在那里生存；山林深，野兽就会在那里藏身；谁有钱谁就有好名声，他的道德就能"高尚"。人的钱越多势力也就随之越来越大，名望也就越来越高。谁的势力一旦失去，他便立刻门庭冷落，再也没有一个朋友。在夷狄，这种情况更为突出。俗话说："家有千金的人，绝不会被处死在闹市。"这不是空话。所以说："天下的人来来往往，一切都是为了利。"那些拥有千辆兵车的天子，享有万户封地的诸侯，占有百户封邑的大夫，尚且害怕受穷，更何况普通平民百姓呢！

昔者越王勾践困于会稽之上，乃用范蠡、计然。计然曰："知斗①则修备，时用则知物，二者形则万货之情可得而观已。故岁在金，穰②；水，毁；木，饥；火，旱。旱则资舟，水则资车，物之理也。六岁穰，六岁旱，十二岁一大饥。夫粜③，二十病农，九十病末。末病则财不出，农病则草不辟矣。上不过八十，下不减三十，则农末俱利，平粜齐物，关市不乏，治国之道也。积著④之理，务完物，无息币。以物相贸，易腐败而食之货勿留，无敢居贵。论其有余不足，则知贵贱。贵上极则反贱，贱下极则反贵。贵出如粪土，贱取如珠玉。财币欲其行如流水。"修之十年，国富，厚赂⑤战士，士赴矢石，如渴得饮，遂报强吴，观兵中国⑥，称号"五霸"。

[注释]

①斗：打仗。②穰：丰收。③粜：卖粮食。④积著：囤积货物。著，同"贮"。⑤赂：用金钱收买，这里是赏赐。⑥中国：指中原地区。

[译文]

当年越王勾践被吴军围困在会稽山上，就采用了范蠡、计然的计谋。计然说："懂得打仗的人平时就要做好准备，要想到时候用起来顺手，平常就应该了解这些器物的性能。明白了以上两个道理，就能看清楚各种商品的行情规律了。所以，岁星运行到西方，这一年就农业丰收；岁星在北方时，就将歉收；岁星运行到东方时，这一年就要发生饥荒；岁星运行到南方时，这一年就将大旱。大旱时，要储存船只以防涝灾；涝灾时，就要准备车辆来防旱灾，这样做才符合事物发展的规律。一般说来，六年就会出现一次大丰收，六年也会出现一次大干旱，十二年就会有一次大饥荒。卖粮食时，每斗价格二十文，农民会受损；每斗价格涨到九十文，商人要受损。商人无利可图，便不再花钱从事商业活动；农民赔本，就没人再从事农业活动。粮价每斗价格最高不超过八十文，最低不少于三十文，那么农民和商人都有利可图。政府通过一定的办法保持物价的平衡，保障市场贸易的健康发展，这就是治国之道。至于储存货物，绝对要贮藏上好的货物，不要贮藏劣质的商品。买卖货物时，凡是已经变质的东西就应断然扔掉，物价已经上涨，自己的货物就要立即卖出，不能盼着越贵越好，握在手里不卖。根据市场上某种商品的紧缺或是过剩，就可以预知其未来行情的涨落。某种商品的价钱太贵了，那就意味着它很快就变贱。物价贱到极点，就要返归于贵。当货物贵到极点时，要把它视同粪土及时卖出；当货物贱到极点时，要把它当做珠宝及时购进。货物钱币的流通周转要如同流水那样毫不停留。"勾践按照计然的策略治国十年，越国富有了，能用重金去赏赐士兵，使士兵们冲锋陷阵，面对箭射石击，就像口渴时求得饮水那样，越国终于报仇雪耻，灭掉了吴国，继而扬威于中原，号称"五霸"之一。

范蠡既雪会稽之耻，乃喟然①而叹曰："计然之策七，越用其五而得意②。既已施于国，吾欲用之家。"乃乘扁③舟浮于江湖，变名易姓，适齐为鸱夷子皮，之陶为朱公。朱公以为陶天下之中，诸侯四通，货物所交易也。乃治产④积居，与时逐⑤而不责⑥于人。故善治生者，能择人而任时。十九年之中三致千金，再分散与贫交⑦疏昆弟。此所谓富好行其德者也。后年衰老而听⑧子孙，子孙修业而息⑨之，遂至巨万。故言富者皆称陶朱公。

[注释]

①喟然：心有所感的样子。②得意：满足意愿，实现愿望。③扁：小。④治产：经商。⑤逐：竞争。⑥责：求，讨。⑦贫交：贫穷的朋友。⑧听：任，任凭。⑨息：生，增值，即扩大资产。

[译文]

范蠡协助勾践洗刷了会稽被困的耻辱，便感叹说："计然当年的计策有七条，越王只用了其中五条，就实现了灭吴称霸的愿望。既然在治国方面已经有效，我要把它用在自己家庭的发财致富上。"于是，他便改名换姓乘坐小船到处行走，到了齐国就叫鸱夷子皮，到了陶邑又自称陶朱公。他认为陶邑地处天下的中心，是通向各诸侯国的交通要冲，是货物交易的地方。于是就在陶邑贮藏货物，看准时机买进卖出，不是有目的地赚某人、坑某人。所以，善于经商的人，要善于用人并能把握时机。十九年之中，范蠡三次将财产扩大到千金之多，两度将财产分给贫穷的朋友和很远的同族兄弟。这就是所谓的君子富有后喜欢做好事吧。范蠡后来年老力衰无力经营，就听凭子孙经营，他的子孙继承了父辈、祖辈的事业并有所发展，积累了上亿的家财。所以，后世谁要说起富翁，一定都提到陶朱公。

子赣①既学于仲尼，退而仕于卫，废著②鬻财③于曹、鲁之间，七十子之徒，赐最为饶益④。原宪不厌⑤糟糠，匿于穷巷。子贡结驷连骑，束帛之币以聘享诸侯，所至，国君无不分庭与之抗礼。夫使孔子名布扬于天下者，子贡先后之也。此所谓得势而益彰者乎？

[注释]

①子赣：即子贡。②废著：卖出买进。废，卖出。③鬻财：经商。④饶益：富有。⑤厌：同"餍"，饱。

[译文]

子贡跟着孔子学习，结束后在卫国做官，他囤积居奇，贱买贵卖，在曹国和鲁国之间做买卖，孔子七十多个学生中，数子贡最为富有。原宪穷得连糟糠都吃不饱，藏身在简陋的巷子里。而子贡乘坐的却是高车驷马，携带的是束帛厚礼，凭着自己的身份周游各国，拜会各国的诸侯，所到之处，国君都要迎到中庭，并行宾主之礼。孔子能名扬天下的原因，是由于有子贡在人前人后为之铺垫。这不就是人们所说的势力越大名声也就越显著吗？

白圭，周人也。当魏文侯时，李克务尽地力①，而白圭乐观时变，故人弃我取，人取我与。夫岁孰取谷，予之丝漆；茧出取帛絮，予之食。太阴②在卯，穰；明岁衰恶③。至午，旱；明岁美。至酉，穰；明岁衰恶。至子，大旱；明岁美，有水。至卯，积著率岁倍。欲长钱，取下谷；长石斗，取上种。能薄饮食④，忍嗜欲，节衣服，与用事僮仆同苦乐，趋时若猛兽挚鸟之发⑤。故曰："吾治生产，犹伊尹、吕尚之谋，孙吴用兵，商鞅行法是也。是故其智不足与权变，勇不足以决断，仁不能以取予，强不能有所守，虽欲学吾术，终不告之矣。"盖天下言治生祖白圭。白圭其有所试矣，能试有所长，非苟而已也。

[注释]

①尽地力：充分发挥土地的潜能。②太阴：指木星。③衰恶：年景不好。④薄饮食：不讲究吃喝。薄，轻视。⑤发：奋发，指动作迅捷。

[译文]

白圭是西周洛阳人。魏文侯在位时，李悝提倡发展农业，充分发挥土地的潜能，而白圭却善于观察、捕捉时机的变化，所以当别人抛出货物时，他就大量购进；当别人欠缺货物时，他就大量抛售。农业丰收时就买进粮食，并趁机向农民出售丝、漆等手工业品；等到蚕茧丰收时，就又贱购丝织品，而将粮食出售给蚕民。他了解到，木星在卯位时，五谷丰登；第二年年景就会很差。木星运行到午宫时，会发生旱灾；第二年的年景却会很好。木星运行到酉位时，五谷丰收；第二年年景会变坏。木星运行在子位时，天下会大旱；第二年定会风调雨顺，会有雨水。木星再转到卯位时，在卯年囤积的货物，放一段时间再卖，往往获利会翻一番。次等谷物廉价，可以大量购入，等到贵时卖出，可获大利。若想要提高产量，就应该不计较价格的高昂而买上等的种子。白圭对于饮食没有任何要求，严格控制自己的嗜好，穿戴十分节俭，与给自己出力办事的家丁奴仆同甘共苦，捕捉到商机就像猛兽、猛禽般迅速出击。因此，他说："我经商谋利，就像伊尹、吕尚一样筹划谋略，如孙子、吴起用兵打仗般判断时机，像商鞅推行变法那样果断坚决。所以，如果一个人的智慧达不到随机应变，勇气够不上当机立断，仁义不能果断地决定取舍，刚强不能够该坚持的时候坚持住，这种人即使想跟我学习经商致富之术，我也不会教给他。"天下做买卖的人都把白圭当做祖师爷。白圭所讲的这一套，都是经过实践检验的，确实有其长处，可不是随便说说而已。

猗顿用①盬盐起②。而邯郸郭纵以铁冶成业，与王者埒③富。

[注释]

①用：因。②起：起家，发家。③埒：相等。

[译文]

猗顿是靠经营池盐而发家致富的。而邯郸的郭纵是以炼铁与制造铁器发家的，二人的富有都可以与王侯相匹敌。

乌氏倮畜牧，及众①，斥②卖，求奇缯物，间献遗戎王。戎王什倍其偿，与之畜，畜至用谷量马牛。秦始皇帝令倮比③封君，以时与列臣朝请。而巴寡妇清，其先得丹穴，而擅④其利数世，家亦不訾⑤。清，寡妇也，能守其业，用财自卫，不见⑥侵犯。秦皇帝以为贞妇而客之，为筑女怀清台。夫倮鄙人牧长，清穷乡寡妇，礼抗⑦万乘，名显天下，岂非以富邪？

[注释]

①及众：等到牲畜繁殖众多时。②斥：卖。③比：比照。④擅：专，独揽。⑤訾：通"赀"。⑥见：被。⑦抗：敌，对等。

[译文]

乌氏有个叫倮的人，以经营畜牧为业，等到牲畜繁殖得多了，就将它们全部卖掉，再用这些钱买进各种丝织品，偷着由秦国运出，去献给西北地区的少数民族的首领。首领以十倍的价值给他报偿，给他的牲畜无需具体点数，多到以山谷来计算。秦始皇让乌氏倮与有封地的诸侯地位相同，按规定的时节同朝廷在位的诸大臣一起进见皇帝。而巴郡有个叫清的寡妇，她的先祖发现了个朱砂矿，她家竟独享这份好处达好几代人，家产不计其数。清作为一个寡妇，能守住祖辈的家业，还能用钱财来保护自己，不受他人欺辱。秦始皇认为她是个贞洁女子而对她以礼相待，还为她修筑了一座怀清台。乌氏倮只不过是个少数民族的地方头领，巴郡寡妇清也只是个穷乡僻壤的寡妇，却能和皇帝分庭抗礼，名扬天下，不就是因为他们有钱吗？

汉兴，海内为一，开关梁①，驰山泽之禁，是以富商大贾周流天下，交易之物莫不通，得其所欲，而徙豪杰诸侯强族于京师。

[注释]

①梁：渡口。

[译文]

汉朝兴起，一统天下，开放关口、渡口，准许人们开发山林湖海，于是商人们都积极活动起来，使得各地的货物流通天下，贸易无所不通，他们挣钱的欲望得到了满足，此时，政府又下令把各地的豪强、游侠及各诸侯国内的世家大族迁到京师去。

关中自汧、雍以东至河、华，膏壤沃野千里，自虞夏之贡以为上田，而公刘适邠，太王、王季在岐，文王作丰，武王治镐，故其民犹有先王之遗风，好稼穑，殖五谷，地重，重①为邪。及秦文、德、缪居雍，隙陇蜀之货物而多贾。献孝公徙栎邑，栎邑北却戎翟，东通三晋，亦多大贾。武、昭治咸阳，因以汉都，长安诸陵，四方辐凑并至而会，地小人众，故其民益玩巧而事末也。南则巴蜀。巴蜀亦沃野，地饶卮、姜、丹沙、石、铜、铁、竹、木之器。南御②滇僰，僰僮。西近邛笮，笮马、旄牛。然四塞，栈道千里，无所不通，唯褒斜绾毂其口，以所多易所鲜③。天水、陇西、北地、上郡与关中同俗，然西有羌中之利，北有戎翟之畜，畜牧为天下饶。然地亦穷险，唯京师要其道。故关中之地，于天下三分之一，而人众不过什三；然量其富，什居其六。

[注释]

①重：看重，不轻易。②御：迎，接连，通。③鲜：稀少。

[译文]

关中地区从汧、雍二县以东直到黄河、华山，沃野千里。从虞、夏时代，规定各地必须对中央纳贡时起，这里就被划为上等田地，后来周族的祖先迁居到邠，周太王、王季迁居到岐山，文王时建都丰邑，武王时迁到了镐京，因而这些地方的人仍保持有祖先的传统，喜好农业，种植五谷，土地被人们所看重，当地人轻易不敢为非作歹。直到秦文公、德公、穆公，他们都定都雍邑，这里地处陇、蜀交界，成为货物交流的集散地，商人很多。到秦献公时，他迁都到栎邑，栎邑北通戎狄，东与三晋相通，也有许多大商人。秦孝公和秦昭王迁都到咸阳，而汉朝又接着定都在长安，汉代皇帝的陵墓也都在长安周围，这就使得关中更成了天下货物交流与交通的中心。由于这个地方小，人口又多，所以当地百姓也喜欢玩弄计谋，热衷从事商业了。关中以南是巴蜀郡，巴蜀地区沃野千里，盛产卮子、生姜、朱砂、石材、铜、铁和竹木之类的物品。南边连接着滇国的僰道，很多僰童被掠到巴蜀来卖。巴蜀西边又邻近邛、笮，笮地出产马和旄牛。巴蜀地区四面都有屏障要塞，但这里有很多栈道，所以也可谓是四通八达，褒斜道是巴蜀经南郑通往关中的咽喉，巴蜀人把自己多余货物卖掉来买取自己所需的东西。天水、陇西、北地和上郡与关中风俗相同，它们西面有羌中可以做买卖，北面可以买到戎狄的牲畜，因而，这里的牲畜天下最多。可是这里土地贫瘠、地势险要，长安扼制着他们东出、南来的通道。所以，整个关中地区面积占天下三分之一，人口也不过是天下的十分之三；然而这里所积聚的财富，却占到了天下的十分之六。

昔唐人①都河东，殷人都河内，周人都河南。夫三河在天下之中，若鼎足，王者所更②居也，建国各数百千岁，土地小狭，民人众，都③国诸侯所聚会，故其俗纤俭④习事。杨、平阳陈西贾秦、翟，北贾种、代。种、代，石北也，地边胡，数被寇。人民矜懻忮，好气⑤，任侠为奸⑥，不事农商。然迫近北夷，师旅亟⑦往，中国委输时有奇羡⑧。其民羯羠不均，自全晋之时固已患其慓悍，而赵武灵王益厉之，其谣俗犹有赵之风也。故杨、平阳陈掾⑨其间，得所欲。温、轵西贾上党，北贾赵、中山。中山地薄人众，犹有沙丘纣淫地余民，民俗懁急，仰机利而食。丈夫相聚游戏，悲歌忼慨⑩，起则相随椎剽，休则掘冢作巧奸冶，多美物，为倡优。女子则鼓鸣瑟，跕屣，游媚贵富，入后宫，遍诸侯。

[注释]

①唐人：指尧。②更：更迭，交替。③都：建都。④纤俭：简朴，俭省。⑤好气：爱使性子。⑥奸：干，犯法。⑦亟：屡次。⑧奇羡：剩余，赢余。⑨陈掾：凭借。⑩忼慨：同"慷慨"。

[译文]

从前，尧曾定都河东，商朝定都河内，东周定都河南。河东、河内与河南这三地是天下的中心，好像鼎的三个足，是帝王们轮流建都的好地方，每个朝代在此都有数百年乃至上千年建都历史，这里土地狭小，人口众多，是历朝天子建都和许多诸侯建国的地方，所以，当地民风俭朴，老于世故。杨与平阳两地的人，向西可以和秦人、翟人做买卖，向北可以和种、代两地做生意。种、代两地都在石邑以北，靠近匈奴人，常遭到匈奴的掠夺。因此，种、代两地的人民性情执拗，爱使性子，讲义气而不顾法令，不愿从事农、商活动。但因北邻夷狄，军队屡次到那里去，内地运来供应前方的物资，经常有剩余，让当地人受益不少。当地人桀骜不驯，在晋国的全盛时期就已经有很多国家对其勇猛凶悍感到忧虑，而到赵武灵王时就更加发扬光大了，直到今天这里的风俗仍有赵国的遗风。所以，杨和平阳两地的人民便利用这种形势进行谋利。温、轵地区的人民向西可以和上党地区做生意，向北可与赵、中山人做买卖。中山一带人多地薄，这里有殷纣王所筑的沙丘台，当地还留有殷纣王荒淫享乐的余风，人们性情急躁，仰仗投机来生活。男子们常聚众玩耍，慷慨悲歌，要么纠合起来杀人越货，要么挖坟盗墓、制作赝品，这里出了很多男宠和歌舞艺人。而女人们常弹琴鼓瑟，趿拉着鞋子，到处游走，取悦权贵富豪，以至于各个诸侯国的宫廷里都有来自中山地区的女人。

然邯郸亦漳、河之间一都会也。北通燕、涿，南有郑、卫。郑、卫俗与赵相类，然近梁、鲁，微重①而矜节②。濮上之邑徙野王，野王好气任侠，卫之风也。

[注释]

①重：庄重，稳重。②矜节：顾惜节操。

[译文]

邯郸是漳水、黄河之间的一个都市。它北面通燕国、涿郡，南面有郑、卫两国。郑、卫的风俗与赵国相似，但由于它靠近梁、鲁两国，稍显稳重和较注重气节。当秦兵伐魏时，魏的附庸卫元君及其支属曾从濮阳迁徙到野王,野王地区的人们注重侠义、崇尚气节,这是卫国的风气影响的结果。

夫燕亦勃、碣之间一都会也。南通齐、赵,东北边胡。上谷至辽东,地踔远①,人民希②,数被寇,大与赵、代俗相类,而民雕捍③少虑,有鱼盐枣栗之饶。北邻乌桓、夫余,东绾④秽貉、朝鲜、真番之利。

[注释]

①踔远:遥远。踔,远。②希:通"稀",少。③雕捍:挑剔,难打点。捍,通"悍"。④绾:系,控制。

[译文]

燕国的国都蓟是渤海、碣石之间的一个都市。南面靠近齐、赵,东北面与匈奴交界。从上谷到辽东,地广人稀,经常遭匈奴的侵扰,民风大致与赵、代两地区相似,而这里的人们爱挑剔、难打点,性情剽悍,不爱思考问题,当地盛产鱼、盐、枣、栗。蓟北面接乌桓、夫余,东面控制秽貉、朝鲜、真番,在和它们打交道中可以获利。

洛阳东贾齐、鲁,南贾梁、楚。故泰山之阳则鲁,其阴则齐。

[译文]

洛阳往东可以和齐、鲁做买卖,南面可与梁、楚做生意。以前,泰山之南是鲁国,北面是齐国。

齐带山海①,膏壤千里,宜桑麻,人民多文彩布帛鱼盐。临淄亦海岱之间一都会也。其俗宽缓阔达,而足智,好议论,地重②,难动摇③,怯于众斗,勇于持刺,故多劫人者,大国之风也。其中具五民。

[注释]

①带山海：被山海环抱，其围如带。②地重：重视土地，即乡土观念重。③难动摇：不轻易离开。

[译文]

齐国被山海所环抱，沃野千里，适宜种植桑麻，这里的手工业、捕捞业十分发达。临淄也是大海与泰山之间的一个都市。当地的人们性情从容宽厚，而又足智多谋，爱谈论，乡土观念很重，不轻易离开家乡出外活动，害怕摆开阵式的交战，但勇于刺杀，所以常常有劫夺别人财物的人、事，这是大国的风气。士、农、工、商、贾各类人等都聚集在这里。

而邹、鲁滨洙、泗，犹有周公遗风，俗好儒，备于礼，故其民龊龊①。颇有桑麻之业，无林泽之饶。地小人众，俭啬，畏罪远邪②。及其衰，好贾趋利，甚于周人。

[注释]

①龊龊：不大方，拘谨的样子。②远邪：避开邪恶。

[译文]

邹、鲁两地滨临着洙、泗二水，至今还保留着周公的余风，这里的人们喜好儒术，讲究礼数，所以，当地人做事不大方，小心拘谨。盛产桑麻，而没有山林水泽的资源。人多地少，人们节俭吝啬，害怕犯罪，自觉避开邪恶。等到后来不是这样了，人们变得好经商、好逐利，表现得比洛阳一带的人还厉害。

夫自鸿沟以东，芒、砀以北，属①巨野，此梁、宋也。陶、睢阳亦一都会也。昔尧作②于成阳，舜渔于雷泽，汤止于亳。其俗犹有先王遗风，重厚多君子，好稼穑，虽无山川之饶，能恶衣食③，致其蓄藏。

[注释]

①属：连接。②作：制造陶器。③恶衣食：意即省吃俭用。

[译文]

从鸿沟以东，芒山、砀山以北，一直到巨野，这里是梁、宋的地盘。陶邑、睢阳也是都会。以前，唐尧在成阳制造陶器，虞舜在雷泽捕过鱼，商汤曾在亳待过。这里的民俗至今还留有古代先王的遗风，人们宽厚庄重，多君子风度，喜好农事，虽然没有富饶的山河物产，但是人们却能通过自己的省吃俭用，来积累财富。

越、楚则有三俗。夫自淮北沛、陈、汝南、南郡，此西楚也。其俗剽轻，易发怒，地薄，寡于积聚。江陵故郢都，西通巫、巴，东有云梦之饶。陈在楚夏之交，通鱼盐之货，其民多贾。徐、僮、取虑，则清刻①，矜②己诺。

[注释]

①清刻：清廉苛严。②矜：注重。

[译文]

越、楚之地有三种不同的风俗。淮水以北的沛郡、陈郡、汝南、南郡，这一带属于西楚地区。这里的民风勇猛而好轻举妄动，并且好发脾气，土地贫瘠，家里很少有积蓄。江陵原来是楚国的国都，向西通往巫县、巴郡，东面有富饶的云梦。而陈县以南是楚、西北是夏，是楚夏的交界之地，这里是鱼、盐等货物的集散地，当地人多从事经商活动。徐、僮、取虑这些县的人们廉洁苛刻，且说话算数，信守诺言。

彭城以东，东海、吴、广陵，此东楚也。其俗类徐、僮。朐、缯以北，俗则齐。浙江①南则越。夫吴自阖庐、春申、王濞三人招致天下之喜游子弟，东有海盐之饶，章山之铜，三江、五湖之利，亦江东一都会也。

[注释]

①浙江：即钱塘江。

[译文]

彭城以东，东海、吴郡、广陵这一带，称为东楚。这里的风俗与徐、僮一带类似。而朐、缯两县以北，民俗和齐地相当。钱塘江以南是越人的风俗。吴地从吴王阖闾到楚的春申君再到汉初的吴王刘濞，都曾在这一带广招天下喜好游说、游侠之士。这里东有丰富的海盐，西有章山的铜矿，且有着三江和五湖的利益，吴县也是江东地区的一个重要都市。

衡山、九江、江南豫章、长沙，是南楚也，其俗大类西楚。郢之后徙寿春，亦一都会也。而合肥受南北潮，皮革、鲍、木输会①也。与闽中、干越杂俗，故南楚好辞，巧说少信。江南卑湿②，丈夫早夭。多竹木。豫章出黄金，长沙出连、锡，然堇堇③物之所有，取之不足以更④费。九疑、苍梧以南至儋耳者，与江南大⑤同俗，而杨越多焉。番禺亦其一都会也，珠玑、犀、玳瑁、果、布之凑。

[注释]

①输会：集散地。②卑湿：地低潮湿。③堇堇：仅仅。堇，通"仅"，不多的样子。④更：抵偿。⑤大：大致，大体。

[译文]

长江以北的衡山郡、九江郡以及长江以南的豫章、长沙二郡都属于南楚，这里的风俗与西楚地区大体相似。楚国从郢迁都寿春后，寿春便成为这一带重要的都市。而合肥南面有长江流域的货物，北面有淮河流域的货物，都可以由水路运到此处，是皮革、干鱼、木材的集散地。由于和闽中、吴越等地的风俗相互混杂，所以这一带的人们善于辞令，好花言巧语，缺乏诚信。江南地势低，气候潮湿，男人的寿命不长。竹子、木材很丰富。豫章出产黄金，长沙出产铅、锡。但矿产蕴藏量极为有限，开采所得不足以抵偿支出费用。九嶷山、苍梧以南直到儋耳，这一带与江南的风俗大体一致，而越族的风俗在此占据很大成分。番禺也是当地的一个都市，是珠玑、犀角、玳瑁、水果、葛布之类的集散之地。

颍川、南阳，夏人之居也。夏人政尚忠朴，犹有先王之遗风。颍川敦愿①。秦末世，迁不轨之民于南阳。南阳西通武关、郧关，东南受汉、江、淮。宛亦一都会也。俗杂好事，业多贾。其任侠，交通②颍川，故至今谓之"夏人"。

[注释]

①敦愿：老实厚道。②交通：相互串联勾结。

[译文]

颍川、南阳一带原是夏朝人居住的地方。夏人崇尚忠厚朴实，此地至今还保留有夏人的风尚。颍川人敦厚老实。秦朝末年，曾经迁徙一批犯法之人到南阳。南阳西通武关、郧关，东南面靠着汉水、长江、淮水。宛城也是这里的一个都市。当地风俗混杂，好生事。当地人多以经商为业。人们崇尚侠义，并与颍川郡的游侠相互串联勾结，所以，这一带人直到现在还被称做"夏人"。

夫天下物所鲜所多，人民谣俗，山东食海盐，山西食盐卤，领南①、沙北固往往出盐，大体如此矣。

[注释]

①领南：即岭南。

[译文]

各地物产多少不均,各地人们的风俗习惯也各不相同,如山东地区的人喜吃海盐,山西地区的人喜吃池盐,岭南和大漠以北也有许多地方产盐,情况大体如上所讲。

总之,楚越之地,地广人希,饭稻羹鱼,或火耕而水耨①,果隋嬴②蛤,不待贾而足,地势饶食③,无饥馑之患,以故呰窳④偷生,无积聚而多贫。是故江、淮以南,无冻饿之人,亦无千金之家。沂、泗水以北,宜五谷桑麻六畜,地小人众,数被水旱之害,民好畜藏,故秦、夏、梁、鲁好农而重民。三河、宛、陈亦然,加以商贾。齐、赵设智巧,仰机利。燕、代田畜而事蚕。

[注释]

①耨:除草。②嬴:通"螺"。③饶食:可吃的东西很多。④呰窳:懒惰,得过且过。

[译文]

总的来讲,楚越地区,地广人稀,以稻米为饭,以鱼做汤,刀耕火种,水耨除草,瓜果、螺蛤到处都是,无需从外地购买。这里可吃的东西很多,人们不会担心饥饿,因此这里的人们好吃懒做,家里没有什么积蓄,大多十分贫穷。所以,江、淮以南既无挨饿受冻之人,也无千金之富户。沂水、泗水以北的地区,适合种植稻、菽、麦、稷,也适于饲养马、牛、羊、鸡、狗、猪,地少人多,又屡次遭受水旱灾害,因此百姓喜好积蓄财物,所以秦、夏、梁、鲁地区的人们爱好农业,尊重农民。三河地区以及宛、陈等地也大体相同,但这些地方除了农业还进行商业活动。齐、赵地区的人好耍聪明,靠投机来谋利。燕、代两地区的人们不但从事农业、畜牧业,并且还从事桑蚕业。

由此观之,贤人深谋于廊庙①,论议朝廷,守信死节隐居岩穴之士设为名高者安归乎?归于富厚也。是以廉吏久,久更富,廉贾归富。富者,人之情性,所不学而俱欲者也。故壮士在军,攻城先登,陷阵却敌,斩将搴②旗,前蒙③矢石,不避汤火之难者,为重赏使也。其在闾巷少年,攻剽椎埋④,劫人作奸,掘冢铸币,任侠并兼,借交报仇,篡逐幽隐⑤,不避法禁,走死地如骛⑥者,其实皆为财用耳。今夫赵女郑姬,设形容,揳鸣琴,揄⑦长袂,蹑利屣,目挑心招,出不远千里,不择老少者,奔富厚也。游闲公子,饰冠剑,连车骑,亦为富贵容也。弋射渔猎,犯晨夜,冒霜雪,驰坑谷,不避猛兽之害,为得味也。博戏驰逐,斗鸡走狗,作色⑧相矜⑨,必争胜者,重失负也。医方诸食技术之人,焦神极能,为重䌽⑩也。吏士舞文弄法,刻章伪书,不避刀锯之诛者,没于赂遗也。农工商贾畜长,固求富益货也。此有知尽能索耳,终不余力而让财矣。

[注释]

①廊庙:朝堂和太庙。②搴:拔取。③蒙:冒着。④椎埋:杀人埋尸。⑤幽隐:昏暗隐蔽之地。⑥骛:马跑。⑦揄:拉,引,提起。⑧作色:面红耳赤。⑨相矜:自己夸耀。⑩重䌽:厚重的财礼。

[译文]

由此看来,贤能之人在廊庙之上出谋划策,在朝廷之上议论国政,而死守节义的人隐居在深山老林,以标榜自己的清高、保全好的名声,他们图的是什么呢?归根结底都是为了富贵。因此,为官清廉就不会贪污坏事,就能长久做官,做官时间长了,就能富有。越是不贪婪的商人反而赚钱获利越多。求富是人的本性,不用学习,大家都会去追求。所以,士兵打仗时冲锋陷阵,斩将夺旗,冒着枪林弹雨,赴汤蹈火,不怕牺牲,为的就是重赏。那些平民家的子弟,杀人埋尸,拦路抢劫,盗掘坟墓,私铸钱币,靠武力吞并他人的东西，为给朋友报仇而不顾个人的安危，如同把自己的身体借给朋友去使用一样，劫夺他人的财物时如入无人之境，根本不在乎法律禁令，硬往死路上跑，说到底都是为了钱财罢了。那些娼妓，梳妆打扮得漂漂亮亮，抱着琴瑟，穿着漂亮的衣裙，踩着好看的舞鞋，不远千里出门去勾引人，连老少都不挑拣，也是为了钱财。无所事事的贵家子弟，出门时衣帽宝剑装饰讲究，高车大马伺候，不也是为扩大自家的富贵而招摇显摆吗？那些打猎的，起早贪黑，冒严寒战霜雪，不怕猛兽伤害，终日在深山大谷之中奔跑，为的是猎得各种吃的。赌博赛马场，斗鸡走狗，争得面红耳赤，一定要取胜利，是因为害怕输。医生、方士以及各种靠技艺谋生的人，操心劳力，为的是厚重的财礼。那些吏士舞文弄墨，私刻公章，假造文书，不怕刑具加身，这是由于受人贿赂的诱惑。农、工、商、贾蓄货长利，原本就是为了谋求个人的财货越来越多。如此竭尽一切智能，最根本的就是为了不遗余力地占有财物。

谚曰："百里不贩樵，千里不贩籴①。"居之一岁，种之以谷；十岁，树之以木；百岁，来②之以德。德者，人物之谓也。今有无秩③禄之奉，爵邑之入，而乐与之比者，命曰"素封"。封者食租税，岁率④户二百。千户之君则二十万，朝觐聘享出其中。庶民农工商贾，率亦岁万息二千，百万之家则二十万，而更徭租赋出其中。衣食之欲，恣⑤所好美矣。故曰陆地牧马二百蹄，牛蹄角千，千足羊，泽中千足彘，水居千石鱼陂⑥，山居千章之材。安邑千树枣；燕、秦千树栗；蜀、汉、江陵千树橘；淮北、常山已南，河济之间千树萩；陈、夏千亩漆；齐、鲁千亩桑麻；渭川千亩竹；及名国万家之城带郭千亩亩钟之田，若千亩卮茜，千畦姜韭：此其人皆与千户侯等。然是富给⑦之资也，不窥市井，不行异邑，坐而待收，身有处士之义而取给焉。若至家贫亲老，妻子软弱，岁时无以祭祀进醵，饮食被服不足以自通，如此不惭耻，则无所比矣。是以无财作力，少有斗智，既饶争时，此其大经也。今治生不待危身取给，则贤人勉⑧焉。是故本富为上，末富次之，奸富最下。无岩处奇士之行，而长贫贱，好语仁义，亦足羞也。

[注释]

①籴：买进粮食。②徕：招纳。③秩：等级。④率：大概。⑤恣：随意。⑥陂：堤堰。⑦富给：富足，富有。⑧勉：努力。

[译文]

俗话说："卖柴要在百里内，贩粮要在千里内。"如要在某地住上一年，就要种植粮食；要住上十年，就要栽种树木；要住上百年，就要以道德来吸引人。所谓德，就是有人有钱。现在有些人，没有官职俸禄，也没有爵位与封地，享受富贵的快乐程度可与有官爵的人相比，这被叫做"素封"。封君靠租税生活，每户人家每年交纳的租税大约二百钱。一个享有千户的封君，每年租税收入可达二十万钱，朝拜天子、访问诸侯和招待来客所需的花销，都要从这里开支。普通的农、工、商、贾，如果家有一万钱的资本，每年就能得到二千钱的利息，如有一百万钱的资本，每年可得利息二十万钱，而劳役、租赋的费用也是要从这里支出的。但这种人家，他们的吃穿及各种欲望就能得到满足。所以说凡能在陆地放牧五十匹马，养一百头牛，养二百五十只羊，或在草泽里养二百五十口猪，有每年可捕捞千石的池塘，山里有千株成材的大树。或者在安邑地区有千株枣树；在燕、秦一带有千株栗子树；在蜀郡、汉水、江陵地区有千株橘树；在淮北、常山以南和黄河、济水之间有千株楸树；在陈、夏一带有千亩漆树；在齐、鲁大地有千亩桑麻；在渭水流域有千亩竹子；或者在大都市的郊区有亩产一钟的千亩良田，或千亩栀子、茜草，或千畦生姜、韭菜：拥有这些的普通人，他们的财富可与千户侯的财富相等。可以依靠这些东西致富，而不必亲自到市场上辛苦卖力，也不用到外地奔波，坐在家中等候收成就行了，有隐士之名，生活又很富足。那些把自己弄得很贫穷的人，父母年老无法奉养，妻子儿女困苦不堪，逢年过节连祭祀祖先、合家聚餐的费用都没有，平日的吃喝穿戴都难以供给，如此贫困还不感到羞愧，那就让人无话可说了。所以，没有钱的人只能做苦力，稍稍有一些钱的人就得动心思，富有的人应该把握行情买进卖出，这是规律。从事商业活动，没有什么危险就富裕起来了，因此即使是贤哲之人也很愿意干这一行。靠农业发家的为上等，靠工商业发家的次之，靠不正当手段而发家的最为低下。没有隐居在深山高士的德行，又长期处于贫贱地位，却奢谈仁义，这种人值得羞愧。

凡编户之民，富相什则卑下之，伯①则畏惮②之，千则役，万则仆，物之理也。夫用③贫求富，农不如工，工不如商，刺绣文不如倚市，此言末业，贫者之资也。通邑大都，酤一岁千酿，醯酱千瓨，浆千甔，屠牛羊彘千皮，贩谷粜千钟，薪稿千车，船长千丈，木千章，竹竿万个，其轺车百乘，牛车千两，木器髤者千枚，铜器千钧，素木铁器若卮茜千石，马蹄躈千，牛千足，羊彘千双，僮手指千，筋角丹沙千斤，其帛絮细布千钧，文采千匹，榻布皮革千石，漆千斗，蘖曲盐豉千荅，鲐鲞千斤，鲰千石，鲍千钧，枣栗千石者三之，狐貂裘千皮，羔羊裘千石，旃席千具，果菜千钟，子贷金钱千贯，节驵会，贪贾三之，廉贾五之，此亦比千乘之家，其大率也。佗杂业不中什二，则非吾财也。

[注释]

①伯：通"百"，相差百倍。②畏惮：惧怕。③用：由。

[译文]

大凡平民百姓，假如自己的经济条件和人家比相差十倍，就会低人一等，相差百倍就会惧怕人家，相差千倍就会被人役使，相差万倍就会成为人家的奴仆，这是由经济地位决定的。要想从贫穷变为富有，务农不如做工，做工不如经商，做手工不如做买卖，这是说经商是改变贫穷状况的最好途径。在交通发达的大都市里，每年酿一千瓮酒，一千缸醋，一千甔浆，屠宰一千只牛羊猪，贩卖一千钟粮食，一千车柴草，卖出的船总长有一千丈，一千棵木材，一万棵竹竿，一百辆马车，一千辆牛车，一千件木制漆器，一千钧铜器，木器、铁器及染料一千石，二百五十匹马，二百五十头牛，两千只猪羊，一百个奴隶，一千斤筋角、丹砂，一千钧的丝织物、细布，一千匹绣花的织物，一千担粗布、皮革，一千斗漆，一千瓶酵母、咸豆豉，一千斤鲐鱼、鳖鱼，一千石小杂鱼，一千钧咸干鱼，三千石枣子、粟子，一千张狐、貂皮，一千石羔羊皮衣，一千领毛毡毯，以及一千种水果蔬菜，或者拥有每年可获千贯利息的资金，做经纪人所抽取的三分之一或十分之五的佣金，这一类人的收入也可与千户之家相比，这是大概的情况。至于其他行业，如果不能获取十分之二的利润，那就不是我们所该经营的项目。

请略道当世千里之中，贤人所以富者，令后世得以观择焉。

蜀卓氏之先，赵人也，用铁冶富。秦破赵，迁卓氏。卓氏见虏略①，独夫妻推辇，行诣②迁处。诸迁虏少③有余财，争与吏，求近处④，处葭萌。唯卓氏曰："此地狭薄。吾闻汶山之下，沃野，下有蹲鸱，至死不饥。民工⑤于市，易贾。"乃求远迁。致之临邛，大喜，即铁山鼓铸，运筹策，倾⑥滇蜀之民，富至僮千人。田池射猎之乐，拟⑦于人君。

[注释]

①虏略：即掳掠。②诣：到……去。③少：稍。④处：安置，居住。⑤工：善于，擅长。⑥倾：超过。⑦拟：相比，相当。

[译文]

请让我简略说说当代千里范围内那些能够致富的贤能之人的情况，为后世之人在考察选择时提供借鉴。

蜀地卓氏的祖先本是赵国人，靠着冶铁发了家。秦国灭了赵国后，强制卓氏家族搬迁。卓氏被秦人所掳掠，夫妻二人只好推着车子，步行赶往被发配的地方。一道被迁徙的人，稍有多余的钱财，便争着贿赂押解的人，请求安置在近一些的葭萌县一带。只有卓氏说："葭萌地方狭小，土地贫瘠。我听说汶山下面是肥沃的田野，地里长着芋头，可以用来充饥，而不至于饿死。那里的百姓善于做买卖，便于发展工商业。"于是就要求迁到远处。结果被迁到了临邛，卓氏非常高兴，就在有铁矿的山里鼓风吹火炼铁铸器，施展谋略，不久就成为滇蜀地区的首富，家里的奴仆有上千人之多。他家用来享乐的田池和射猎之地，和一个有领地的封君相差无几。

程郑，山东迁虏也，亦冶铸，贾椎髻之民，富埒卓氏，俱居临邛。

宛孔氏之先，梁人也，用铁冶为业。秦伐魏，迁孔氏南阳。大鼓铸，规①陂池，连车骑，游诸侯，因通商贾之利，有游闲公子之赐与名②。然其赢得过当，愈于纤啬，家致富数千金，故南阳行贾尽法孔氏之雍容③。

[注释]

①规：规划，测量。②名：名声。③雍容：举止大方，从容不迫的样子。

[译文]

程郑是从崤山以东被迫迁徙来的，也以炼铁为业，与附近的少数民族做生意,他的富有与卓氏相当,也住在临邛。

南阳的孔氏,他的先祖是梁人,以冶铁为业。秦国灭魏国后,把孔氏迁到了南阳。到南阳后,便大规模地发展冶铁业,修治堤堰、开挖池塘,带着成群结队的车马在各个诸侯国间周游,借机经商发财,由于出手大方,好以财物赠人,为人做事如同富贵公子。然而他所获得的利益远远超过自己游乐赏赐给别人的那点开销,这也比那些各啬鬼们的实际收入要多得多,家中财富多达数千金,所以,南阳做生意的人都效法孔氏的从容文雅和举止大方。

鲁人俗俭啬,而曹邴氏尤甚,以铁冶起,富至巨万。然家自父兄子孙约①,俛②有拾,仰有取,贳③贷行贾遍郡国。邹、鲁以其故多去文学而趋利者,以曹邴氏也。

[注释]

①约:约定,规定,指家规。②俛:同"俯",弯腰。③贳:借贷。

[译文]

鲁地的民俗节俭吝啬,而曹县的邴氏最为夸张,靠冶铁起家,家财万贯。然而,他家从父到兄、子、孙都遵守这样的规定:低头抬头都要有所得。他家放的债、做的买卖遍及整个鲁国。由于受曹邴氏的影响,邹、鲁地区的很多人抛弃读书而去追求致富。

齐俗贱①奴虏,而刀间独爱贵之。桀黠奴,人之所患②也,唯刀间收取,使之逐渔盐商贾之利,或连车骑,交守相,然愈益任之。终得其力,起富数千万。故曰"宁爵毋刀③",言其能使豪奴自饶而尽其力。

[注释]

①贱:慢待,鄙视。②患:担忧,忧虑。③宁爵毋刀:与其出外求取官爵,倒不如在刀家为奴。

[译文]

齐地风俗是鄙视奴仆,而刀间却偏偏喜欢而宠爱他们。勇猛狡猾的奴仆是一般人所头疼的,而刀间专爱收留使用这样的人,让他们去做渔盐买卖,或者让他们乘坐成队的车马,去结交郡守和诸侯国国相一类的地方官员,越是这样刀间就越是信任他们。刀间靠着这些人的帮助,由平民起家,致富达数千万钱。所以有人说"与其出外求取官爵,不如在刀家为奴",说的就是能够巧妙发挥豪奴的力量,从而使自己的财产越来越多。

周人既纤①,而师史尤甚,转毂以百数,贾郡国,无所不至。洛阳街居在齐秦楚赵之中,贫人学事富家,相矜以久贾,数过邑不入门,设任②此等,故师史能致七千万。

[注释]

①既纤:原本就吝啬。②设任:设职分任。

[译文]

洛阳一带的居民原本就很吝啬,而有个叫师史的人更为突出,他家有几百辆车从事商业活动,足迹遍布各地。洛阳地处齐、秦、楚、赵等国的交通中心,穷人到富商家当学徒,常常来比看谁经商逗留在外的时间更长,因而很多人多次路过洛阳却不进家门。就是靠着这些,师史积累下多达七千万钱的家财。

宣曲任氏之先,为督道仓吏。秦之败也,豪杰皆争取金玉,而任氏独窖仓粟。楚汉相距荥阳也,民不得耕种,米石至万,而豪杰金玉尽归任氏,任氏以此起富。富人争奢侈,而任氏折节①为俭,力②田畜。田畜人争取贱贾,任氏独取贵善。富者数世。然任公家约,非田畜所出弗衣食,公事不毕则身不得饮酒食肉。以此为闾里率③,故富而主上重之。

[注释]

①折节：自降身份和派头。②力：努力。③率：表率，榜样。

[译文]

宣曲任氏的先祖，曾是管理督道仓的小吏。秦朝被推翻后，当地很多豪强都争夺金银珠宝，唯独任氏挖地窖将仓库里的米粟储藏起来。后来，楚汉两军在荥阳对峙，农民无法耕种田地，每石米涨到一万钱，这样，原来豪强们所抢的金银珠宝慢慢地全都归到了任氏手里，任氏因此发了财。富人有钱好奢侈，而任氏却自降身份和派头，保持节俭，努力发展农田、畜牧业。其他从事耕田、畜牧的人，都争着低价买进，任氏却专门买价钱贵而品种好的。这样，任家富裕了好几代。但任氏家有一条家规，凡不是自家种田养畜得来的东西不用，给官府交纳租税这类事没有做完，就不得饮酒吃肉。由于这样的做事原则成了乡里的表率，所以他们自己富有了还能得到汉朝皇帝的尊重。

塞之斥①也，唯桥姚已致马千匹，牛倍之，羊万头，粟以万钟计。吴楚七国兵起时，长安中列侯封君行从军旅，赍②贷子钱③，子钱家以为侯邑国在关东，关东成败未决，莫肯与。唯无盐氏出捐千金贷，其息什之。三月，吴楚平。一岁之中，则无盐氏之息什倍，用此富埒关中。

[注释]

①斥：开拓。②赍：行人所带的物品钱财。③子钱：放贷来取息之钱。

[译文]

当汉武帝对四夷用兵时，桥姚趁此发展自己的畜牧业和农业：他的马有千匹，牛有两千头，羊达一万只，粮食多得以万钟来计算。吴楚七国起兵反叛时，在长安城中的列侯封君都要随军东出平叛，需借钱来买出征所带物品，放债人认为这些在京列侯的封邑、封国都在函谷关以东，而关东战事胜负尚不明朗，不愿借钱给这些列侯封君。只有无盐氏拿出千金放贷给他们，收取十倍的利息。三个月后，吴楚的叛乱被平定。一年之内，无盐氏就得到了十倍的利息，这一下他就可以与关中的富豪相匹敌了。

关中富商大贾，大抵尽诸田，田啬、田兰。韦家栗氏，安陵、杜杜氏，亦巨万。

[译文]

关中地区的富商大贾，大都是姓田的那些人家，以田啬、田兰最有名。还有韦家地区的栗氏、安陵和杜县的杜氏，家产也都上亿。

此其章章①尤异者也。皆非有爵邑奉禄弄法犯奸而富，尽椎埋②去就，与时俯仰，获其赢利，以末致财，用本守之，以武一切，用文持之，变化有概③，故足术也。若至力农畜，工虞商贾，为权利以成富，大者倾郡，中者倾县，下者倾乡里者，不可胜数。

[注释]

①章章：显著、突出的样子。②椎埋：此处一般认为是"推理"之误写。推理，推测物理。③概：原则，法度。

[译文]

以上这些人都是最显著、最突出的人。他们都不是靠爵位封邑、俸禄或者靠作奸犯科而发家致富的，他们靠的是把握事理，随机应变，获得赢利，以工商末业挣钱，用农业来守财，他们恰如用武力夺取天下，而用文德来治理国家一样，虽有变化，但不失法度，所以值得称道。至于那些靠着农业、畜牧、手工或做买卖，抑或是凭借权势而成为富人的，有的大者可以富甲一郡，中等者可以富甲一县,小者富甲一乡,那更是多得不可胜数。

夫纤啬筋力^①,治生之正道也,而富者必用奇胜。田农,掘业^②,而秦扬以盖^③一州。掘冢,奸事也,而田叔以起。博戏,恶业也,而桓发用富。行贾,丈夫贱行也,而雍乐成以饶。贩脂,辱处^④也,而雍伯千金。卖浆,小业也,而张氏千万。洒削,薄技^⑤也,而郅氏鼎食。胃脯,简微耳,浊氏连骑。马医,浅方,张里击钟。此皆诚壹^⑥之所致。

[注释]

①筋力:吃苦出力。②掘业:笨重的职业。③盖:冠,压倒。④辱处:低下的行业。⑤薄技:微不足道的技能。⑥诚壹:心志专一。

[译文]

靠精打细算、勤劳吃苦来治业,这是发财致富的正路,但想要发家还必须出奇制胜。种田是笨功夫,而秦扬却靠它富甲一州。盗墓是犯法的行为,而田叔却靠它兴起。赌博本是恶行,而桓发却靠它致富。沿街叫卖是男人看不起的事情,而雍乐成却靠它成为富翁。卖油是令人羞耻的行当,而雍伯靠它挣到了千金。卖水是小本生意,而张氏靠它赚了千万。抢菜刀磨剪子本是雕虫小技,而郅氏靠它富到列鼎而食。做肚干可是够微小的事了,而浊氏靠它富到车马成群。医马也是一种浅薄的技艺,而张里靠它富到吃饭要击钟奏乐的地步。这些人都是由于心志专一而致富的。

由是观之,富无经业^①,则货无常主,能者辐凑,不肖^②者瓦解。千金之家比一都之君,巨万者乃与王者同乐^③。岂所谓"素封"者邪?非也?

[注释]

①经业:常业。经,固定。②不肖:无能,没出息。③同乐:同样享乐。

[译文]

由此看来，任何行业都可以使人发财，而财货也没有固定的主人，有本领的人自有钱财聚拢，无能的人自会败家破财。一个拥有千金的人家可与一个都城的封君一般风光，而有亿万家财的富翁便能享受国王一样的生活。这不就是那种所谓没有封号的"封君"吗？难道不是吗？

卷一百三十

太史公自序

昔在颛顼，命南正①重以司天，北正黎以司地。唐、虞之际，绍②重、黎之后，使复典之，至于夏、商，故重黎氏世序天地。其在周，程伯休甫其后也。当周宣王时，失其守而为司马氏。司马氏世典③周史。惠、襄之间，司马氏去周适④晋。晋中军随会奔秦，而司马氏入少梁。

[注释]

①南正：传说中官名。后之北正亦是。②绍：继承。③典：掌管。④去：离开。适：到……去。

[译文]

当颛顼统治天下时，任命南正重主管观测天文星象，北正黎主管地面上的人事。唐尧、虞舜时代，又让重、黎的后代继续掌管这两方面的事情，一直到夏商时期，所以，重、黎两家族世代相传地掌管"天"、"地"之事。到了周朝时，程伯休甫就是他们当中黎的后代。当周宣王时，程伯休甫中止了主管"天"、"地"的事务，而改为主管军事。由于掌管军事，他们就改姓为"司马"了。司马氏世代掌管周朝的历史。到周惠王和周襄王统治时期，司马氏离开周去了晋国。后来，晋国的中军元帅随会逃往秦国，司马氏也在这时迁到少梁。

自司马氏去周适晋，分散，或在卫，或在赵，或在秦。其在卫者，相中山。在赵者，以传剑论①显②，蒯聩其后也。在秦者名错，与张仪争论，于是惠王使错将伐蜀，遂拔，因而守之。错孙靳，事武安君白起。而少梁更名曰夏阳。靳与武安君坑③赵长平军，还而与之俱赐死杜邮，葬于华池。靳孙昌，昌为秦主铁官，当始皇之时。

[注释]

①剑论：关于剑术理论。②显：显扬，显贵。③坑：活埋。

[译文]

自从司马氏离开周朝到晋国之后，族人就分散到了各地，有的在卫国，有的在赵国，有的在秦国。在卫国的司马喜，做了中山国的相。在赵国的司马凯，以传授剑术理论而闻名于世，蒯聩就是这一支的后代。去秦国的那一支有个叫司马错的，曾与张仪争论秦国是否应该兴兵伐蜀，秦王最后采纳了司马错的意见，于是派司马错率军伐蜀国，攻取蜀国后，就让他镇守蜀地。司马错之孙司马靳，在武安君白起手下做事。这时少梁已改名为夏阳。司马靳与白起在长平坑杀赵国军队四十万人，回来后与白起一起被赐死在杜邮，司马靳被埋葬在华池。司马靳的孙子司马昌，曾在秦始皇时代主管秦国的冶炼和铸造。

蒯聩玄孙卬为武信君将而徇朝歌。诸侯之相王，王卬于殷。

汉之伐楚，卬归汉，以其地为河内郡。昌生无泽，无泽为汉市长①。无泽生喜，喜为五大夫，卒，皆葬高门。喜生谈，谈为太史公。

[注释]

①市长：主管市场的官员。

[译文]

蒯聩的玄孙司马卬，曾为陈涉的部将并带兵南下到过朝歌。秦灭亡后，项羽分封其部将与诸路义军头领为王，司马卬被封为殷王，都城在朝歌。汉王刘邦攻打楚霸王项羽的时候，司马卬归降汉王，他的地盘被改为河内郡。司马昌有个儿子叫司马无泽，曾主管都城长安的市场 。司马无泽的儿子司马喜，曾被封爵为五大夫，他们死后都埋葬在华池村的高门。司马喜的儿子叫司马谈，他曾做过太史令。

太史公学天官①于唐都，受《易》于杨何，习道论②于黄子。太史公仕于建元、元封之间，愍③学者之不达其意④而师悖⑤，乃论六家之要指⑥曰：

[注释]

①天官：天文学。②道论：道家的学说。③愍：可怜，忧虑。④意：宗旨。⑤师悖：学习了一些错误的东西。⑥要指：同"要旨"，主要思想。

[译文]

太史公跟唐都学习过天文，跟杨何学习《易经》，向黄子学习道家学说。他从建元到元封年间一直做官，由于忧虑当时的学者因不能通晓各学派的宗旨而学习了一些错误的东西，于是，便阐述了阴阳、儒、墨、名、法和道德六家的主要思想，说：

《易大传》："天下一致而百虑，同归而殊途。"夫阴阳、儒、墨、名、法、道德，此务为治者也，直①所从言之异路，有省②不省耳，尝窃观阴阳之术，大祥③而众忌讳，使人拘而多所畏；然其序四时之大顺，不可失也。儒者博而寡要，劳而少功，是以其事难尽从；然其序君臣父子之礼，列夫妇长幼之别，不可易也。墨者俭而难遵，是以其事不可遍循；然其强本节用，不可废也。法家严而少恩；然其正君臣上下之分，不可改矣。名家使人俭④而善失真；然其正名实，不可不察也。道家使人精神专一，动合无形，赡⑤足万物。其为术也，因⑥阴阳之大顺，采儒、墨之善，撮⑦名、法之要，与时迁移，应物变化，立俗施事，无所不宜，指约而易操，事少而功多。儒者则不然。以为人主天下之仪表⑧也，主倡而臣和，主先而臣随。如此则主劳而臣逸。至于大道之要，去健羡，绌聪明，释此而任术。夫神大用则竭，形大劳则敝。形神骚动，欲与天地长久，非所闻也。

[注释]

①直：仅，只是。②省：明白，理解。③大祥：过于烦琐。④俭：约束。⑤赡：供给充足。⑥因：吸取。⑦撮：提取，摘录。⑧仪表：榜样。

[译文]

《易系辞》说："天下人追求的目标相同，但实现的方法却多种多样；达到的目的相同，而走的路却不一样。"阴阳家、儒家、墨家、名家、法家和道家都是为了治理国家，只不过各家看问题的角度以及解决问题的途径有些不同而已。因而，就出现了有的好理解，有的不好理解的差异。我曾经在私下里研究过阴阳家的学问，发现它过多地宣扬"祥瑞"、"灾异"，给人规定的禁忌太多，让人感到受束缚、有很多害怕的东西；但阴阳家的学说中关于一年四季的变化规律以及农事的安排，是不可忽视的。儒家学说讲究一套不切实际的繁文缛节，让人抓不住要领，花费了气力却收效甚微，因此它的主张难以照办；但是它的主张中所讲究的君臣父子之间的行为规范，夫妇长幼之间的规矩，那是永远不能改变的。墨家过分地讲究节俭，因此该派的主张不能一一照办；但它关于发展人口，增加劳动力，以及节约的主张，是它的优点，我们是不能丢掉的。法家讲究执法不徇私情，法律面前不分贵贱，但它比儒家更为严厉地讲究尊君卑臣，讲究严格的等级制，这是不可改动的。名家过于讲究循名责实，讲究名分与实际的相称，结果就使人被虚名、迂礼所束缚，从而违背人的真实情感；但它的循"名"责"实"，要求"名"与"实"要相符，这是它的长处，我们是不能不认真思考的。道家的学说主张"清静无为"，讲究"守中"、"抱一"，让人精神专一，它希望人的一切活动都要符合客观规律、客观法则，这样就能使万事万物都获得满足。道家的学说吸取了阴阳家所讲的"四时运行大顺"，采纳儒、墨两家的精华，撮取了名、法两家的长处，它随着时代的发展而发展，顺应事物的变化而改变，跟随风俗的不同而采取不同的措施，因而没有不适宜的，道理简单而容易掌握，用的力少而功效大。儒家和道家相比就不是这样。他们认为君主是天下人的榜样，君主倡导什么，臣下必须跟着应和，君主只要带头，臣下就能跟从。这样一来，君主就很劳累而臣下却很悠闲。道家却不是这样，它的基本原则是让人去掉刚强和贪欲，而以柔弱、知足自守，抛弃这些人为的努力，而顺应客观形势，随外界形势的变化而变化。人的精神过度使用就会衰竭，身体过度劳累就会疲惫，如把自己整日弄得疲惫不堪，却想要与天地共长久，这是从来没有听说过的事。

夫阴阳四时、八位、十二度、二十四节各有教令[①]，顺之者昌，逆之者不死则亡。未必然也，故曰"使人拘而多畏"。夫春生夏长，秋收冬藏，此天道之大经[②]也，弗顺则无以为天下纲纪，故曰"四时之大顺，不可失也"。

[注释]

①教令：禁忌。②经：纲，法则。

[译文]

阴阳家认为四季、八方、十二次和二十四节气都各有一套禁忌，顺应它就会发达，违背它即使不死也会不顺。未必真是这样，所以我们说阴阳家"让人感到受束缚，有很多可怕的东西"。春天发芽、夏天生长、秋天收获、冬天储藏，这是自然界的大法则，不遵循它就无法为天下制定各种纲纪，所以说"四季的运行规律不能不遵循"。

夫儒者以六艺①为法。六艺经传以千万数，累世不能通其学，当年②不能究其礼，故曰"博而寡要，劳而少功"。若夫列君臣父子之礼，序夫妇长幼之别，虽百家弗能易也。

[注释]

①六艺：《礼》、《乐》、《诗》、《书》、《易》、《春秋》等六种儒家经典。②当年：有生之年。

[译文]

儒家把《诗》、《书》、《礼》、《乐》、《易》、《春秋》作为教科书，而这些书的原文和解释加起来有几千万字，连续几辈子都弄不通这些学问，从生到死也无法学会这么多的礼仪，所以说儒家"讲究一套不切实际的繁文缛节，让人抓不住要领，花费了气力却收效甚微"。至于它所规定的那些君臣父子之间的行为规范，夫妇长幼之间的规矩，这是各家各派谁都不能改变的。

墨者亦尚尧舜道，言其德行曰："堂高三尺，土阶三等，茅茨①不翦②，采椽不刮。食土簋③，啜土刑④，粝⑤粱之食，藜藿⑥之羹。夏日葛衣，冬日鹿裘。"其送死，桐棺三寸，举音不尽其哀。教丧礼，必以此为万民之率⑦。使天下法若此，则尊卑无别也。夫世异时移，事业不必同，故曰"俭而难遵"。要曰强本节用，则人给⑧家足之道也。此墨子之所长，虽百家弗能废也。

[注释]

①茨：用茅草苫屋子。②翦，同"剪"。③簋：古时盛食物的圆形器具。④刑：同"型"，盛汤。⑤粝：粗米。⑥藿：豆叶。⑦率：标准，样板。⑧给：足，丰足。

[译文]

墨家也崇尚尧、舜的道德，谈到二人的日常行为时说："正厅的地基只有三尺高，土台阶只有三蹬，用茅草苫的屋顶任其长短不齐也不加修剪，用小木做椽子也不进行刮削。用陶簋吃饭，用陶碗盛汤，吃的是粗米，喝的是野菜汤。夏天穿着葛布衣，冬天穿的是鹿皮做的袍子。"为死者送葬用的是一副厚度仅三寸的桐木棺材，还没等人们充分表达完自己的哀悼，主持人就止住了送葬人的哭声。教给老百姓操办丧礼的原则，并且让天下人都照此去做。如果天下都遵从这个办法，那么，就没有什么贵贱尊卑的区别了。时代不同，形势变化了，人们所要求的也会不尽相同，所以我们说墨家"过分强调节俭，让人难以照办"。重要的是它提出的注重发展生产，注意节约的原则，的确是让人人都富足的好办法。这是墨家学说的长处，无论哪一家都无法否定。

法家不别亲疏，不殊贵贱，一断于法，则亲亲尊尊之恩绝矣。可以行一时之计，而不可长用也，故曰"严而少恩"。若尊主卑臣，明分职①不得相逾越，虽百家弗能改也。

[注释]

①分职：名分和职责。

[译文]

法家不辨别亲疏远近，也不分别贵贱尊卑，一律按法令来决断，那种对亲者亲，对尊者尊的关系就不存在了。这些可作为一时之计来执行，却不能做长久之用，所以说法家"做事严厉而缺少恩德"。然而，法家那种君为尊、臣为卑的学说，区划清楚了各个人的名分、职责，并不得相互逾越的主张，也是所有的学说不能更改的。

名家苛察缴绕①，使人不得反其意，专决于名而失人情，故曰"使人俭而善失真"。若夫控②名责实，参伍③不失，此不可不察也。

[注释]

①缴绕：缠。②控：按照。③参伍：错杂排列。

[译文]

名家纠缠琐碎，让人不能回归各自的真实性情，一切取决于形式名分却丧失了一般的人之常理，所以说它"过于让人受束缚而容易丧失本性"。至于它按其名而求其实，且要名与实进行参照比较的主张，这是不可不考虑的。

道家无为，又曰无不为，其实易行，其辞难知。其术以虚无为本，以因循①为用。无成势②，无常形，故能究万物之情。不为物先，不为物后，故能为万物主。有法无法，因时为业；有度无度，因物与合。故曰"圣人不朽，时变是守。虚者，道之常也；因者，君之纲"也。群臣并至，使各自明也。其实中其声者谓之端③，实不中其声者谓之窾④。窾言不听，奸乃不生，贤不肖自分，白黑乃形。在所欲用耳，何事不成？乃合大道，混混冥冥。光燿天下，复反无名。凡人所生者神也，所托者形也。神大用则竭，形大劳则敝，形神离则死。死者不可复生，离者不可复反，故圣人重之。由是观之，神者生之本也，形者生之具⑤也。不先定其神形，而曰"我有以治天下"，何由哉？

[注释]

①因循：顺应。②成势：既成不变之势。③端：正。④窾：空。⑤具：基础，物质因素。

[译文]

道家主张"无为"，又讲"无不为"，这做起来是很容易的，但它讲的道理好像是不好理解。道家学说以"虚"、"无"、"清静无为"为理论基础，以顺应客观形势为行动准则。道家认为事物没有一成不变的态势，没有固定不变的形状，所以只有顺应万物，才能够探究万物的情理。由于能够不失时机地贴近万物、顺应万物，所以也就能绝好地把握万物。有法而不任法以为法，要顺应时势变化为变化；有度而不恃度以为度，一切要根据万物的自然之理并与之相符合。所以说"圣人不会腐朽灭亡，只是他们能够顺应时势的变化罢了。道家以'虚'、'无'、'清静无为'作为理论根本，君主在治国上要顺应客观形势的需要"。把群臣叫到面前，让他们在各自的职位上表现其能力才干，而君主得以分辨其优劣。实际表现和他说的话相符合的就是"正"，实际表现和他说的话不符合的就是"空"。不听信空话，奸邪就不会有立足之地，贤才与奸佞就自然分开，黑与白也就会不言自明。群臣的忠奸、优劣都已充分表现，就等君主去选择任用了，只要肯择贤而用，还有什么事办不成呢？这样才会合乎大道，就会充满元气，达到浩博无涯的境地。君主清净无为，而又获得了无比的成功，重新回到清净无为的境界。大凡一个人活着是因为有精神，而精神又寄托在肉体上。精神过分紧张就会衰竭，肉体过度劳累就会垮掉，肉体和精神分离了，人就会死。死了的人不能活过来，肉体和精神分离了也不能再重新结合在一起，所以圣人都注意养生。由此看来，精神是生命的根本，肉体是生命的基础。不先修养自己的精神和肉体，减少思虑，保持宁静淡泊，却大谈"我有治理天下的资本"，靠什么呢？

太史公既掌天官，不治民。有子曰迁。
[译文]
太史公司马谈只掌管天文，不管民事。他有个儿子叫司马迁。

迁生龙门，耕牧河山之阳。年十岁则诵古文①。二十而南游江、淮，上会稽，探禹穴，窥九疑，浮②于沅、湘；北涉汶、泗，讲业③齐、鲁之都，观孔子之遗风，乡射④邹、峄；厄困鄱、薛、彭城，过梁、楚以归。于是迁仕为郎中，奉使西征巴、蜀以南，南略⑤邛、笮、昆明，还报命⑥。

[注释]
①古文：指先秦流传下来的用"古文"写的书。②浮：行船。③讲业：讲习儒家之术。④乡射：儒家所讲究的古代射礼。⑤略：视察。⑥报命：复命。

[译文]
司马迁出生在龙门，在龙门山以南过着耕种、畜牧的生活。十岁时开始诵读古文。二十岁时开始南下游江、淮一带，登过会稽山，探察过禹穴，到九嶷山窥过舜墓，泛舟在沅水湘江之上；向北到过汶水、泗水，在齐、鲁两地讲习儒家学业，领略了孔子的遗风，参加过邹县、峄山的乡射之礼；也曾受困于鄱、薛两县和彭城，后来经过梁国和楚国回到了家乡。司马迁由于父亲为官而得保任为郎中，奉命征伐巴蜀以南，到邛、笮、昆明等地考察，回京向皇帝报告视察结果。

是岁天子始建汉家之封，而太史公留滞周南，不得与从事，故发愤且卒。而子迁适使反，见父于河、洛之间。太史公执迁手而泣曰："余先周室之太史也。自上世尝显功名于虞夏，典天官事。后世中衰，绝于予乎？汝复为太史，则续吾祖矣。今天子接千岁之统，封泰山，而余不得从行，是命也夫，命也夫！余死，汝必为太史；为太史，无忘吾所欲论著矣。且夫孝始于事亲，中于事君，终于立身。扬名于后世，以显父母，此孝之大者。夫天下称诵周公，言其能论歌文、武之德，宣周、邵之风，达太王、王季之思虑，爰及公刘，以尊后稷也。幽、厉之后，王道缺，礼乐衰，孔子修旧起废，论《诗》、《书》，作《春秋》，则学者至今则之①。自获麟以来四百有余岁，而诸侯相兼，史记放绝②。今汉兴，海内一统，明主贤君忠臣死义之士，余为太史而弗论载，废天下之史文，余甚惧焉，汝其念哉！"迁俯首流涕曰："小子不敏，请悉论③先人所次④旧闻，弗敢阙。"

[注释]

①则之：奉以为准则、样板。则，遵守。②放绝：散乱丢失。③论：演绎，阐发。④次：编排，排列。

[译文]

元封元年，汉武帝开始举行汉朝的首次封禅活动，而司马谈因故不能随驾东行而滞留在洛阳一带，不能亲自参加去泰山的封禅活动，因此心中感到愤懑，得病将死。刚好他的儿子司马迁出使归来，父子在洛阳见了面。司马谈抓着司马迁的手哭着说："我们的先祖曾是周朝的太史。远在虞、夏时代就曾有过显著的功名，主掌天文之事。后来才慢慢衰落了，难道能让家族事业断绝在我这里吗？你如果能接任上太史，就会接续我们祖先的事业了。现在天子承接断绝了近千年的活动，在泰山举行封禅大典，而我却不能跟随同去，这是命啊，命啊！我死之后，你一定要做太史；做了太史，不要忘记我计划要撰写的史书啊。再说孝道最低是奉养双亲,中等是侍奉君主,最高的是要建功立业、扬名后世。扬名后世让父母感到荣耀,这是最大的孝道。天下人之所以要称颂周公,主要是说他能写文章、作诗来宣传、歌颂文王、武王的功业和道德,能使自己与召公的风教普行于天下,能阐发太王、王季的思想,再向上推到公刘,并推尊到周族的始祖后稷。周幽王、厉王以后,礼崩乐坏,王道秩序不复存在,孔子将破旧礼乐重新修好,将废弃的秩序重新组建,重新解释、阐发了《诗》、《书》,撰写了《春秋》,直到今天,学者仍然把它奉为样板、准则。从获麟事件到元封元年有四百来年,由于诸侯间相互兼并,各国写的史书丢弃殆尽。如今汉朝建立,国家统一,明主贤君忠臣死义之士的事迹,我作为太史都不能把它们记录下来,造成了天下修史的断绝,对此我深感惶恐,你可要记在心上啊!"司马迁低下头流着眼泪说:"儿子虽然不聪明,但我会阐发您所编排的历史资料,绝不会有半点缺漏。"

卒三岁而迁为太史令,紬①史记石室金匮②之书。五年而当太初元年,十一月甲子朔旦冬至,天历始改,建于明堂,诸神受纪③。

[注释]

①紬:读。②石室金匮:都是国家收藏图书、档案之处。③受纪:接受新历法。

[译文]

司马谈去世三年后司马迁任太史令,开始大量阅读石室金匮中收藏的档案文献。司马迁任太史令后的第五年正是太初元年,十一月初一是甲子日,这天早晨是冬至,从这天开始使用新历法,即"太初历",天子在明堂举行使用新历法的典礼,群神之主都接受了新历法。

太史公曰："先人①有言：'自周公卒五百岁而有孔子。孔子卒后至于今五百岁，有能②绍③明世，正《易传》，继《春秋》，本《诗》、《书》、《礼》、《乐》之际？'意在斯乎！意在斯乎！小子何敢让④焉。"

[注释]

①先人：司马谈。②有能：孰能。③绍：接续，继承。④让：拒绝，推辞。

[译文]

太史公说："父亲曾说过：'自周公死后五百年出了个孔子。孔子死后到现在又有五百年了，谁能继承并发扬古代圣世的事业，订正《易传》，续接《春秋》，遵循儒家《诗》、《书》、《礼》、《乐》这几部主要经典的精神，来进行自己的创作？'大概就是我吧！就是眼前的我吧！我又怎敢推辞呢。"

上大夫壶遂曰："昔孔子何为而作《春秋》哉？"太史公曰："余闻董生曰：'周道衰废，孔子为鲁司寇，诸侯害①之，大夫壅②之。孔子知言之不用，道之不行也，是非③二百四十二年之中，以为天下仪表，贬天子，退诸侯，讨大夫，以达王事而已矣。'子曰：'我欲载之空言，不如见之于行事之深切著④明也。'夫《春秋》，上明三王之道，下辨人事之纪⑤，别嫌疑，明是非，定犹豫，善善恶恶，贤贤贱不肖，存亡国，继绝世，补敝起废，王道之大者也。《易》著天地阴阳四时五行，故长于变；《礼》经纪⑥人伦，故长于行；《书》记先王之事，故长于政；《诗》记山川溪谷禽兽草木牝牡雌雄，故长于风；《乐》乐所以立，故长于和；《春秋》辩是非，故长于治人。是故《礼》以节人，《乐》以发和，《书》以道事，《诗》以达意，《易》以道化，

《春秋》以道义。拨乱世反之正,莫近于《春秋》。《春秋》文成数万,其指数千。万物之散聚⑦皆在《春秋》。《春秋》之中,弑君三十六,亡国五十二,诸侯奔走不得保其社稷者不可胜数。察其所以,皆失其本已。故《易》曰'失之豪厘,差以千里'。故曰'臣弑君,子弑父,非一旦一夕之故也,其渐久矣'。故有国者不可以不知《春秋》,前有谗而弗见,后有贼而不知。为人臣者不可以不知《春秋》,守经事而不知其宜,遭变事而不知其权⑧。为人君父而不通于《春秋》之义者,必蒙首恶之名。为人臣子而不通于《春秋》之义者,必陷篡弑之诛,死罪之名。其实皆以为善,为之不知其义,被⑨之空言而不敢辞。夫不通礼义之旨,至于君不君,臣不臣,父不父,子不子。夫君不君则犯,臣不臣则诛,父不父则无道,子不子则不孝。此四行者,天下之大过也。以天下之大过予之,则受而弗敢辞。故《春秋》者,礼义之大宗⑩也。夫礼禁未然之前,法施已然之后;法之所为用者易见,而礼之所为禁者难知。"

[注释]

①害:忌恨。②壅:阻挠,抑制。③是非:褒贬。④著:明显,鲜明。⑤纪:纲领。⑥经纪:安排,料理。⑦散聚:成败,盛衰。⑧权:权变,变通。⑨被:通"披",加。⑩大宗:根本。

[译文]

上大夫壶遂问道:"从前孔子为什么要写《春秋》呢?"司马迁说:"我听董仲舒先生讲:'当时周朝礼崩乐坏,国势衰微,孔子担任鲁国司寇,别的国家都很忌恨他,鲁国大夫压制、阻挠他。孔子知道自己的意见不被采纳,政治主张无法实行,就以《春秋》这部书来褒贬、评定整个春秋时代二百四十二年间的各国大事。给天下树立了一个如何治理天下的具有正反两方面意义的样板,抨击无道的天子,斥责那些无礼的诸侯,声讨乱政的大夫,来表达自己的王道理想。'孔子说：'我想把自己的思想用抽象的理论文章来表达，还不如写成一部有人物活动、有事件过程的历史书，这样就深刻、切实，清楚明了了。'《春秋》这部书，上能阐明三王的王道，下能辨别人与人之间的伦理纲常，将模糊不清的界限划分清楚，判明是非对错，下定决心，褒善贬恶，尊贤能，蔑视坏人，使将要灭亡的国家存在下去，让断绝了的帝王世系再继续下去，补救残败，振兴废弛，这是王道的最大事情。《周易》是专门记载天地阴阳、四时五行的，它最大的长处是讲变化；《礼》的功用是整顿人与人之间的伦常关系，它最大的长处在于实践；《书》记述尧、舜、夏、商、周历代先王的事迹，所以最适合给后世的治国者提供参考；《诗》记载山川溪谷、禽兽草木、牝牡雌雄，所以它的特点是用于讽谏；《乐》是让人快乐的，所以它的长处是能让人的心态平和；《春秋》是帮助人明辨是非的，所以它的历史经验可供统治者借鉴。由此可见《礼》是用来节制约束人的，《乐》是用来抒发人的平和之气的，《书》是来述说三王旧事的，《诗》是用来表达诗人的情志的，《易》是用来表现万物发展变化的状态的，《春秋》是用来告诉人该做什么，不该做什么的。《春秋》最能改造乱世，是使其走上秩序的精神武器。《春秋》不过数万字，而其要旨就有数千条。万物的盛衰成败都在《春秋》之中。在《春秋》一书中，记载弑君事件三十六起，被灭亡的国家五十二个，诸侯出奔逃亡不能保其国家的数不胜数。考察其变乱败亡的原因，都是丢掉了作为立国立身根本的春秋大义。所以《易》中讲'失之毫厘，差以千里'。说'臣弑君，子弑父，并非一朝一夕的缘故，其发展渐进已是很久了'。因此，做国君的不可以不了解《春秋》，否则即使面前站着个小人也会看不见，有个奸臣紧跟在后面也不会发现。做臣子的也是不可以不了解《春秋》，否则就只会在正常的情况下处理一般事物，遇到紧急情况不会灵活应对。做君王、父亲的人若不通晓《春秋》

的要义，必定会蒙受一个带头作恶的坏名声。做臣子、儿子的人假如不通晓《春秋》，必定会陷于篡位逆上被诛伐的境地，并蒙受死有余辜的罪名。也许他们开始都认为是好事而去做了，只因为不懂得《春秋》的大义，受到舆论的谴责也不敢为自己辩护。如不懂得礼义的基本原则，就会弄得当国君的不像国君，做臣子的不像臣子，做父亲的不像父亲，做儿子的不像儿子的地步。做国君的如果不像国君，就会受到臣下的侵犯；当臣子的如不像臣子，就会被国君杀掉；做父亲的如不像父亲，就会没有德行；做儿子如不像儿子就会是个不孝子。这四种恶行，是天下的大罪过。把天下的大罪过加在他身上，他也只得接受而不敢辩解。所以《春秋》是讲述礼义的根本大典。礼能教导人，使人避免犯罪；法律是惩治已经构成犯罪事实的人。法的作用显而易见，而礼防止人犯罪的效用很难被人重视。"

壶遂曰："孔子之时，上无明君，下不得任用，故作《春秋》，垂①空文以断礼义，当一王之法。今夫子上遇明天子，下得守职，万事既具，咸各序其宜②，夫子所论，欲以何明？"

[注释]

①垂：流传。②宜：如意，合适。

[译文]

壶遂说："孔子生活的那个年代，上面没有圣明的君主，下面的贤人又得不到重用，所以撰写了《春秋》，通过写《春秋》将其以礼义治世的思想展示给人，给世人制订了一部怎样治国平天下的大法。现在先生上有圣明的天子，下面的贤人能当官供职，全天下万事已经具备，而且各行各业都各得其所，先生您写《太史公书》，究竟想要说什么呢？"

太史公曰："唯唯①，否否，不然。余闻之先人曰：'伏羲至②纯厚，作《易》八卦。尧舜之盛，《尚书》载之，礼乐作焉。汤武之隆，诗人歌之。《春秋》采善贬恶，推三代之德，褒周室，非独刺讥而已也。'汉兴以来，至明天子，获符瑞③，封禅，改正朔④，易服色，受命于穆清⑤，泽流罔极⑥，海外殊俗，重译⑦款塞，请来献见者，不可胜道。臣下百官力诵圣德，犹不能宣尽其意。且士贤能而不用，有国者之耻；主上明圣而德不布闻，有司之过也。且余尝掌其官，废明圣盛德不载，灭功臣世家贤大夫之业不述，堕⑧先人所言，罪莫大焉。余所谓述故事，整齐其世传，非所谓作也，而君比之于《春秋》，谬矣。"

[注释]

①唯唯：相当于现代汉语的"是是"。②至：极。③符瑞：祥瑞的征兆，吉兆。④改正朔：修订历法。正，一年的开始。朔，一月的开始。正朔，即一年的第一天。⑤穆清：指天。⑥罔极：无边，无极。⑦重译：辗转翻译。⑧堕：毁坏。

[译文]

太史公说："您这个说法很对，只是，我不是这个意思。我听先父说过：'伏羲为帝的时候，那个时代最为纯厚，于是伏羲氏就画了代表当时文明的八卦。《尚书》中有《尧典》，记载了尧、舜时代的盛事，礼乐也在那个时代兴起。商汤、周武时代的功业，《诗经》对它们进行了歌颂。《春秋》扬善贬恶，推崇夏、商、周三代的德业，褒扬周王室，并非仅仅只是讽刺讥笑呀。'汉建国以来，一直到当今的英明天子，出现了许多上天所降的吉祥征兆，举行封禅大典，改订历法，改用新的车马、礼服的颜色，受命于上天，皇帝的恩泽远播无边，海外不同习俗的国家，经过几重的翻译来到我国，要求进献朝见天子的人更是不可胜数。朝中的臣子百官虽竭力颂扬天子的功德，但仍不能完全表达出自己的心意。假如有才能的人不被任用，是做国君的耻辱；君主圣明，但功德不能被传闻天下，这是主管该项事务的官员的过错。我如今担任着太史令的职务，如废弃圣明天子的德业而不去记载，埋没功臣、世家、贤大夫的功业而不加以叙述，这也违背了先父的临终嘱托，没有比这更大的罪过了。我所说的阐述以往的历史事件，把古代帝王、诸侯以及英雄豪杰们的世家、事迹加以排列，使之系统化，并不是如孔子那样的写作呀，而您拿这和《春秋》相比，那就错了。"

于是论次①其文。七年而太史公遭李陵之祸，幽于缧绁。乃喟然②而叹曰："是余之罪也夫！是余之罪也夫！身毁不用矣。"退而深惟③曰："夫《诗》、《书》隐约者，欲遂④其志之思也。昔西伯拘羑里，演《周易》；孔子厄陈、蔡，作《春秋》；屈原放逐，著《离骚》；左丘失明，厥有《国语》；孙子膑脚，而论兵法；不韦迁蜀，世传《吕览》；韩非囚秦，《说难》、《孤愤》；《诗》三百篇，大抵贤圣发愤之所为作也。此人⑤皆意有所郁结⑥，不得通其道也，故述往事，思来者。"于是卒述陶唐以来，至于麟止，自黄帝始。

[注释]

①论次：阐述，编排，按次序论述。②喟然：伤心的样子。③惟：思，考虑。④遂：表达。⑤此人：这些人。⑥郁结：郁闷，纠结。

[译文]

于是司马迁就开始写作《史记》。天汉三年，司马迁因议论李陵之事下狱，并受官刑。于是感叹道："这是我的罪过吗？这是我的罪过啊！我的身体已毁掉了。"但静心深思后又认为："《诗》、《书》之所以有些地方写得含蓄隐讳，那是作者出于要表达自己思想的需要。从前周文王被囚禁在羑里的时候，将《周易》的八卦推衍成了六十四卦；孔子曾在陈、蔡之地遭遇困厄，发愤而写成《春秋》；屈原由于被放逐，写了《离骚》；左丘明双目失明，才编写了《国语》；孙膑被庞涓挖去膝盖骨，才有兵法传世；吕不韦被流放巴蜀，世上才会有《吕览》；韩非被囚禁在秦国，才写有《说难》、《孤愤》；《诗》三百篇，大抵都是圣贤发心中愤懑而写的。以上这些人都是心中聚集郁闷忧愁，无法实现自己的理想、主张，只好借阐述历史往事，以寄希望于未来。"于是，司马迁就从黄帝开始记述，一直到汉武帝获麟为止。

维①昔黄帝，法天则地，四圣遵序，各成法度；唐尧逊位②，虞舜不台③；厥④美帝功，万世载之。作《五帝本纪》第一。

[注释]

①维：发语词。也可作思念讲。②逊位：让位。③台：通"怡"，快乐，高兴。④厥：其，他，他的。

[译文]

从前的黄帝以天地为法则，后来的颛顼、帝喾、尧、舜四位圣人都相继遵循黄帝的秩序，各自建立了一套法度秩序；唐尧让位给虞舜，虞舜深感不安，怕自己不能胜任其职；舜发扬光大了尧的事业，得到了万世的拥戴。作《五帝本纪》第一。

维禹之功，九州攸①同②，光唐虞际，德流苗裔；夏桀淫骄，乃放鸣条。作《夏本纪》第二。

[注释]

①攸：发语词。②同：统一。

[译文]

大禹治水之功，九州统一，获得治理，得以安定，在尧舜时期就已有名望，德惠延及后世；夏桀由于荒淫骄横，被放逐到鸣条。作《夏本纪》第二。

维契作①商，爰②及成汤；太甲居桐，德盛阿衡；武丁得说，乃称高宗；帝辛湛湎③，诸侯不享④。作《殷本纪》第三。

[注释]

①作：振作，使之兴起。②爰：于是。③湛湎：即沉湎，沉溺于。④享：朝拜，拥戴。

[译文]

契使商朝兴起，发展到成汤；太甲因暴虐被放逐桐地反省思过，伊尹功德隆盛；武丁得到了傅说的辅佐而有成就，才有"高宗"庙号；帝辛沉湎酒色，诸侯不再拥戴商朝，不再朝拜，商朝分崩离析。作《殷本纪》第三。

维弃作稷，德盛西伯；武王牧野，实①抚天下；幽、厉昏乱，既丧酆、镐；陵迟②至赧，洛邑不祀③。作《周本纪》第四。

[注释]

①实：发语词。②陵迟：逐渐衰落。③不祀：不被祭祀，指王朝衰落。

[译文]

弃创始了农业，周文王的功德隆盛到了顶点；武王在牧野伐纣，胜利后统治了全国；幽王、厉王昏庸无道，丧失了酆、镐二都；王室逐渐衰落直至赧王，东周灭亡。作《周本纪》第四。

维秦之先，伯翳佐禹；穆公思义①，悼豪②之旅；以人为殉，诗歌《黄鸟》；昭襄业帝。作《秦本纪》第五。

[注释]

①思义：后悔。②豪：即崤山。

[译文]

秦的祖先伯翳，曾经辅佐大禹；秦穆公后悔至极，哀悼在崤山阵亡的秦国将士；穆公死后以活人殉葬，《诗经·秦风·黄鸟》有这方面的内容；秦昭王为秦统一称帝的大业奠定了基础。作《秦本纪》第五。

始皇即立，并兼六国；销锋①铸锯，维偃②干革③，尊号称帝，矜武任力；二世受运，子婴降虏。作《始皇本纪》第六。

[注释]

①锋：兵器。②偃：放倒，收起。③干革：兵器与铠甲。

[译文]

秦嬴政继位为王，兼并了六国；销毁兵器，铸为钟锯，为的是日后不再有战争，尊号称为皇帝，一味依仗武力，不讲德制；秦二世继位称帝，子婴向人投降做了俘虏。作《始皇本纪》第六。

秦失其道，豪桀并扰；项梁业①之，子羽②接之；杀庆救赵，诸侯立之；诛婴背怀，天下非之。作《项羽本纪》第七。

[注释]

①业：创业，打基础。②子羽：即项羽。

[译文]

秦朝丧失王道，豪杰并起纷争；项梁打下了基础，项羽接着继续做；项羽杀了宋义，夺得兵权解救了赵国，诸侯拥立他为上将军；可他将子婴杀死，又违背怀王的盟约，天下都反对他。作《项羽本纪》第七。

子羽暴虐，汉行功德；愤发蜀汉，还定三秦；诛籍业帝，天下惟宁，改制易俗。作《高祖本纪》第八。

[译文]

项羽残酷暴虐，汉王刘邦施行仁爱；在巴、蜀、汉中一带整合力量，还军北上平定三秦；破杀项羽，建立帝业，天下遂得以安定，又改革制度，变化风俗。作《高祖本纪》第八。

惠之早霣^①，诸吕不台；崇强禄、产，诸侯谋之；杀隐幽友，大臣洞疑^②，遂及宗祸。作《吕太后本纪》第九。

[注释]

①霣：同"殒"，坠落。这里指死亡。②洞疑：恐惧，疑虑。洞，通"恫"。

[译文]

惠帝过早去世，吕产等吕氏的行为不为刘氏宗室及元老所悦；吕后提高吕禄、吕产的地位，扩充吕氏势力，诸侯图谋剪除他们；吕后杀害了赵王如意，囚禁了赵王的儿子刘友，朝中大臣恐惧、疑虑，终于导致吕氏宗族覆灭之祸。作《吕太后本纪》第九。

汉既初兴，继嗣不明，迎王践祚，天下归心；蠲^①除肉刑，开通关梁^②，广恩博施，厥称太宗。作《孝文本纪》第十。

[注释]

①蠲：免除。②关梁：关隘，渡口。

[译文]

汉朝建国不久，惠帝死后帝位继承人不明，就迎立代王刘恒为帝，天下才安定下来；文帝废除肉刑，解除国内各地间来往的限制，广布恩惠，死后被称为太宗。作《孝文本纪》第十。

诸侯骄恣，吴首为乱，京师行诛，七国伏辜，天下翕然^①，大安殷富。作《孝景本纪》第十一。

[注释]

①翕然：服帖的样子。

[译文]

诸侯王骄横放肆,吴王刘濞带头兴兵作乱,朝廷派兵讨伐,叛乱七国被打败消灭,诸侯服帖,天下太平富裕。作《孝景本纪》第十一。

汉兴五世,隆①在建元,外攘②夷狄,内修法度,封禅,改正朔,易服色。作《今上本纪》第十二。

[注释]

①隆:盛,兴盛。②攘:击。

[译文]

汉朝发展到第五代皇帝的建元年间,国家进入了隆盛时期,对外攻打异族人,对内建立各种礼法制度,到泰山举行封禅,改用新历法,改变车服颜色等。作《今上本纪》第十二。

维三代①尚②矣,年纪不可考,盖取之谱牒旧闻,本于兹,于是略推,作《三代世表》第一。

[注释]

①三代:指夏、商、周三朝。②尚:年代久远。

[译文]

夏、商、周三朝年代久远,具体年代已不可考,大致取之于战国时流行的世袭、年谱一类的书,根据这些东西,进行大概推断排列,作《三代世表》第一。

幽、厉之后,周室衰微,诸侯专政,《春秋》有所不纪;而谱牒经①略,五霸更②盛衰,欲睹周世相先后之意,作《十二诸侯年表》第二。

[注释]

①经：纲领。②更：交互。

[译文]

幽、厉王之后，周王室衰落，诸侯称霸，号令天下，《春秋》那部书过于简略，许多事情没有记载；而谱牒之类的书光有一个纲要，记述的就更为简单，而各个霸主又是此起彼落，为考察周朝诸多事件的先后顺序，作《十二诸侯年表》第二。

春秋之后，陪臣①秉政，强国相王；以至于秦，卒并诸夏，灭封地，擅其号。作《六国年表》第三。

[注释]

①陪臣：诸侯国的大夫。

[译文]

春秋以后，各诸侯国的大夫分别掌管了各国的政权，各大国逐渐改号称王；等到秦国强大后，把华夏诸国吞并殆尽，秦王嬴政统一以后，不再实行分封，而是自称"皇帝"。作《六国年表》第三。

秦既暴虐，楚人发难，项氏遂乱，汉乃扶义征伐；八年之间，天下三嬗①，事繁变众，故详著《秦楚之际月表》第四。

[注释]

①嬗：变化。

[译文]

秦朝实行暴政，楚人陈胜等带头起兵反秦，项羽又接着采取一系列的暴行，于是，汉王刘邦才是奉行仁义的征伐；八年之间，国家政权三易其主，事变纷繁复杂，所以详作《秦楚之际月表》第四。

汉兴已来，至于太初百年，诸侯废立分削，谱纪不明，有司靡踵①，强弱之原云以世。作《汉兴已来诸侯年表》第五。

[注释]

①踵：跟随，继承。

[译文]

汉朝从刘邦兴建以来，直到武帝太初元年的一百年间，诸侯废立的事情众多，而旧有的谱牒对这些叙述不清，使后来主管这方面的官员无法接着往下记载，为了能推知诸侯强弱的原因，作《汉兴已来诸侯年表》第五。

维高祖元功，辅臣股肱①，剖符而爵，泽流苗裔，忘其昭穆，或杀身陨国。作《高祖功臣侯者年表》第六。

[注释]

①股肱：大腿和手臂。比喻辅佐君王的大臣。这里指辅佐君王得力的人。

[译文]

高祖时的元老、功臣，都是辅佐他创业的大臣，帝王与他们剖符为信，封以王爵，让他们的后人世世代代享受帝王的恩泽，为了不使他们的承继关系不明，封国被灭，作《高祖功臣侯者年表》第六。

惠景之间，维申①功臣宗属爵邑，作《惠景间侯者年表》第七。

[注释]

①申：同"伸"，舒展，增加。

[译文]

惠帝、景帝年间，增封一些功臣的家属、后代，作《惠景间侯者年表》第七。

北讨强胡，南诛劲越，征伐夷蛮，武功爰①列。作《建元以来侯者年表》第八。

[注释]

①爰：于是。

[译文]

北攻匈奴，南讨越人，征伐四方，因而使许多人建立武功，所以作《建元以来侯者年表》第八。

诸侯既强，七国为从①，子弟众多，无爵封邑，推恩行义，其势销弱②，德归京师。作《王子侯者年表》第九。

[注释]

①从：同"纵"，联合。②销弱：削弱。

[译文]

那些被封为王的刘姓子弟日渐强大，吴楚等七国联合起来反抗朝廷，按规定，只有嫡长子才能继承父位称王，其他弟兄则通通没份儿，朝廷实行"推恩令"，各个诸侯国就在无形当中被化整为零，王国势力日益削弱，那些本来不该受封的人被封侯，都感谢皇帝的恩德。作《王子侯者年表》第九。

国有贤相良将，民之师表也。维见①汉兴以来将相名臣年表，贤者记其治，不贤者彰其事。作《汉兴以来将相名臣年表》第十。

[注释]

①见：谱列。

[译文]

国家的贤相良将,是民众的表率。将汉兴以来将相名臣的事迹列成年表,对贤者记下他们的功绩,对不贤者则表明他们的劣迹,作《汉兴以来将相名臣年表》第十。

维三代之礼,所损益各殊务①,然要以近性情,通王道,故礼因人质为之节文,略协②古今之变。作《礼书》第一。

[注释]

①务:问题。②协:顺应,协调。

[译文]

夏、商、周三代的礼仪有所不同,都是为了解决不同的问题而做了适当的增减,但重要的是在切于人情、合乎大道,所以礼要依照人们的实际情况而加以装点修饰,大体顺应着古往今来的礼的发展变化,作《礼书》第一。

乐者,所以移风易俗也。自《雅》、《颂》声兴,则已好郑卫之音,郑卫之音所从来久矣。人情之所感,远俗①则怀。比②《乐书》以述来古,作《乐书》第二。

[注释]

①远俗:鄙远庸俗之人。②比:编排,整理。

[译文]

乐是用来移风易俗的。自《雅》、《颂》两部分音乐兴起,人们就已经喜好郑、卫两地的音乐了,郑卫之音虽然格调不高,但由来已久了。人情被音乐所感动,即使偏远之地的俗人也会怀德向善。编排、整理《乐书》是为讲述自古以来音乐的兴衰,作《乐书》第二。

非兵不强,非德不昌,黄帝、汤、武以兴,桀、纣、二世以崩,可不慎欤?《司马法》所从来尚矣,太公、孙、吴、王子能绍而明之,切①近世,极人变。作《律书》第三。

[注释]

①切:切合,切近。

[译文]

没有军队国家就不会强大,没有德政国家就不能昌盛,黄帝、商汤、周武王都是因此而兴盛的,夏桀、商纣、秦二世都是因为好用武力而灭亡的,怎么可以对用兵不慎重呢?《司马法》产生已很久了,姜太公、孙武、吴起、王子成甫都能继承《司马法》的精神,而且能进一步发扬它,并能根据近代社会的具体情况,充分发挥一个军事家的才略。作《律书》第三。

律居阴而治阳,历居阳而治阴,律历更相治,间不容翲忽①。五家之文怫异②,维太初之元论。作《历书》第四。

[注释]

①翲忽:毫厘。②怫异:乖异。怫,通"悖"。

[译文]

音律为阴而治阳,历法为阳而治阴,律历交替相治,来不得一丝一毫的错误。原有的五家历书参差抵牾,不相通,只有太初元年所用的历法最好。作《历书》第四。

星气之书,多杂禨祥,不经①;推其文,考其应,不殊②。比集论其行事,验于轨度以次,作《天官书》第五。

[注释]

①不经:荒诞,不合实际。②不殊:没有两样。

[译文]

占测星、气变化的书，多杂有侈谈人世祸福的成分，荒诞不经；按照它的说法，考察其应验，又往往的确相吻合。编排解释这些与天文有关的人和事，对日月星辰的运行轨道和参数进行验证，并加以记录，作《天官书》第五。

受命而王，封禅之符罕用，用则万灵罔不禋祀①。追本诸神名山大川礼，作《封禅书》第六。

[注释]

①禋祀：祭祀。禋，祭。

[译文]

承受天命做了帝王，举行过封禅大典的帝王占少数，如果举行，那一切神灵全部获得祭祀。考察历代祭祀天地鬼神名山大川的礼节，作《封禅书》第六。

维禹浚川，九州攸宁；爰及宣防，决渎通沟。作《河渠书》第七。

[译文]

大禹疏导百川，全国获得安宁；等到汉武帝堵塞黄河决口的时候，又开挖了许多河道、沟渠。作《河渠书》第七。

维币之行①，以通农商；其极则玩巧，并兼兹②殖，争于机利，去本趋末。作《平准书》以观事变，第八。

[注释]

①行：流通。②兹：通"滋"，更加。

[译文]

货币的流通，是为沟通农商间的交流；其弊端的顶点就是投机取巧，为了赚钱相互兼并，争相玩心计、耍手段，丢掉农业而去经商赚钱。作《平准书》来观察经济方面的变化发展规律，这是第八。

太伯避历，江蛮是适；文武攸兴，古公王迹。阖庐弑僚，宾服荆楚；夫差克齐，子胥鸱夷①；信嚭亲越，吴国既灭。嘉伯之让，作《吴世家》第一。

［注释］

①鸱夷：革囊，皮制口袋。

［译文］

太伯为让位给季历，远远地躲避到了长江以南的蛮荒之地；文王、武王之所以能使周朝兴盛，是因为在古公亶父的时候，已经有称王的迹象了。阖闾刺杀吴王僚，夺得了王位，使楚国臣服于吴国；夫差北上伐齐国，伍子胥坚决反对，被夫差赐剑自杀，尸体被装入口袋投到江中；夫差听信奸臣伯嚭鼓动，亲越国伐齐国，吴国遭到齐国的削弱，最终被越国所灭。太史公称赞太伯让位的举止，所以作《吴世家》第一。

申、吕肖①矣，尚父侧微②，卒归西伯，文武是师；功冠群公，缪③权于幽；番番④黄发，爰飨营丘。不背柯盟，桓公以昌，九合诸侯，霸功显彰。田阚争宠，姜姓解亡⑤。嘉父之谋，作《齐太公世家》第二。

［注释］

①肖：衰微。②侧微：低微，卑贱。③缪：绸缪，紧缠密绕。此处意为周密。④番番：老人头发黄白的样子。⑤解亡：瓦解，灭亡。

［译文］

申、吕两诸侯国衰弱，因此姜尚的出身就很微贱了，他一生不遇，到晚年才投归文王，当文王、武王两代的军师；他的功劳为群臣之首，并善于在暗中出谋划策；他的头发黄白，享有营丘一带的封地。齐桓公没有背弃与鲁国在柯地所订立的盟约，赢得了诸侯们的拥护，事业因此而兴旺，多次以霸主的身份召集诸侯会盟，地位、功业显赫。田常与阚止争宠，姜姓的齐国成为田氏的傀儡，于是姜姓之齐国彻底灭亡了。为赞美姜尚辅佐周灭商的谋略，作《齐太公世家》第二。

依之违之，周公绥①之；愤发②文德，天下和之；辅翼③成王，诸侯宗周。隐桓之际，是独何哉？三桓争强，鲁乃不昌。嘉旦《金縢》，作《周公世家》第三。

[注释]

①绥：安定。②愤发：努力推行。③辅翼：辅佐。

[译文]

周公执政时，有的诸侯听从周公，有的诸侯违抗作乱，周公想办法把他们都平定下来；他努力推行礼、乐，得到天下的响应遵循；尽心辅佐成王，诸侯都归附并承认周天子为自己的宗主。隐公、桓公的时候，怎么会屡屡发生悖德非礼之事呢？桓公的三子争权，鲁君成为傀儡，鲁国国运于是不昌。为赞美周公的耿耿忠心，作《周公世家》第三。

武王克纣，天下未协①而崩。成王既幼，管、蔡疑之，淮夷叛之，于是召公率德，安集王室，以宁东土。燕哙之禅，乃成祸乱。嘉《甘棠》之诗，作《燕世家》第四。

[注释]

①未协：尚未安定。

[译文]

武王战胜商纣，天下尚未安定他便驾崩。成王年幼，管叔、蔡叔怀疑周公篡位，勾结淮河下游的少数民族一起发动叛乱，于是召公带头遵循德义支持周公，共同平定叛乱，维护了王朝中央。燕哙的禅位闹剧，造成了国家大乱，几乎到了亡国的地步。欣赏《甘棠》对召公的赞美，作《燕世家》第四。

管、蔡相武庚，将宁旧商；及旦摄政，二叔不飨①；杀鲜放度，周公为盟；大任十子，周以宗强。嘉仲悔过，作《管蔡世家》第五。

[注释]

①飨：同"享"，朝见。

[译文]

管、蔡二叔监督武庚，为的是安定商朝的旧部；周公旦摄政，管、蔡二叔不服发动叛乱；周公便杀了管叔鲜，流放了蔡叔度，周公又把商朝的遗民分封给康叔和微子；武王有十个同胞兄弟，所以周朝王室得以巩固。赞许蔡叔能够悔过，作《管蔡世家》第五。

王后不绝，舜禹是说①，维德休明②，苗裔蒙烈③。百世享祀，爰周陈、杞，楚实灭之。齐田既起，舜何人哉？作《陈杞世家》第六。

[注释]

①说：通"悦"，喜悦。②休明：美好，圣明。休，美。③烈：业，功业。这里指恩泽。

[译文]

有圣德的帝王是不会断绝祭祀的，舜、禹的在天之灵应该因自己的后代受封而感到高兴；他们的功德美好圣明，后代蒙受恩泽，继承功业。他们的百代子孙享受祭祀，到了周朝，又封有陈国、杞国两个国家，后被楚国灭掉。可陈国的后代田氏却又在齐国发达起来了，舜是位多么了不起的人啊！作《陈杞世家》第六。

收殷余民，叔封始邑，申①以商乱，《酒》、《材》是告，及朔之生，卫顷不宁；南子恶蒯聩，子父易名。周德卑微，战国既强，卫以小弱，角独后亡。嘉彼《康诰》，作《卫世家》第七。

[注释]

①申：申饬，告诫。

[译文]

为了管理商朝的遗民，封康叔到商都建立卫国。为让弟弟从商朝的灭亡中吸取教训，周公写了《酒诰》、《梓材》等来告诫他。到惠公继位，国人不服，因此卫国变乱丛生，国家不宁；南子憎恶蒯聩，造成父子、君臣的名分颠倒错位。战国时周天子势力衰微，成为傀儡，七个诸侯国日益强大，一个不起眼的卫国居然在其他大国灭亡后才被灭。赞美康叔能谨遵《康诰》中的教诲，作《卫世家》第七。

嗟箕子乎！嗟箕子乎！正言不用，乃反为奴。武庚既死，周封微子。襄公伤于泓，君子孰称。景公谦德，荧惑退行。剔成暴虐，宋乃灭亡。嘉微子问太师，作《宋世家》第八。

[译文]

可叹啊，箕子！可叹啊，箕子！正确的意见没有被采纳，反被迫害装疯为奴。武庚死后，周朝封纣王的庶兄微子到宋。宋襄公在泓水之战中兵败受伤，但却得到了君子的盛赞。景公宁愿自身承担灾相，结果感动了上天，荧惑偏了三度，在心宿旁边擦过去了。剔成的弟弟偃暴虐无道，宋国因而灭亡。赞美微子向太师求教，作

《宋世家》第八。

武王既崩，叔虞邑唐。君子讥名，卒灭武公。骊姬之爱，乱者五世；重耳不得意，乃能成霸。六卿专权，晋国以秏。嘉文公锡珪鬯，作《晋世家》第九。

[译文]

武王去世后，叔虞在唐邑建国。有人讥讽晋穆侯为长子取不吉利的名的事，后来他的后代果真被曲沃武公消灭。献公晚年宠爱骊姬，杀太子申生，导致晋国乱了五世；献公的儿子重耳历经种种曲折磨难，才称霸诸侯。春秋后期，晋国六家公卿掌握大权，晋国衰竭。赞美文公因功得周天子赐珪鬯，命文公为霸主之事，作《晋世家》第九。

重黎业之，吴回接之；殷之季世，粥子①牒之。周用熊绎，熊渠是继。庄王之贤，乃复国陈；既赦郑伯，班师华元。怀王客死，兰咎屈原；好谀信谗，楚并于秦。嘉庄王之义，作《楚世家》第十。

[注释]

①粥子：即粥熊。

[译文]

重黎开始为楚国创下基业，吴回接续重黎的事业；殷商末年，从粥熊起，楚国的世系才有谱牒记载。周成王任用熊绎，被封于楚地，熊渠继承先世之业，曾一度自己称王。楚庄王贤明，在陈灵公被杀之际又将陈国恢复；赦免了郑伯，由于宋将华元的活动，庄王称赞他们的信义，于是命令楚军班师回国。怀王的儿子子兰怂恿父亲楚怀王去秦国，结果怀王被秦昭王扣留，死在了秦国，且子兰因屈原劝怀王不要去秦，而变本加厉地迫害屈原；楚幽王听信李园的谗言杀害了春申君,终于导致楚国被秦灭亡。赞美庄王的义举,作《楚世家》第十。

少康之子,实宾①南海,文身断发,鼋②鳝③与处,既守封、禺,奉禹之祀。句践困彼,乃用种、蠡。嘉句践夷蛮能修其德,灭强吴以尊周室,作《赵王句践世家》第十一。

[注释]

①宾:同"滨",邻近。②鼋:大龟。③鳝:同"鳝",鳝鱼。

[译文]

少康的儿子被封在邻近南方的海滨,纹身断发,与水族动物相处,世代守在封山、禺山,来主持对大禹的祭祀。句践受到夫差的困辱,于是信用文种、范蠡。赞美句践忍辱发愤、终于复仇的行为,消灭强大吴国后,曾在徐州会诸侯,尊奉周室,作《越王句践世家》第十一。

桓公之东,太史是庸①。及侵周禾,王人是议。祭仲要②盟,郑久不昌。子产之仁,绍世称贤。三晋侵伐,郑纳于韩。嘉厉公纳惠王,作《郑世家》第十二。

[注释]

①庸:用,采用。②要:被迫,要挟。

[译文]

郑桓公东迁都城,是采用了太史伯的建议。后来,郑庄公抢收周国的小麦,周国人开始非议郑国。宋国诱捕郑国宠臣祭仲,迫使他驱逐昭公,改立厉公,郑国局势长期动荡不安。郑国的贤臣子产的作为,一连得到几代的称道。三晋侵伐郑国,致使郑国最后被韩国灭亡。赞美郑厉公出兵杀王子颓,使得惠王重新复位,作《郑世家》第十二。

维骥騄耳,乃章①造父。赵夙事献,衰续厥绪。佐文尊王,卒为晋辅。襄子困辱,乃禽智伯。主父生缚②,饿死探爵③。王迁辟淫,良将是斥。嘉鞅讨周乱,作《赵世家》第十三。

[注释]

①章:显,闻名。②生缚:指被围困。③爵:通"雀"。

[译文]

赵国的远祖造父就是靠着驯马赶车而闻名的。赵夙侍奉晋献公,赵衰继承了他父亲的传统,先跟随重耳流亡,后帮助其回国,又辅佐他成为霸主,率领诸侯拥戴周天子,成为晋国的辅弼大臣。赵襄子遭到韩、魏的围困,而他却策动韩、魏两国倒戈,共灭了智伯。赵武灵王由于长子作乱遭围困,掏雀巢取卵来充饥,最后被饿死。赵王迁听信郭开的谗言,袭杀良将李牧,赵国便被秦国所灭。表彰赵简子帮助周国平定王室之乱,作《赵世家》第十三。

毕万爵魏,卜人知之。及绛戮①干,戎翟和之②。文侯慕义,子夏师之。惠王自矜,齐秦攻之。既疑信陵,诸侯罢之。卒亡大梁,王假厮③之。嘉武佐晋文申霸道,作《魏世家》第十四。

[注释]

①戮:羞辱。②翟:通"狄"。我国古代北部的少数民族。③厮:奴仆。

[译文]

毕万因军功被封在魏地,于是卜偃就根据这个名"万"的人被封于魏,断定这个家族的后代必然昌盛发达。等到魏绛时,有一天他在训练军队,羊干乘车扰乱军阵,魏绛便杀了他的车夫,以示严惩。后来魏绛又为晋国和好戎翟,稳固了晋国的边陲。魏文侯好礼仪,曾跟子夏学习儒术。惠王骄傲自大,多次被齐国、秦国打败。安釐王听信谗言,怀疑信陵君,免了信陵君的职位,于是诸侯联盟瓦解。秦兵用河水灌大梁,魏国终于被秦所灭,魏王假做了奴仆。赞美魏武子随文公流亡,佐助晋文公即位并成就霸业,作《魏世家》第十四。

韩厥阴德,赵武攸兴。绍绝立废,晋人宗①之。昭侯显列,申子庸之。疑非不信,秦人袭之。嘉厥辅晋匡周天子之赋,作《韩世家》第十五。

[注释]

①宗:尊崇。

[译文]

韩厥暗中帮助救护赵氏孤儿赵武,从而使赵武日后东山再起,重振赵氏家族。使绝废的赵氏家族得以延续重立,晋人都尊崇他。韩昭侯重用申不害变法,使韩国扬名于同列诸侯。韩王怀疑韩非而不信用他,后来韩非入秦反韩,秦出兵攻灭韩国。赞赏韩厥辅佐晋君,匡正周王室,作《韩世家》第十五。

完子避难,适齐为援,阴施五世,齐人歌之。成子得政,田和为侯。王建动心,乃迁于共。嘉威、宣能拨浊世而独宗周,作《田敬仲完世家》第十六。

[译文]

陈完为避祸患逃往齐国,改姓田氏,受到了齐国的优待,田完的五世孙田乞在齐国掌握大权,他以大斗放粮、小斗收债的办法,暗中收买人心,得到了齐国百姓的歌颂。田常弑简公、立平公,独揽齐国政权,从田和起,田氏正式列为诸侯。齐王建听从亲秦派的怂恿,长期亲秦,致使齐国不战而亡,齐王建也被迁移到了共邑。赞赏齐威王、齐宣王能在那种时代仍对周天子表示相当的尊崇,作《田敬仲完世家》第十六。

周室既衰，诸侯恣行①。仲尼悼礼废乐崩，追修经术，以达王道，匡②乱世反之于正，见其文辞，为天下制仪法，垂六艺之统纪于后世，作《孔子世家》第十七。

[注释]

①恣行：任意而行。②匡：扶正。

[译文]

周王室已经衰落，诸侯任意而行。孔子伤感于礼乐崩毁，因此退而研究经术，来宣传王者之道，扶正乱世，让它重归于王道，著书立说，将自己的治世理想通过文章表现出来，为天下人树立一种样板，使《诗》、《书》、《礼》、《乐》、《易》、《春秋》六种著作成为经典一直流传下来，作《孔子世家》第十七。

桀、纣失其道而汤、武作①，周失其道而《春秋》作。秦失其政，而陈涉发迹，诸侯作难，风起云蒸，卒亡秦族。天下之端，自涉发难。作《陈涉世家》第十八。

[注释]

①作：兴起。

[译文]

桀、纣无道而汤、武兴起，周朝后来失去王道而有了孔子《春秋》一书的问世。秦失掉为政之道，引发了陈涉反秦起义，各地诸侯相继造反，风起云涌，终于灭掉秦国。天下亡秦的开始，发端于陈涉起义。作《陈涉世家》第十八。

成皋之台，薄氏始基。诎①意适代，厥崇诸窦。栗姬偩②贵，王氏乃遂。陈后太骄，卒尊子夫。嘉夫德若斯，作《外戚世家》第十九。

[注释]

①诎：委屈。②倗：同"负"，依仗。

[译文]

成皋台为薄姬日后的发达奠定了基础，因刘邦召幸，生了文帝。文帝的皇后窦氏原来是吕后的宫女，被管事人误派到代国，开始觉得很委屈，不料在代国受到文帝的宠幸，入朝当了皇后，她的族人也跟着她发迹封侯。栗姬依仗太子刘荣的地位骄贵于人，遭妒忌被废掉，王夫人就被立为皇后。陈皇后阿娇过于骄横，武帝遂改立卫子夫为皇后。赞美汉代的皇后们有如此好的德行，作《外戚世家》第十九。

汉既谲①谋，禽信于陈；越荆剽轻②，乃封弟交为楚王，爰都彭城，以强淮泗，为汉宗藩。戊溺于邪，礼复绍之。嘉游辅祖，作《楚元王世家》第二十。

[注释]

①谲：诡诈。②剽轻：剽悍而好战。

[译文]

汉高祖使用阴谋诡计，在陈郡袭捕了韩信；楚越一带的人剽悍而好战，须加以控制，于是封其弟刘交做了楚王，建都在彭城，以加强淮河、泗水一带的守卫，成为汉朝中央的藩篱和屏障。刘交的孙子刘戊伙同吴王刘濞叛乱，兵败自杀，朝廷改封其子刘礼为楚王，继承刘交的基业。赞赏刘交能辅佐高祖，作《楚元王世家》第二十。

维祖师旅，刘贾是兴；为布所袭，丧其荆、吴。营陵激吕，乃王琅邪；怵①午信齐，往而不归，遂西入关，遭立孝文，获复王燕。天下未集②,贾、泽以族,为汉藩辅,作《荆燕世家》第二十一。

[注释]

①怵:骗,被骗。②集:归附。

[译文]

从刘邦起兵反秦的第一天起,刘贾就加入进去了;后来黥布在淮南造反,袭击刘贾,刘贾兵败被杀,丧失了他的荆、吴之地。营陵侯刘泽派人劝说吕后封诸吕为王,而自己也被封为琅邪王;吕后死后,刘襄起兵讨诸吕,派将军祝午诱骗刘泽,刘泽信以为真,结果被齐王刘襄所扣留,而刘泽谎说自己入朝可以说服诸臣立刘襄为帝,刘襄也信以为真,让他西去长安,刘泽参与了周勃等人拥立文帝的事,被文帝改封为燕王。天下还未完全安定之时,刘贾、刘泽以刘邦同族兄弟的身份被封为王,成为朝廷的屏障,作《荆燕世家》第二十一。

天下已平,亲属既寡;悼惠先壮①,实镇东土。哀王擅兴②,发怒诸吕,驷钧暴戾,京师弗许。厉之内淫,祸成主父。嘉肥股肱,作《齐悼惠王世家》第二十二。

[注释]

①壮:成人。②擅兴:擅自兴兵。

[译文]

天下平定后,高祖亲属已不多。齐悼惠王刘肥在刘邦的儿子中年龄最大,被封为齐王镇守东土。齐哀王刘襄率先起兵讨诸吕,在立谁为帝的问题上,有人以刘襄舅舅驷钧为人粗暴乖戾为由,反对朝廷立刘襄为帝。齐厉王与其姊通奸,武帝派主父偃查办,主父偃公报私仇,小题大做,致使齐厉王杀身绝国。赞许当初悼惠王刘肥为朝廷起了左膀右臂的作用,作《齐悼惠王世家》第二十二。

楚人围我荥阳，相守①三年；萧何填②抚山西，推计③踵④兵，给粮食不绝，使百姓爱汉，不乐为楚。作《萧相国世家》第二十三。

[注释]

①相守：相峙。②填：同"镇"，安定。③计：户籍。④踵：继续。

[译文]

刘邦与项羽在荥阳一带对峙，刘邦多次被困吃紧，这样相持三年；萧何为刘邦镇守关中后方，按户籍抽调兵员，不断补充前线的兵粮供给，并使百姓一心只爱戴汉王，不去为楚王出力。作《萧相国世家》第二十三。

与信定魏，破赵拔齐，遂弱楚人。续何相国，不变不革，黎庶攸宁。嘉参不伐①功矜能，作《曹相国世家》第二十四。

[注释]

①伐：夸耀。

[译文]

在楚汉战争中，曹参曾先后跟随韩信破赵、取齐，削弱楚霸王的势力。萧何死后接替相国之职，一切遵照萧何的章程办事，百姓得以安宁。赞美曹参不夸耀自己的功劳，不张扬自己的才干，作《曹相国世家》第二十四。

运筹①帷幄之中，制胜于无形，子房计谋其事，无知名，无勇功，图难于易，为大于细。作《留侯世家》第二十五。

[注释]

①运筹：运用筹码进行计算，指定计。

[译文]

帷幄之中定计,形迹未显现就获得了胜利,这是张良的强项;这些看起来像是没干过出名的大事,没立过勇敢的功勋,这也正是所谓的解决问题于萌芽状态,以防止大问题的形成。作《留侯世家》第二十五。

六奇既用,诸侯宾从①于汉;吕氏之事,平为本谋,终安宗庙,定社稷。作《陈丞相世家》第二十六。

[注释]

①宾从:臣服。

[译文]

陈平为刘邦六出奇计,使诸侯都归服于汉;在谋划消灭诸吕的事件上,陈平为主谋,终于使王室和国家得以安定。作《陈丞相世家》第二十六。

诸吕为从①,谋弱京师,而勃反经②合于权;吴楚之兵,亚夫驻于昌邑,以厄齐赵,而出委以梁。作《绛侯世家》第二十七。

[注释]

①从:同"纵",联合。②经:常规,常道。

[译文]

诸吕相互勾结,阴谋削弱刘氏政权,周勃采取背离常规适合当时形势的做法,发动政变,诛灭诸吕;吴楚七国起兵叛乱,周亚夫驻军昌邑,以阻挡齐地四国的西进与赵国的南下之军,用梁国来消解吴楚。作《绛侯世家》第二十七。

七国叛逆,蕃①屏京师,唯梁为扞;偩爱矜功,几获于祸。

嘉其能距吴楚,作《梁孝王世家》第二十八。

[注释]

①蕃:通"藩",屏障。

[译文]

吴楚七国叛乱,阻止叛军西下,为京城做了屏障,在诸侯中只有梁国是朝廷的捍卫者;但梁孝王由于特别受宠,加上有功,所以特别骄横,甚至差点送掉性命。表彰他能抵抗吴楚叛军,作《梁孝王世家》第二十八。

五宗既王,亲属洽和,诸侯大小为藩,爰得其宜,僭拟①之事稍衰贬②矣。作《五宗世家》第二十九。

[注释]

①僭拟:超份。拟,比拟于天子。②衰贬:减少。

[译文]

景帝的儿子们全都被封王以后,关系融洽和睦,大小诸侯都是朝廷的藩屏,各得其所,越位的事情也逐渐减少。作《五宗世家》第二十九。

三子之王,文辞可观。作《三王世家》第三十。

[译文]

武帝的三个儿子被封为王时,群臣的上表及皇帝的诏令都写得很有文采。作《三王世家》第三十。

末世争利,维彼奔义;让国饿死,天下称之。作《伯夷列传》第一。

[译文]

末世人人争权夺利,只有伯夷、叔齐遵守仁义;为让国君之位，双双饿死在首阳山，天下称赞他们的美德。作《伯夷叔齐列传》第一。

晏子俭矣，夷吾则奢；齐桓以霸，景公以治。作《管晏列传》第二。

[译文]

晏子以俭朴闻名，辅佐齐景公让齐国大治；管仲则好奢侈，但却能辅佐齐桓公成为霸主。作《管晏列传》第二。

李耳无为自化，清净自正；韩非揣事情①，循势理②。作《老子韩非列传》第三。

[注释]

①事情：事物发展之情。②势理：形势变化之理。

[译文]

李耳主张无为而治，认为人无为而万物自化，人清静则万物自正；韩非则强调要根据事物的发展变化而采取相应的措施。作《老子韩非列传》第三。

自古王者而有《司马法》，穰苴能申明之，作《司马穰苴列传》第四。

[译文]

自古做帝王的都有《司马法》，曾做过大司马的穰苴能够对它创造性地运用。作《司马穰苴列传》第四。

非信廉仁勇不能传兵论剑，与道同符，内可以治身，外可以应变，君子比①德焉。作《孙子吴起列传》第五。

[注释]

①比：测定。

[译文]

没有"信仁"不能传授兵法，没有"廉勇"不能论说剑术，只有"信仁廉勇"的人才能把"兵法论剑"运用得合乎客观规律，才能百战不殆。这样对内可以修身，对外可以应变，君子也可以从军事家运用兵法的水平上，来测定他们人品道德的高低。作《孙子吴起列传》第五。

维建遇谗，爰及子奢，尚既匡父，伍员奔吴。作《伍子胥列传》第六。

[译文]

太子建遭到奸臣费无极的谗害，太傅伍奢为太子辩冤屈，也被害下狱。伍尚随使者入朝，与父同死，伍子胥不肯就范，逃往吴国。作《伍子胥列传》第六。

孔氏述文，弟子兴业①，咸为师傅，崇仁厉义。作《仲尼弟子列传》第七。

[注释]

①兴业：发展儒家事业。

[译文]

孔子阐发前代文献的主要思想，他的弟子发展了儒家学说，每个孔门弟子都崇尚仁义，都可为人师表。作《仲尼弟子列传》第七。

鞅去卫适秦，能明①其术，强霸孝公，后世遵其法。作《商君列传》第八。

[注释]

①明：发挥，运用。

[译文]

商鞅离开卫国去秦国，在秦国能发挥、实施他的法家之术，使秦国富强起来，周天子也承认秦孝公是诸侯的霸主。商鞅虽死，但新法一直被秦国后代所遵行。作《商君列传》第八。

天下患衡①秦毋餍②，而苏子能存诸侯，约从以抑贪强，作《苏秦列传》第九。

[注释]

①衡：通"横"，指连横。②餍：饱，满足。

[译文]

东方诸国担心与秦国连横，让秦国变得贪得无厌，苏秦为挽救东方的危机而倡导结约合纵，以此来抑制强秦。作《苏秦列传》第九。

六国既从亲①，而张仪能明其说，复散解诸侯。作《张仪列传》第十。

[注释]

①从亲：合纵结交。

[译文]

六国合纵结交，而张仪能推行其连横的主张，最终，在张仪的鼓吹下，合纵之势分崩离析。作《张仪列传》第十。

秦所以东攘雄诸侯，樗里、甘茂之策。作《樗里甘茂列传》第十一。

[译文]

秦国之所以能够向东方扩张，称雄于诸侯，是采用樗里、甘茂这些谋臣的良策的结果。作《樗里甘茂列传》第十一。

苞①河山，围大梁，使诸侯敛手②而事秦者，魏冉之功。作《穰侯列传》第十二。

[注释]

①苞：同"包"。②敛手：束手，拱手。

[译文]

占领黄河、华山附近的大片土地，围困魏国的都城大梁，使天下诸侯拱手而侍奉秦国，这是魏冉的功劳。作《穰侯列传》第十二。

南拔鄢郢，北摧长平，遂围邯郸，武安为率①；破荆灭赵，王翦之计。作《白起王翦列传》第十三。

[注释]

①率：同"帅"，主将。

[译文]

向南面攻占楚国的都城鄢郢，往北面在长平坑杀赵国守军，接着又围困赵国的都城邯郸，所有这些，都是武安君白起当统帅时取得的；破楚灭赵，是采用了王翦的计谋。作《白起王翦列传》第十三。

猎①儒墨之遗文，明礼义之统纪，绝惠王利端，列往世兴衰。作《孟子荀卿列传》第十四。

[注释]

①猎：涉猎，吸纳。

[译文]

广泛地阅读、研究以儒、墨两家为代表的诸家著作,研究阐发"礼"的学说体系,杜绝梁惠王逐利的念头,总结自古以来国家兴亡的历史教训。作《孟子荀卿列传》第十四。

好客喜士,士归于薛,为齐扞楚、魏。作《孟尝君列传》第十五。

[译文]

孟尝君喜爱结交门客、士人,群客都云集在薛城,为齐国抵御楚、魏。作《孟尝君列传》第十五。

争冯亭以权,如楚以救邯郸之围,使其君复称于诸侯。作《平原君虞卿列传》第十六。

[译文]

平原君贪图便宜劝赵王接受冯亭所献的上党之地,引来秦兵伐赵。为解邯郸之围,平原君赴楚国求兵救赵,靠着毛遂的作用,请来了救兵,使邯郸得救,赵国转危为安。作《平原君虞卿列传》第十六。

能以富贵下贫贱,贤能诎于不肖①,唯信陵君为能行之。作《魏公子列传》第十七。

[注释]

①不肖:没出息。

[译文]

不因富贵而骄傲,不自恃有才而自大,只有信陵君能够如此。作《魏公子列传》第十七。

以身徇①君，遂脱强秦，使驰说之士南乡走楚者，黄歇之义。作《春申君列传》第十八。

[注释]

①徇：同"殉"，牺牲。

[译文]

不顾危难设法帮助太子潜逃回国，自己也机智地说服秦王，得以逃脱，使纵、横之士都纷纷南来楚国，提高了楚国的地位，这是春申君黄歇的忠义所为。作《春申君列传》第十八。

能忍诟①于魏齐，而信②威于强秦，推贤让位，二子有之。作《范雎蔡泽列传》第十九。

[注释]

①诟：耻辱。②信：同"伸"，伸展。

[译文]

范雎能忍住魏齐的侮辱，后到秦国当了宰相，并知难而退，将相位让给了蔡泽。而蔡泽干了几个月，也辞职不干了。他们都有让贤的美德。作《范雎蔡泽列传》第十九。

率①行其谋，连五国兵，为弱燕报强齐之仇，雪其先君之耻。作《乐毅列传》第二十。

[注释]

①率：顺，顺心。

[译文]

乐毅能顺心地施展自己的谋略，联合五国军队，并统兵伐齐，打破齐军，为燕昭王报了当年齐国乘燕国内乱差点把燕国灭掉的仇恨，为燕王哙洗雪了耻辱。作《乐毅列传》第二十。

能信意强秦，而屈体廉子，用徇其君，俱重于诸侯。作《廉颇蔺相如列传》第二十一。

[译文]

蔺相如能在强秦朝廷上充分按自己的意志行事，又能在对待廉颇的寻衅挑刺儿上表现得谦退忍让，为了国家的利益而不计较个人的恩怨，而廉颇也能知过必改，二人同显于诸侯。作《廉颇蔺相如列传》第二十一。

湣王既失临淄而奔莒，唯田单用即墨破走①骑劫，遂存齐社稷。作《田单列传》第二十二。

[注释]

①破走：打败。

[译文]

齐国军队被乐毅打败，临淄被燕军占领后，齐湣王逃到了莒县，田单被推为即墨县的守将，巧妙地用火牛阵大破燕军，并杀死了燕的统帅骑劫，从而收复失地，再造齐国。作《田单列传》第二十二。

能设诡说①解患于围城，轻爵禄，乐肆志。作《鲁仲连邹阳列传》第二十三。

[注释]

①诡说：巧妙的辞令。

[译文]

鲁仲连在邯郸被围的情况下，以机智诡辩的辞令帮助解除了赵国的危机，又不接受赵国的爵禄，喜欢随心意地自由生活。作《鲁仲连邹阳列传》第二十三。

作辞以讽谏，连类①以争义②，《离骚》有之。作《屈原贾生列传》第二十四。

[注释]

①连类：打比喻。②争义：表明意旨。

[译文]

写诗、赋来进行讽喻，通过反复比喻来突出宗旨，《离骚》的特点就是这样。作《屈原贾生列传》第二十四。

结子楚亲，使诸侯之士斐然①争入事秦，作《吕不韦列传》第二十五。

[注释]

①斐然：原来指文采美丽，这里形容众多的样子。

[译文]

吕不韦与子楚结交后，帮助子楚回国即位，并使各诸侯国的士人都争相来秦国，作《吕不韦列传》第二十五。

曹子①匕首，鲁获其田，齐明其信；豫让义不为二心。作《刺客列传》第二十六。

[注释]

①曹子：指曹刿。也作曹沫。

[译文]

曹沫趁鲁庄公与齐桓公在柯邑会盟之机，用匕首劫持齐桓公，迫使齐桓公退回了在此之前所侵占的鲁国的土地，齐国讲求信义，就兑现了自己的诺言；豫让信守忠义，不以"二心"来对待自己的家主，行刺不成自杀而死。作《刺客列传》第二十六。

能明其画①，因时推②秦，遂得意于海内，斯为谋首。作

《李斯列传》第二十七。

[注释]

①画：谋划，策划。②推：发展，建设。

[译文]

能够阐明、实施自己的谋略、计划，不失时机地帮着秦国扩张、发展，终于使秦始皇得以吞并天下，这些都是李斯计谋的结果。作《李斯列传》第二十七。

为秦开地益众，北靡匈奴，据河为塞，因山为固，建榆中。作《蒙恬列传》第二十八。

[译文]

蒙恬为秦国开疆拓土，增加人口，向北面打败匈奴，沿着黄河修筑长城，顺着北方的山形建立防守要塞，并在榆中屯田。作《蒙恬列传》第二十八。

填①赵塞常山以广河内，弱楚权，明汉王之信于天下。作《张耳陈馀列传》第二十九。

[注释]

①填：通"镇"，安定，平定。

[译文]

张耳被封赵王后，镇抚赵地，驻守常山，并向南开拓黄河以北的河内地区，削弱项羽一方的势力，向天下人表明刘邦的信义。作《张耳陈馀列传》第二十九。

收西河、上党之兵，从至彭城；越之侵掠梁地以苦①项羽。作《魏豹彭越列传》第三十。

[注释]

①苦：使之受苦。

[译文]

魏豹率西河、上党之兵，跟随高祖东进，并攻下彭城；彭越在梁地开展打击项羽的小规模活动，切断项羽的前后方联系。作《魏豹彭越列传》第三十。

以淮南叛楚归汉，汉用①得大司马殷，卒破子羽于垓下，作《黥布列传》第三十一。

[注释]

①用：因。

[译文]

黥布凭借淮南之地叛楚归汉，汉王刘邦通过他劝说项羽的大司马周殷叛楚降汉，他还参加了围歼项羽的垓下之战，使项羽彻底覆亡。作《黥布列传》第三十一。

楚人迫我京索，而信拔魏、赵，定燕、齐，使汉三分天下有其二，以灭项籍。作《淮阴侯列传》第三十二。

[译文]

楚汉双方主力在京、索一带相持了三年，韩信率军渡黄河先破魏国、赵国，又用李左车之计威胁燕王投降汉王，又向东大破齐国，使汉军控制了天下三分之二的土地，为最终消灭项羽奠定了基础。作《淮阴侯列传》第三十二。

楚汉相距巩洛，而韩信为填颍川，卢绾绝籍粮饷。作《韩信卢绾列传》第三十三。

[译文]

楚汉双方在巩、洛一带进行拉锯战，韩王信为刘邦控制着韩国的旧地颍川一带，同时，卢绾切断了项羽军队的粮道。作《韩信卢绾列传》第三十三。

诸侯畔①项王，唯齐连②子羽城阳，汉得以间③遂入彭城。作《田儋列传》第三十四。

[注释]

①畔：通"叛"。②连：牵制。③间：间隙，空隙。这里指机会。

[译文]

各地诸侯纷纷背叛项羽，田横在城阳起兵反项羽，把项羽的主力牵制在城阳，使汉王刘邦趁机率军攻入了彭城。作《田儋列传》第三十四。

攻城野战，获功归报，哙、商有力焉，非独鞭策①，又与之脱难。作《樊郦列传》第三十五。

[注释]

①鞭策：马鞭子。

[译文]

樊哙、郦商不仅在攻城略地中有大功，且在汉初平定叛乱中也立下了汗马功劳，夏侯婴不仅一生为刘邦赶车，而且还多次帮刘邦脱离险境。作《樊郦列传》第三十五。

汉既初定，文理①未明，苍为主计，整齐②度量，序律历。作《张丞相列传》第三十六。

[注释]

①文理：国家的各种章程制度。②整齐：统一。

[译文]

汉朝刚刚建立,各种规章制度尚不完备,张苍管理财政收支方面的事物,统一度量衡,编订新的律历。作《张丞相列传》第三十六。

结言①通使,约怀②诸侯;诸侯咸亲,归汉为藩辅。作《郦生陆贾列传》第三十七。

[注释]

①结言:通过辞令与人结交。②怀:思念,感戴。

[译文]

每次出使,都是凭辞令和人相约结,结果都能使人信服,并让诸侯国对汉朝中央政权感恩戴德,使他们成为汉朝的藩臣。作《郦生陆贾列传》第三十七。

欲详知秦楚之事,维周绁常从高祖,平定诸侯。作《傅靳蒯成列传》第三十八。

[译文]

想要详细了解刘邦破秦、灭楚的过程,周绁比较清楚,因为他经常跟随高祖,参加了平定诸侯的一系列军事活动。作《傅靳蒯成列传》第三十八。

徙强族,都关中,和约匈奴;明朝廷礼,次宗庙仪法。作《刘敬叔孙通列传》第三十九。

[译文]

刘敬建议刘邦把各地的豪强世家迁往京城附近,并将都城迁往长安,向刘邦提出和匈奴实行和亲的政策;叔孙通为刘邦制订了一套朝廷上使用的礼节和一套祭祀宗庙的规矩。作《刘敬叔孙通列传》第三十九。

能摧刚作柔,卒为列臣;栾公不劫于势而倍①死。作《季布栾布列传》第四十。

[注释]

①倍:同"背",违背,背叛。

[译文]

季布作为项羽的将领,在项羽死后,能隐名埋姓,混迹在奴隶中,后被赦免,又成为汉朝的将军;栾布不忘旧主,不畏权势,宁死不屈。作《季布栾布列传》第四十。

敢犯颜色以达主义,不顾其身,为国家树长画。作《袁盎晁错列传》第四十一。

[译文]

袁盎不怕皇帝动怒,敢于将自己合乎正义的思想表达给皇帝,不顾自身安危;晁错为巩固中央集权而力主削藩,明知此举会犯众怒,但仍不计安危,为国谋划。作《袁盎晁错列传》第四十一。

守法不失大理,言古贤人,增主之明。作《张释之冯唐列传》第四十二。

[译文]

身为国家的最高司法官,能执法公平,能向文帝讲述前代名将的动机,为汉将魏尚辨明冤屈,增长了君主的见识。作《张释之冯唐列传》第四十二。

敦厚慈孝,讷①于言,敏于行,务在鞠躬,君子长者。作《万石张叔列传》第四十三。

[注释]

①讷:语言迟钝,讲话艰难。

[译文]

忠厚仁慈,不善于言辞,但善于身体力行,处处小心,谨守礼节,堪为君子之首。作《万石张叔列传》第四十三。

守节切直,义足以言廉,行足以厉①贤,任重权不可以非理挠。作《田叔列传》第四十四。

[注释]

①厉:勉励,激励。

[译文]

恪守气节,为人耿直,他的仁义完全称得上是清廉,他的行为可以使贤能之人受到激励,虽担任要职,而能不以无礼的手段使人屈服。作《田叔列传》第四十四。

扁鹊言医,为方者①宗,守数②精明;后世循序③,弗能易也,而仓公可谓近之矣。作《扁鹊仓公列传》第四十五。

[注释]

①方者:研习方药的人,指医生。②数:技术,医道。③序:通"绪",开端。

[译文]

扁鹊是名医,是医生的祖师爷,他的医术精准、高超;后世的医生继承前辈的方法,而没有任何改变,只有淳于意的医术能接近扁鹊。作《扁鹊仓公列传》第四十五。

维仲之省①,厥濞王吴,遭汉初定,以填抚江、淮之间。作《吴王濞列传》第四十六。

［注释］

①省：贬抑。

［译文］

刘仲被削夺王爵，他的儿子刘濞有功被封为吴王，恰逢汉朝刚刚安定，便让他镇抚江淮之地。作《吴王濞列传》第四十六。

吴楚为乱，宗属唯婴贤而喜士，士乡之，率师抗山东荥阳。作《魏其武安列传》第四十七。

［译文］

吴、楚等七国叛乱，皇亲中只有窦婴贤能而以养士闻名，也颇受士人拥戴，于是景帝派窦婴率军驻守在荥阳，以策应东南与其他各地的军事行动。作《魏其武安列传》第四十七。

智足以应近世之变，宽足用得人。作《韩长孺列传》第四十八。

［译文］

韩安国的智谋足以应付各种矛盾，他为人忠厚，曾为国家推荐了一些人才。作《韩长孺列传》第四十八。

勇于当①敌，仁爱士卒，号令不烦，师徒乡之。作《李将军列传》第四十九。

［注释］

①当：对付。

［译文］

李广抗敌英勇，对士卒怀仁爱之心，治军不搞繁文缛节，深受士兵的拥戴。作《李将军列传》第四十九。

自三代以来，匈奴常为中国①患害；欲知强弱之时，设备征讨，作《匈奴列传》第五十。

[注释]

①中国：指中原地区。

[译文]

自夏、商、周三朝以来，匈奴一直是中原地区的祸害；总结匈奴民族的发展变化规律，为统治者了解匈奴、对付匈奴提供必要的参考，作《匈奴列传》第五十。

直①曲塞，广河南，破祁连，通西国，靡北胡。作《卫将军骠骑列传》第五十一。

[注释]

①直：直通，直取。

[译文]

卫青直取了河套一带的边塞，拓展了黄河以南的大片地区；霍去病曾率军出陇西，直打到祁连山以西，打开了通往西域各国的道路，使匈奴人风靡北逃。作《卫将军骠骑列传》第五十一。

大臣宗室以侈靡相高①，唯弘用节衣食为百吏先。作《平津侯列传》第五十二。

[注释]

①相高：相互比高低。

[译文]

大臣和宗室争相奢侈，比谁更阔气、更豪华，只有公孙弘节衣缩食，成为百官表率。作《平津侯列传》第五十二。

汉既平中国，而佗能集杨越以保南藩，纳贡职①。作《南越列传》第五十三。

[注释]

①职：纳贡。

[译文]

汉朝已经统一中原，而赵佗能取消帝号，安定南方的百越之地，以诸侯的身份成为汉王朝南方的屏障，并给汉王朝进贡纳税。作《南越列传》第五十三。

吴之叛逆，瓯人斩濞，葆①守封、禺为臣。作《东越列传》第五十四。

[注释]

①葆：通"保"，保护。

[译文]

吴王刘濞发动叛乱失败后，东瓯的首领接受汉王朝的指令，斩杀刘濞，武帝时依靠封、禺二山，为汉朝守疆土。作《东越列传》第五十四。

燕丹散乱辽间，满收其亡民，厥聚海东，以集真藩，葆塞为外臣。作《朝鲜列传》第五十五。

[译文]

燕太子丹在荆轲刺秦失败后，逃到辽东，卫满收集、带领许多亡命之人，进入朝鲜境内，建国称王，安抚真藩等朝鲜境内的其他小国，并向汉朝称臣。作《朝鲜列传》第五十五。

唐蒙使略①通夜郎，而邛、筰之君请为内臣受吏。作《西南夷列传》第五十六。

[注释]

①略：拓展地盘。

[译文]

唐蒙是最先建议武帝经营西南少数民族的人，后来受命出使西南诸多小国，拓展了汉在夜郎的地盘，而邛、筰等国的国君请求成为汉朝内臣并接受朝廷所派去的官吏。作《西南夷列传》第五十六。

《子虚》之事，《大人》赋说，靡丽多夸，然其指风谏①，归于无为②。作《司马相如列传》第五十七。

[注释]

①风谏：讽谏。风，吹风。②无为：不要再干。

[译文]

司马相如的《子虚赋》、《大人赋》，文辞大多华丽夸张，写这些作品的目的是为了规劝皇帝，希望他能够明白，并改正错误。作《司马相如列传》第五十七。

黥布叛逆，子长国之，以填江淮之南，安①勡楚庶民。作《淮南衡山列传》第五十八。

[注释]

①安：安抚，稳定。

[译文]

黥布发动叛乱，被刘邦讨灭后，刘邦的儿子刘长被封为淮南王，镇守江淮之地，安抚那些勇猛好斗的楚地百姓。作《淮南衡山列传》第五十八。

奉法循理之吏，不伐功矜能，百姓无称，亦无过行。作

《循吏列传》第五十九。

[译文]

为官遵奉法律，按照章程、常规办事，不浮夸，不邀功，尽管没人给他歌功颂德，但他们也从来不犯错误。作《循吏列传》第五十九。

正衣冠立于朝廷，而群臣莫敢言浮说，长孺矜焉；好荐人，称长者，壮有溉①。作《汲郑列传》第六十。

[注释]

①溉：同"概"，气节。

[译文]

衣冠端正地立在朝廷上，群臣没人敢说虚浮不实的话，汲长孺是以端庄严肃闻名的；郑当时为人有气节，以举荐贤能之人而著称，被当时人称为"长者"。作《汲郑列传》第六十。

自孔子卒，京师莫崇庠序，唯建元、元狩之间，文辞粲如①也。作《儒林列传》第六十一。

[注释]

①粲如：辞采美丽的样子。

[译文]

自孔子去世以后，统治者不重视学校教育，只有建元至元狩之间，汉武帝尊儒后，文辞才粲然华丽。作《儒林列传》第六十一。

民倍本①多巧，奸轨②弄法，善人不能化③，唯一切严削为能齐之，作《酷吏列传》第六十二。

[注释]

①本：本性。②奸轨：作奸犯科的人。轨，通"宄"。③化：使其向善。

[译文]

人们背离朴实的本性而变得诡计多端,为非作歹,钻法律的空子,光靠口头教育劝说不能感化他们弃恶从善,只有采取严厉的法律措施来惩治,才能制止他们的犯法行为,作《酷吏列传》第六十二。

汉既通使大夏,而西极远蛮,引领①内乡,欲观中国。作《大宛列传》第六十三。

[注释]

①引领:伸长脖子,急切盼望的样子。

[译文]

汉与大夏等友好往来以后,西方很远的一些国家,都向往和汉朝交往,想到中国看看。作《大宛列传》第六十三。

救人于厄①,振②人不赡,仁者有乎;不既信,不倍言,义者有取焉。作《游侠列传》第六十四。

[注释]

①厄:困境,险境。②振:同"赈",救济。

[译文]

救人于危难之中,济人于困顿之时,这是仁者具有的美德;说话算话,不违背自己的诺言,这是义者可取的地方。作《游侠列传》第六十四。

夫事人君能说主耳目,和主颜色,而获亲近,非独色爱,能亦各有所长。作《佞幸列传》第六十五。

[译文]

侍奉皇帝能取悦他,并能哄得他开心,靠自己姣好的容颜博得皇帝的宠幸，这不仅是靠美色获得宠幸，还得有特殊的手段。作《佞幸列传》第六十五。

不流世俗，不争势利，上下无所凝滞①，人莫之害，以道之用。作《滑稽列传》第六十六。

[注释]

①凝滞：流动不畅。这里指矛盾，摩擦。

[译文]

有自己的人格和看法，不争权夺利，并与上上下下的人不产生矛盾、隔阂，靠着一种与世变化的方法，让任何人没有办法伤害自己。作《滑稽列传》第六十六。

齐、楚、秦、赵为日者①，各有俗所用。欲循观②其大旨，作《日者列传》第六十七。

[注释]

①日者：古时占测时日的人。②循观：遍观，统览。

[译文]

齐、楚、秦、赵都有一批占卜者，不同的地区各有其不同的风俗，也就有各不相同的占卜方法。为了要遍观其大概，作《日者列传》第六十七。

三王①不同龟，四夷各异卜，然各以决吉凶。略窥其要，作《龟策列传》第六十八。

[注释]

①三王：指夏、商、周三代。

[译文]

夏、商、周三代由于时代不同、地区不同，用做占卜工具的材料也各不相同，但都可以用来判断吉凶祸福。粗略地探求一下卜筮的根本，作《龟策列传》第六十八。

布衣匹夫之人，不害于政，不妨百姓，取与①以时②而息③财富，智者有采焉。作《货殖列传》第六十九。

[注释]

①取与：指买、卖。②以时：根据时机。③息：增长，繁衍。

[译文]

一个普通的平民百姓，不犯法，也不伤害其他百姓，不失时机地买进卖出，让自己的财富增加，有些"智者"也从事了这种行业。作《货殖列传》第六十九。

维我汉继五帝末流，接三代绝业。周道废，秦拨去古文，焚灭《诗》、《书》，故明堂石室①金匮玉版图籍散乱。于是汉兴，萧何次②律令，韩信申③军法，张苍为章程，叔孙通定礼仪，则文学④彬彬稍进，《诗》、《书》往往间⑤出矣。自曹参荐盖公言黄老，而贾生、晁错明申、商，公孙弘以儒显，百年之间，天下遗文古事靡不毕集太史公。太史公仍父子相续纂其职。曰："於戏⑥！余维先人尝掌斯事，显于唐虞，至于周，复典之，故司马氏世主天官。至于余乎，钦⑦念哉！钦念哉！"罔罗⑧天下放失旧闻，王迹所兴，原始察终，见盛观衰，论考之行事，略推三代，录秦汉，上记轩辕，下至于兹，著十二本纪，既科条之矣。并时异世，年差不明，作十表。礼乐损益，律历改易，兵权山川鬼神，天人之际，承敝通变，作八书。二十八宿环北辰，三十辐共一毂，运行无穷，辅拂⑨股肱之臣配焉，忠信行道，以奉主上，作三十世家。扶义俶傥⑩，不令己失时，立功名于天下，作七十列传。凡百三十篇,五十二万六千五百字,为《太史公书》。序略,以拾遗补艺,成一家之言,厥协六经异传,整齐百家杂语,藏之名山,副在京师,俟后世圣人君子。第七十。

[注释]

①明堂石室:古代国家的藏书之处。②次:编订。③申:阐述。④文学:指人们知书识礼。⑤间:时而,不时地。⑥於戏:同"呜呼"。⑦钦:敬,郑重。⑧罔罗:广泛收集。罔,同"网"。⑨辅拂:辅弼,即辅佐。拂,通"弼"。⑩傥傥:同"倜傥",潇洒,不拘小节的样子。

[译文]

我们汉朝上承五帝遗风,延续了三代中断的基业。周朝末年,王道衰落,秦朝统一六国后,废除了东方六国所使用的文字,焚毁了《诗》、《书》等民间典籍,所以,造成了国家图书及档案的散乱丧失。这时汉朝兴起,萧何编订了新的法律条文,韩信重新阐述了军法,张苍修订了历法、音律及度量衡等方面的制度,叔孙通制定了礼仪,这样,整个社会变得越来越有秩序,人们也变得知书达理了,过去被藏起来的《诗》、《书》等古书,如今也在各地不断出现。相国曹参尊黄老学派的学者盖公为师,在全国范围内推行黄老的"无为而治",而贾谊、晁错发扬申不害、商鞅的学说,公孙弘又以精通儒术而高居丞相之位。自刘邦建汉到司马迁为太史令已近百年了,天下的遗文古事都汇集在太史府。司马迁父子两代相继为太史府的太史令。太史公说:"呜呼!我的祖先曾掌管这类事,在唐虞时代就非常有名了,到周朝时,我的祖辈再次掌管此类事,所以司马氏世代主掌天官之事。难道能让它断绝在我这一代吗?好好地记在心里,好好地记着啊!"将散失在民间各地的遗闻旧事都搜集起来,考察历代圣王事业是怎样发达起来的,追寻一个王朝是如何开国,又是怎样灭亡的,从它的鼎盛中预见其未来的衰败,一切结论都是经过对历史过程的实际考证得来的,而夏、商、周三代及其以上的历史，由于年代太久远，只能推其大概，而对秦汉以来的史实记载考证得比较详细，上从轩辕氏黄帝开始写起，下到今天的武帝太初年间，这部书的开头部分是十二篇"本纪"，也是整部书的大纲。有些事情发生在同一时间，有些发生在不同时代，光是通过文字，无法弄清它们的先后，所以用十篇表把它们列出来。各朝礼乐的修改、变更，律历的不同，历代的兵法、权谋、山川、鬼神，天文、地理，以及其他各个领域的变化，写成八书。众星共同环绕北斗星，所有的辐条都集结在车轴上，永远不停地运转，好像文武大臣辅佐皇帝一样，他们忠心耿耿，尽力扶持皇上，因此，我作三十世家。有些人仗义而行，卓尔不群，不错过时机，建功立业，使自己扬名于天下，因此，我作七十列传。全书总共一百三十篇，五十二万六千五百字，起名为《太史公书》。编排古往今来的大概史实，搜求遗闻，来补充六艺的缺漏，成为一家之言，协调、折中儒家诸典籍的各种不同讲法，整合百家的不同学说，正本藏在名山之中，副本留在京师，让后来有见识的人们有所借鉴，有所参考。因此，写下了第七十篇《太史公自序》。

太史公曰：余述历黄帝以来至太初而讫①，百三十篇。

[注释]

①讫：止，完。

[译文]

太史公说：我记述了上起黄帝下至武帝太初年间的事，总共一百三十篇。

图书在版编目(CIP)数据

史记/(汉)司马迁撰;郭灿金,魏明云注译. —郑州:中州古籍出版社,2010.7(2014.1 重印)
(国学经典)
ISBN 978－7－5348－3388－5

I.①史…Ⅱ.①司…②郭…③魏…Ⅲ.①中国－古代史－纪传体②史记－注释③史记－译文Ⅳ.①K204.2

中国版本图书馆 CIP 数据核字(2010)第 120759 号

出版社:中州古籍出版社
（地址:郑州市经五路66号　邮政编码:450002）
发行单位:新华书店
承印单位:河南大美印刷有限公司
开本:640mm×960mm　1/16　印张:22.25
字数:240 千字　　　　　印数:14 001－18 000 册
版次:2010 年 7 月第 1 版　印次:2014 年 1 月第 4 次印刷

定价:28.00 元

本书如有印装质量问题,由承印厂负责调换。